Le grand jeu

MOLLY BLOOM

Le grand jeu

L'histoire vraie de celle qui, à 26 ans, a organisé le poker clandestin le plus sélect et le plus ambitieux au monde.

document

Traduit de l'anglais (États-Unis) par
ALEXANDRA HERSCOVICI-SCHILLER

HarperCollins

Titre original :
MOLLY'S GAME

Ce livre est publié avec l'aimable autorisation de HarperCollins Publishers, LLC,
New York, USA.

© 2014, Molly Bloom.
© 2018, HarperCollins France pour la traduction française.

Le visuel de couverture est reproduit avec l'autorisation de :
LE GRAND JEU : © 2017 S.N.D. Tous droits réservés.

Réalisation graphique couverture :
C. ESCARBELT (HARPERCOLLINS France)

Tous droits réservés.

HARPERCOLLINS FRANCE
83-85, boulevard Vincent-Auriol, 75646 PARIS CEDEX 13
Tél. : 01 42 16 63 63

www.harpercollins.fr

ISBN 979-1-0339-0186-0

Ce livre est dédié à ma mère, Charlene Bloom, qui m'a donné la vie non pas une, mais deux fois. Sans ton amour absolu et ton soutien inconditionnel, rien de tout cela n'aurait été possible.

NOTE DE L'AUTEUR

Les événements que je rapporte ont tous réellement eu lieu. J'ai parfois changé les noms, les identités et les signes distinctifs pour préserver l'intimité des protagonistes et, en particulier, leur droit de raconter — ou non — leur histoire s'ils le désirent. J'ai reconstitué les conversations d'après les souvenirs précis que j'en garde, même si je ne prétends pas faire du mot à mot. J'ai plutôt choisi de rester fidèle à l'essence et à l'esprit de ces échanges.

Prologue

5 heures du matin, dans l'entrée de mon appartement. Je porte une chemise de nuit en dentelle transparente, et des projecteurs fluorescents sont braqués sur moi.

— Les mains en l'air ! hurle une voix d'homme, agressive et sans âme.

Je m'exécute en tremblant.

Mes yeux s'habituent à la lumière. Un mur d'agents du FBI en uniforme s'étend à perte de vue. Ils sont armés jusqu'aux dents et me tiennent en joue avec des fusils d'assaut, comme dans les films.

— Approchez-vous lentement, ordonne la voix d'un ton détaché, presque inhumain.

À leurs yeux, je suis une menace, un criminel à appréhender comme dans leurs manuels.

Je mets un pied devant l'autre, les jambes flageolantes.

— Moins vite ! reprend la voix, menaçante.

C'est la plus longue marche de ma vie.

— Doucement. Pas de geste brusque, intime une autre voix grave.

Paralysée de terreur, j'ai du mal à respirer ; la pièce sombre commence à devenir floue. J'ai peur de m'évanouir, mais l'image de ma nuisette blanche couverte de sang me force à rester consciente.

J'arrive enfin au bout de la rangée et je sens quelqu'un m'attraper et me pousser brutalement contre le mur en béton. Des mains me fouillent de la tête aux pieds, puis des menottes en acier froid se referment sur mes poignets.

— J'ai une chienne, elle s'appelle Lucy. Je vous en prie, ne lui faites pas de mal.

Après ce qui me semble être une éternité, une femme hurle :

— RAS !

L'homme qui me tient me guide vers mon canapé. Lucy court me lécher les jambes.

Ça me tue de voir sa terreur et j'essaye de retenir mes larmes.

— Monsieur, dis-je d'une voix tremblante à l'homme qui m'a menottée. Vous pouvez me dire ce qui se passe, s'il vous plaît ? Il doit y avoir une erreur.

— Vous êtes bien Molly Bloom ?

J'acquiesce.

— Dans ce cas, il n'y a pas d'erreur.

Il me montre une feuille de papier. Je me penche en avant, les mains toujours menottées derrière le dos. Hypnotisée, je fixe les grosses lettres noires sur la première ligne :

LES ÉTATS-UNIS D'AMÉRIQUE *vs* MOLLY BLOOM.

PREMIÈRE PARTIE

La chance du débutant

Chance du débutant (expression) :

Phénomène fantasmé selon lequel un débutant en poker connaîtrait un nombre de succès disproportionné.

1

J'ai passé les vingt premières années de ma vie dans une petite ville du Colorado du nom de Loveland, à soixante-quinze kilomètres au nord de Denver. Mon père était un bel homme, charismatique et complexe. Il exerçait comme psychologue tout en enseignant à la Colorado State University. L'éducation de ses enfants était d'une importance capitale pour lui : si mes frères et moi ne rapportions pas de bonnes notes, nous avions de gros ennuis. Cela dit, il nous a toujours encouragés à réaliser nos rêves.

Même si, à la maison, c'était un père affectueux, aimant et joueur, il exigeait l'excellence scolaire et sportive. Il était animé par une telle passion que ça en devenait parfois effrayant.

Chez nous, le mot « loisir » n'existait pas ; tout devait nous apprendre à repousser nos limites et à nous améliorer. Je me souviens d'un été où mon père nous a réveillés tôt pour aller faire du vélo en famille. La « promenade » impliquait une ascension verticale épuisante sur un kilomètre à plus de trois mille mètres d'altitude. Mon plus jeune frère, Jeremy, devait avoir à peu près six ans, et son vélo n'avait pas de vitesses. Je le vois encore pédaler à en faire éclater son petit cœur pour ne pas se laisser distancer, pendant que mon père nous hurlait d'accélérer et de fournir plus d'efforts, et gare à nous si nous nous plaignions. Des années plus tard, j'ai demandé à mon père d'où venait sa ferveur. Il a réfléchi : il avait trois enfants désormais adultes qui avaient réussi au-delà de ses rêves les plus fous. Avec l'âge, il était devenu moins fougueux et plus enclin à l'introspection.

— Je vois deux explications possibles, m'a-t-il répondu. Mon expérience personnelle et professionnelle m'a appris à quel point la vie peut être difficile, surtout pour les filles. Je voulais être sûr que vous ayez les meilleures chances possible.

Il s'est interrompu.

— Ou alors, c'est parce que je vous voyais tous comme des extensions de moi-même.

À l'inverse, ma mère nous enseignait la compassion. Elle croyait aux vertus de la bienveillance universelle, et montrait l'exemple. C'est la personne la plus douce et aimante que j'aie jamais rencontrée. Elle est intelligente et compétente mais, au lieu de faire de nous des battants, elle nous encourageait surtout à avoir des rêves en faisant tout son possible pour nous aider à les réaliser. Petite, j'adorais me déguiser, si bien que Halloween était ma fête préférée. Tous les ans, je l'attendais avec impatience en réfléchissant à mon costume de l'année. Pour mon cinquième Halloween, je n'arrivais pas à choisir entre un canard et une fée. J'annonçai à ma mère que je voulais être un canard-fée. Elle resta de marbre.

— Eh bien, dans ce cas, c'est ce que tu seras.

Elle passa une nuit entière à fabriquer le déguisement. Évidemment, j'avais l'air ridicule, mais ce qui comptait c'était son attitude bienveillante face à l'originalité. Cela nous a d'ailleurs encouragés tous les trois à sortir des sentiers battus et à penser par nous-mêmes. Ma mère réparait les voitures, tondait la pelouse, inventait des jeux éducatifs, organisait des chasses au trésor, participait à toutes les réunions parents-profs et, en plus de ça, elle s'arrangeait pour accueillir mon père bien habillée, un verre à la main, quand il rentrait du travail.

Mes parents s'occupaient de nous en fonction de leurs points forts : mes frères et moi étions guidés par leurs énergies féminines et masculines combinées. Leur polarité nous a forgés.

QUAND J'ÉTAIS ENFANT, NOUS ALLIONS SKIER en famille tous les week-ends. Nous nous entassions dans la Wagon R pour deux heures de route jusqu'à Keystone, dans le Colorado, où nous avions un deux-pièces. Malgré la pluie, le vent, les tempêtes de neige, les températures glaciales ou les maux de ventre, nous étions toujours les premiers sur les pistes. Si Jordan et moi étions doués, Jeremy était un vrai prodige. Nous avons vite attiré l'attention d'un entraîneur de ski sur bosses et intégré tous les trois une équipe, puis commencé la compétition.

Pendant l'été, nous passions nos journées à faire du ski nautique, du vélo, du jogging, de la randonnée. Mes frères jouaient au football américain, au base-ball et au basket, tandis que j'enchaînais les compétitions de gymnastique et les courses de cinq kilomètres. Nous n'arrêtions jamais de bouger, pour être toujours plus rapides, plus forts, plus performants. Nous ne nous plaignions pas : nous ne connaissions rien d'autre.

À douze ans, une douleur fulgurante entre les omoplates me transperça pendant un cinq kilomètres. Les trois médecins consultés furent unanimes : il fallait m'opérer en urgence. J'avais une scoliose foudroyante. Mes parents attendirent dans l'angoisse pendant les sept heures d'opération nécessaires pour m'ouvrir de la nuque au coccyx, prélever de l'os dans ma hanche, fusionner les onze vertèbres incurvées et fixer des chevilles en métal au segment soudé, afin de redresser ma colonne (tordue en forme de S courbé de soixante-trois degrés). Ensuite, mon médecin m'informa gentiment mais fermement que ma carrière dans le sport de compétition était révolue. Il énuméra toutes les activités que je ne pourrais plus faire et affirma que ça n'empêchait pas d'avoir une vie normale et épanouissante, mais je ne l'écoutais plus. Arrêter de skier était tout simplement inconcevable. C'était le cœur même de notre famille. Ma convalescence dura un an. Je suivais des cours par correspondance et passais la majeure partie de la journée alitée. Tous les week-ends, je regardais jalousement ma famille partir sans moi, clouée au lit pendant qu'ils descendaient des pistes ou se rendaient au lac. J'avais honte de mon orthèse et de mes limites physiques qui faisaient de moi le vilain petit canard. Cela ne fit que renforcer ma détermination à ne pas laisser mon opération affecter ma vie. Je rêvais de faire à nouveau partie de la famille, de sentir la fierté de mon père et d'entendre ses louanges plutôt que l'expression de sa pitié. Chaque journée solitaire me confortait dans ma résolution de ne plus jamais laisser la vie me filer entre les doigts. Dès que les radios montrèrent que les vertèbres avaient bien fusionné, je retournai sur la montagne pour parcourir les pistes avec une volonté de fer, et à la mi-saison j'étais en tête de ma tranche d'âge. Mon petit frère Jeremy avait déjà révolutionné le monde du ski acrobatique et, du haut de ses dix ans, dominait le sport. Il était aussi exceptionnellement doué en athlétisme et en football américain. Ses entraîneurs disaient à mon père qu'ils n'avaient jamais vu un enfant aussi talentueux. C'était notre star.

Mon frère Jordan était aussi un grand sportif, mais il brillait surtout par son intelligence. Il adorait apprendre, démonter les objets et les étudier pour les reconstituer. Les contes ne l'intéressaient pas ; il voulait entendre parler de personnages historiques ayant réellement existé. Ma mère lui racontait une histoire différente tous les soirs, sur de grands hommes d'État ou des scientifiques visionnaires, en faisant des recherches pour intercaler des dates et des faits dans ses récits palpitants.

Jordan décida très jeune qu'il serait chirurgien. Je me souviens de sa peluche préférée, Monsieur Chien, qui fut le premier patient de Jordan et subit tant d'opérations qu'il commença à ressembler à Frankenstein. Mon père était comblé par son génie de fils.

Les talents et les ambitions de mes frères apparurent très tôt et je les regardai récolter les félicitations dont j'avais tant besoin. J'adorais lire et écrire, et, petite, je vivais à moitié dans les livres, les films et mon imagination. À l'école primaire, je n'avais pas envie de jouer avec les autres enfants ; réservée et sensible, je les trouvais intimidants. Ma mère alla voir la bibliothécaire de l'école, Tina Sekavic, qui accepta de me laisser passer les récréations dans la bibliothèque, où je consacrai plusieurs années à lire les biographies de femmes qui ont changé le monde, comme Cléopâtre, Jeanne d'Arc et la reine Élisabeth Ire. (L'idée venait de ma mère, mais j'y ai vite adhéré.) Émue par leur courage et leur volonté, je décidai immédiatement que je ne voulais pas me contenter d'une vie ordinaire. Je rêvais d'aventure ; j'avais besoin de laisser ma marque.

À l'adolescence, le talent académique de Jordan continua à surpasser celui de ses camarades. Il avait deux ans de moins que moi, mais suivait les cours de maths et de sciences de ma classe. Jeremy battit des records en athlétisme, fit gagner le championnat régional à son équipe de football américain et devint un héros local. J'avais de bonnes notes, et j'étais douée, voire très douée en sport, mais rien de comparable aux talents de mes frères. Mon complexe d'infériorité grandit et alimenta mon besoin obsessionnel de reconnaissance. À mesure que nous grandissions, je vis mon père s'investir de plus en plus dans les ambitions et les rêves de mes frères. J'en avais assez d'être toujours à la périphérie : moi aussi, je voulais son attention et ses éloges. Le problème, c'est que j'étais une rêveuse, inspirée par les héroïnes de mes livres, et mon père était trop pragmatique pour comprendre mes grandes aspirations. Malgré tout, j'avais désespérément besoin d'obtenir son approbation.

— Jeremy va être champion olympique, et Jordan médecin. Qu'est-ce que je devrais faire, papa ? lui demandai-je sur un télésiège, un matin très tôt.

— Eh bien, tu aimes lire et argumenter, commença-t-il. J'eus l'impression que ce n'était qu'à moitié un compliment. Pour être honnête, j'étais le genre d'adolescente fatigante qui remet en question tout ce que font et disent ses parents.

— Tu devrais faire avocate, conclut-il.

Le décret était tombé.

J'allai à l'université, j'étudiai les sciences politiques et je continuai le ski de compétition. J'entrai dans une association étudiante pour avoir un profil équilibré, puis la quittai quand les obligations sociales de l'organisation se mirent à entraver mes objectifs réels. Je devais travailler dur pour mes notes, et encore plus pour surmonter mes limites physiques en ski. J'étais obsédée par le succès, mue par une ambition innée mais, plus encore, par une soif d'éloges.

L'année où j'intégrai l'équipe nationale de ski, mon père m'annonça qu'il voulait me parler.

— Tu ne devrais pas te concentrer sur tes études, Molly ? Tu comptes aller jusqu'où ? Enfin, tu as dépassé toutes nos attentes, de loin.

Même s'ils ne l'avaient jamais avoué, ils avaient tous

arrêté de prendre ma carrière de skieuse au sérieux après mon opération du dos.

J'étais anéantie. J'avais imaginé que mon père serait aussi fier de moi que de Jeremy quand il avait intégré l'équipe nationale l'année précédente, et au lieu de ça il essayait de me décourager. Ma souffrance ne fit que renforcer ma détermination. Puisque personne d'autre ne voulait croire en moi, j'allais compenser grâce à ma confiance en moi.

Cette année-là, Jeremy finit troisième au niveau national et, à la grande surprise de ma famille, moi aussi. Je me souviens de m'être tenue très droite sur le podium, une médaille autour du cou, ma longue queue-de-cheval par-dessus.

Cette nuit-là, en rentrant à la maison, j'ignorai la douleur dans mon dos et dans ma nuque. Pourtant, j'en avais assez de vivre dans la souffrance et de faire semblant de ne pas avoir mal. J'étais fatiguée de mes efforts pour me maintenir au niveau de ma star de frère et, surtout, je n'en pouvais plus de devoir faire mes preuves en permanence. J'avais atteint un palier important, de quoi être satisfaite. Il était temps de passer à autre chose, cette fois de mon propre chef.

J'ARRÊTAI LE SKI. Pour prendre de la distance et échapper aux récriminations familiales (même si j'avais l'impression que, malgré mon classement, mon père serait soulagé), je décidai de partir un an en échange en Grèce. Je tombai immédiatement amoureuse de la désorientation et de l'incertitude qu'on ressent en arrivant dans un endroit inconnu, où tout est une découverte, une énigme à résoudre. Soudain, mon monde devint bien plus vaste que mon besoin de gagner l'approbation de mon père. Quelque part, quelqu'un d'autre gagnait une médaille en ski de bosses, ou était premier à un examen, mais je m'en fichais complètement.

J'étais particulièrement conquise par les gitans. En y repensant, je me rends compte qu'ils ressemblent un peu aux joueurs de poker : ils cherchent un angle d'attaque, de l'aventure, ignorent les règles et mènent une vie libre et sans entraves. En Crète, je me liai d'amitié avec des jeunes gitans dont les parents avaient été renvoyés en Serbie, les laissant livrés à eux-mêmes. Les Grecs se méfiaient des étrangers comme de la peste, ce qui est compréhensible pour un pays qui a subi des siècles d'occupation. J'apportais à ces jeunes de la nourriture et des médicaments pour leur bébé. Je me débrouillais en grec, et leur dialecte était assez proche pour nous permettre de communiquer. Le chef de leur clan entendit parler de ce que j'avais fait pour eux et m'invita dans leur camp. Ce fut une expérience extraordinaire. Je décidai de faire mon mémoire sur le traitement légal des peuples nomades. J'étais chagrinée que ces peuples ne puissent plus voyager librement, comme ils l'avaient fait pendant des siècles, et il me semblait qu'ils n'avaient pas d'avocats ni de défenseurs. Leur mode de vie était complètement libre, et très différent de ce que j'avais connu. Ils adoraient faire de la musique, manger, danser, tomber amoureux, et quand ils en avaient assez d'un endroit ils continuaient leur route. Ce clan-ci était contre le vol et gagnait sa vie grâce à l'art et au commerce.

Après la fin de mon programme d'échange, je restai trois mois de plus en Grèce, toute seule, à dormir dans des auberges de jeunesse, tout en faisant de nouvelles rencontres et en découvrant de nouveaux endroits. À mon retour aux États-Unis, j'avais beaucoup changé : je m'intéressais toujours aux études, mais j'accordais autant d'importance aux expériences personnelles. C'est alors que je rencontrai Chad.

Chad était séduisant, beau parleur et brillant. C'était un négociateur hors pair, et sans scrupules. Il m'apprit à reconnaître un bon vin, m'invita dans des restaurants chics, me fit voir mon premier opéra, me prêta des livres géniaux. C'est Chad qui m'emmena en Californie pour la première fois. Je n'oublierai jamais mon émerveillement en arrivant par l'autoroute qui longe la côte pacifique. J'avais l'impression d'être dans un rêve. On se promena sur Rodeo Drive, déjeuna au Beverly Hills Hotel. Le temps semblait s'être arrêté, comme si Los Angeles était une journée parfaite qui ne finissait jamais. J'observais les habitants : plus beaux les uns que les autres, ils avaient tous l'air satisfaits et heureux.

Los Angeles ressemblait à un rêve qui échappait aux contraintes de la réalité. J'avais commencé à remettre en question mon projet d'aller vivre en Grèce, et Los Angeles confirma mes intentions ; je voulais prendre une année pour être libre, sans projet, sans structure, pour vivre, tout simplement. Depuis ma plus tendre enfance, j'avais poursuivi l'hiver (même l'été, mon frère et moi allions dans un camp de ski sur les glaciers de Colombie-Britannique) et les rêves que j'attribuais à mon père. J'étais enthousiasmée par l'idée de tracer ma propre voie. Les études de droit pouvaient attendre encore un an.

Chad fit tout son possible pour me convaincre de rester au Colorado, allant jusqu'à m'acheter un chiot beagle adorable. Mais j'avais pris ma décision. J'étais reconnaissante à Chad de m'avoir donné les outils pour me construire une nouvelle vie, mais je n'étais pas amoureuse.

Il me laissa la chienne, Lucy. Elle était tellement mal élevée qu'aucune garderie ni aucun cours de dressage ne voulait s'en occuper. Mais elle était gentille, intelligente, elle m'aimait et avait besoin de moi. C'était agréable de se sentir nécessaire.

Malgré tous mes efforts pour expliquer ma décision, mes parents refusèrent de financer mon année en Californie. J'avais économisé à peu près deux mille dollars en faisant du baby-sitting pendant l'été, et je connaissais quelqu'un à Los Angeles, un coéquipier de ski, Steve. Il avait accepté à contrecœur de me laisser occuper son canapé pendant deux semaines.

— Il te faut un plan, me sermonna-t-il au téléphone un jour alors que j'étais sur l'autoroute qui menait à Los Angeles. L.A., ce n'est pas le Colorado, personne ne te remarquera, expliqua-t-il dans l'espoir de me préparer à la dure réalité californienne.

Mais quand je décide quelque chose, rien ni personne ne peut me faire changer d'avis ; c'est à la fois une force et, parfois, un immense défaut.

— Hmm, répondis-je en contemplant l'horizon du désert, à mi-chemin de ma nouvelle aventure.

Lucy dormait sur le siège passager.

— Et c'est quoi, ton plan ? Tu en as un, au moins ?

— Évidemment. Je vais trouver du boulot, libérer ton canapé et conquérir le monde.

Steve soupira.

— Sois prudente au volant.

Il n'avait jamais aimé prendre des risques.

Je raccrochai et je me concentrai sur la route.

IL ÉTAIT PRESQUE MINUIT quand j'arrivai sur la descente de l'autoroute 405 vers Los Angeles. Il y avait tant de lumières, et chacune d'elles racontait une histoire. C'était tellement différent de la nuit sombre du Colorado : à Los Angeles, la lumière était bien plus puissante que l'obscurité — les lueurs représentaient tout un monde qui attendait d'être découvert.

Steve avait préparé son canapé pour Lucy et moi et on

s'endormit comme des souches après le voyage de dix-sept heures. Je me réveillai tôt dans le salon baigné de soleil et sortis Lucy, émerveillée par les odeurs divines de soleil et de fleurs. Si je voulais rester, il fallait que je trouve un boulot illico. J'avais un peu d'expérience comme serveuse et je me disais que c'était mon meilleur espoir, puisqu'on pouvait gagner des pourboires immédiatement au lieu d'attendre un salaire hebdomadaire. Steve m'attendait à mon retour.

— Bienvenue à L.A., me dit-il.

— Merci, Steve. À ton avis, où est-ce que j'ai le plus de chances de trouver un job de serveuse ?

— Le mieux, ce serait Beverly Hills, mais c'est vraiment dur. Toutes les jolies filles sont des actrices ou des mannequins au chômage et elles sont toutes serveuses, c'est pas comme...

— Je sais, Steve. C'est pas le Colorado.

Je souris.

— C'est par où, Beverly Hills ?

Steve m'indiqua la route et me souhaita bonne chance d'un air dubitatif.

Il avait raison : la plupart des endroits où je tentai ma chance ne cherchaient personne. J'étais accueillie par une ribambelle de jolies hôtesses d'accueil glaciales qui m'examinaient des pieds à la tête avec dédain et expliquaient d'un air hautain qu'ils étaient au complet et que je pouvais déposer ma candidature, mais que je perdais mon temps.

Je commençais à perdre espoir quand j'atteignis le dernier restaurant de la rue.

— Salut ! Vous avez besoin d'une serveuse ? demandai-je en décochant mon sourire le plus éclatant.

Mon interlocuteur n'était pas une peste svelte et apprêtée, mais un quadragénaire.

— Tu es actrice ? interrogea-t-il d'un air soupçonneux.

— Non.

— Mannequin ?

— Non.

J'éclatai de rire. Je faisais un mètre soixante-deux à tout casser.

— Est-ce que, pour une raison quelconque, tu risques de devoir aller à un casting ?

— Monsieur, je ne sais même pas ce que ça veut dire.

Il se détendit.

— J'ai besoin de quelqu'un pour le petit déjeuner. Tu devras être là à 5 heures et, quand je dis 5 heures, ça veut dire 4 h 45.

Mon sourire s'agrandit pour dissimuler mon effroi devant cet horaire inhumain.

— Pas de problème, répondis-je d'un ton ferme.

— Tu es engagée, dit-il.

Puis il m'expliqua l'uniforme : chemise blanche repassée et bien amidonnée, cravate et pantalon noir.

— Ne sois pas en retard, j'ai une tolérance zéro là-dessus, conclut-il avant de courir houspiller un pauvre employé.

IL FAISAIT ENCORE NUIT quand j'arrivai au restaurant. J'avais emprunté une chemise beaucoup trop grande et une cravate à Steve, si bien que je ressemblais à un pingouin bouffi.

Il n'y avait qu'un seul client, mais mon nouveau patron, Ed, était déjà là, avec une autre serveuse. Il me fit faire le tour en m'expliquant ce que je devrais faire et en m'informant fièrement qu'il travaillait là depuis quinze ans et qu'en gros il aurait aussi bien pu être le proprio : il était le seul à avoir l'oreille de celui-ci, un type très riche et très puissant auquel je ne devais pas adresser la parole, sauf autorisation expresse d'Ed. Le proprio avait plein d'amis riches et puissants, qu'on appelait des VIP, et qu'on devait traiter comme Dieu le Père.

Après m'avoir formée, Ed m'envoya faire le service.

— VIP, lança-t-il d'un air théâtral.

Je levai le pouce en tentant de dissimuler mon mépris. Le client était un petit vieux adorable auquel je décochai un sourire étincelant.

— Bonjour ! J'espère que vous passez une très bonne journée.

Il fixa sur moi ses yeux larmoyants en louchant.

— Quelle apparition. Tu es nouvelle ?

Je souris.

— Eh oui. C'est mon premier jour.

Il hocha la tête.

— C'est bien ce que je pensais. Retourne-toi, exigea-t-il en dessinant un cercle de ses doigts osseux.

Je m'exécutai et scrutai le restaurant en essayant de voir ce qu'il voulait me montrer, mais il n'y avait rien de particulier. Je me retournai vers lui, désorientée.

Il hochait la tête d'un air approbateur.

— Je voudrais qu'on devienne amis, dit-il. Je payerai tes factures et tu pourras m'aider.

Il me fit un clin d'œil.

Maintenant, j'étais complètement perdue, et il dut le voir à mon expression.

— Je suis diabétique, je ne peux même pas bander, expliqua-t-il d'un air rassurant. J'ai juste besoin d'affection et d'attention.

Oh mon Dieu ! Ce vieux qui aurait pu être mon grand-père me faisait des avances. Consternant. Je sentis le sang me monter aux joues. J'avais envie de l'envoyer balader, mais on m'avait toujours appris à respecter mes aînés. Ne sachant que faire, je décidai de demander conseil à Ed.

Je marmonnai quelque chose, m'enfuis en courant et allai voir Ed, le visage cramoisi.

— Ed, je sais que c'est un VIP, mais il...

Je murmurai sa proposition à l'oreille d'Ed, qui me regarda, l'air de ne pas comprendre.

— Quel est le problème ? Je pensais qu'on avait parlé de la politique avec les VIP.

Je le dévisageai, incrédule.

— Tu rigoles ? Il est hors de question que j'y retourne. Quelqu'un d'autre peut prendre la table ?

— Molly, ça ne fait même pas deux heures que tu es là et tu crées déjà des problèmes. Tu devrais t'estimer heureuse qu'un VIP s'intéresse à toi.

Je suffoquais de rage.

Ed me regarda, un rictus aux lèvres.

— Cette proposition sera peut-être la meilleure qu'on te fera dans cette ville.

Je m'enfuis du restaurant à toute vitesse, le visage baigné de larmes. Je me réfugiai dans une ruelle pour tenter de me reprendre.

TOUJOURS VÊTUE DE MON UNIFORME, je retournai vers ma voiture.

Une Mercedes argentée étincelante surgit à une vitesse alarmante et s'arrêta sur le trottoir devant moi, à deux doigts de m'écraser.

Super. Ça ne pourrait pas être pire, si ?

Un type jeune et beau garçon vêtu d'un pantalon militaire et d'un T-shirt avec un crâne en strass sortit de la décapotable, claquant la porte et hurlant dans son portable. Il se tut en me voyant.

— Hé, t'es serveuse ?

Je regardai mon uniforme.

— Non. Si. Enfin, je veux dire, je..., bafouillai-je.

— C'est oui ou non, c'est pas compliqué, me pressa-t-il d'un air impatient.

— Oui, OK.

— Reste là, ordonna-t-il. ANDREW !

Un homme en tablier de chef sortit d'un restaurant.

— Regarde, je t'ai trouvé une serveuse, alors arrête de chialer. PUTAIN ! Faut vraiment tout faire soi-même !

— Elle a de l'expérience ?

— Comment tu veux que je le sache ? aboya le type.

Andrew soupira et me dit :

— Suis-moi.

Il m'entraîna dans un restaurant qui bouillonnait d'une énergie frénétique : les ouvriers du bâtiment qui perçaient des trous, donnaient des coups de marteau, polissaient des surfaces ; le décorateur en pleine crise de nerfs parce qu'il avait commandé des pivoines rose poudré, pas rose pâle ; les barmen qui rangeaient des bouteilles ; et les serveurs qui s'activaient sur tout le reste.

— La soirée de pré-ouverture est aujourd'hui, expliqua Andrew. On manque de serveurs et les travaux ne sont même pas finis.

Il ne se plaignait pas, il était simplement épuisé.

Je le suivis dans une magnifique cour couverte de vigne, une oasis dans le chaos. On s'assit sur un banc en bois et il commença l'interrogatoire.

— Comment tu connais Reardon ?

Je présumai que Reardon était le type terrifiant à la Mercedes argentée.

— Euh, il a failli m'écraser.

Andrew eut un petit rire appréciateur.

— Ça m'étonne pas. Ça fait combien de temps que tu es à L.A. ?

— À peu près trente-six heures.

— Tu viens d'où ?

— Du Colorado.

— Quelque chose me dit que tu n'as aucune expérience dans la restauration haut de gamme.

— Ma mère enseignait les bonnes manières dans mon école, et j'apprends vite.

Andrew éclata de rire.

— OK, Miss Colorado. Je sens que je vais le regretter, mais on va te laisser une chance.

— C'est quoi, votre politique sur les VIP ?

— On est à Beverly Hills. Tout le monde est un putain de VIP.

— Imaginons qu'un vieux pervers dégueulasse veuille coucher avec moi. Je devrais quand même le servir ?

— Je le foutrais à la porte, ce vieux porc.

Je souris.

— Quand est-ce que je commence ?

2

De l'extérieur, Boulevard, le restaurant où je venais d'être embauchée, avait l'air sombre et mystérieux. En entrant, je vis les jeunes vedettes de Hollywood affalées sur des sofas en daim et des banquettes en cuir. J'avais l'impression de m'inviter à une fête privée. Je pensais que ce serait comme mes jobs précédents et que j'allais être formée avant de commencer, mais ce n'était pas le genre de Reardon Green : dans son monde, ça passe ou ça casse. Tout le monde courait partout, personne n'avait le temps de répondre à mes questions, et j'étais constamment dans leurs pattes. Je m'immobilisai au milieu de ce tourbillon et pris une grande inspiration. Apparemment, je n'avais pas encore de tables assignées, donc je me mis à faire le tour du restaurant en enlevant des assiettes et en remplissant des verres. Je posai un martini-citron devant une femme que je me souvenais avoir vue à la télé.

— Oh ! vous pourriez m'apporter le citron entier, plutôt ? demanda-t-elle.

Elle se tourna vers ses amis et expliqua :

— Je préfère le couper moi-même — juste pour être sûre qu'il est vraiment frais. On les voit traîner toute la journée dans des pots en plastique couverts de mouches.

Elle frissonna et toute la tablée l'imita. Évidemment, ils voulurent tous suivre son exemple et m'envoyèrent chercher une orange, un citron et un citron vert.

En allant à la cuisine, je passai devant des tas de célébrités et de it-girls et j'essayai de ne pas dévorer des yeux les visages que je n'avais vus que dans des magazines. J'entrai dans la cuisine. Le bruit de la salle à manger s'estompa. La cuisine avait sa propre symphonie : les ordres et les confirmations en série, le cliquetis des assiettes, le bruit sourd des lourdes casseroles en fonte, et le sifflement de la viande dans les poêles. Andrew hurlait sur les sous-chefs et pressait les serveurs qui apportaient les plats. Je courus vers le frigo en essayant de me faufiler sans gêner personne. Dans ma précipitation, je me trompai de chemin et me retrouvai dans une réserve où Cam, l'un des propriétaires, était adossé à une montagne de serviettes en papier, le pantalon baissé. Je me figeai.

— Désolée ! chuchotai-je, toujours paralysée.

Il me sourit, affable et absolument pas gêné.

— Ça boume ? Tu veux tourner dans mon film ?

Il montra du doigt la caméra de surveillance au plafond et me tendit la main pour un *high-five*. Son sourire d'adolescent s'élargit. La fille agenouillée devant lui gloussa. Ne voulant pas l'insulter, je me penchai précautionneusement par-dessus sa partenaire pour lui taper dans la main, puis je m'enfuis à toute vitesse, rouge de honte.

Dans quoi est-ce que je m'étais fourrée ?

UNE SEMAINE APRÈS AVOIR COMMENCÉ AU RESTAURANT, j'allai à une fête avec Steve. J'écoutais les gens parler des pilotes qu'ils tournaient et des scénarios qu'ils écrivaient en me sentant complètement exclue quand une jolie fille me prit la main.

— Qu'est-ce qu'on en a à foutre ? chuchota-t-elle. Viens prendre un verre !

Elle ne portait que des vêtements de marque, et son

sac valait plus que ma voiture. Je la suivis dans la cuisine. Trois shots de tequila plus tard, on était meilleures amies. Blair aimait faire la fête, mais elle avait les pieds sur terre, un bon fond, et apparemment aucun souci. Sa famille avait fait fortune dans le beurre de cacahuètes et possédait des villas dans le monde entier, y compris à Beverly Hills, où Blair avait passé son enfance avant d'être envoyée dans une école privée chic à New York. Quelques filles entrèrent dans la cuisine et Blair grimaça. Je reconnus l'une d'elles, une actrice d'une célèbre émission de télé-réalité sur MTV.

— Oh merde ! glapit Blair.

Elle prit la bouteille de tequila d'une main, mon bras de l'autre, et m'entraîna dans une salle de bains au bout du couloir.

— J'ai couché avec le copain de cette fille et elle nous a vus. Elle a dit qu'elle allait me tuer !

Elle but une gorgée et j'éclatai de rire. On resta planquées dans l'immense salle de bains en marbre pendant la majeure partie de la nuit, à rire en buvant des shots et en parlant de nos vies et de nos grands projets pour l'avenir. Je lui racontai mes problèmes de logement : dans une semaine, je serais à la rue. Steve était sans pitié.

— J'ai une super idée ! Viens chez moi ! piailla-t-elle. Mon appart est trop beau, tu vas adorer. J'ai plein de place.

Pendant une nuit trop arrosée, cachée dans une salle de bains pour échapper à une starlette délaissée, je trouvai une nouvelle amie et un appartement.

C'est ça, Los Angeles. On ne sait jamais ce qui va arriver quand on sort de chez soi.

JE N'AIMAIS PAS TROP JOUER LA SERVEUSE, et pour être honnête je m'en sortais très mal, mais le restaurant était une porte d'entrée vers ce nouveau monde exotique. Il comprenait trois niveaux hiérarchiques : les employés, les clients, et les patrons.

Les employés ne ressemblaient pas aux serveurs classiques. C'étaient tous des aspirants musiciens, mannequins ou acteurs, très doués pour la plupart. Les serveurs étaient généralement des acteurs en herbe qui traitaient leur travail comme un rôle à jouer. Je les regardais rentrer dans leur personnage, mettre leur ego de côté et devenir ce que leur table voulait : un dragueur, un fêtard, un confident. La majorité des barmen étaient musiciens ou mannequins. Quant aux filles, toutes sexy et glamour, elles savaient capter l'attention. J'étudiais leur attitude à la fois séductrice et faussement timide, j'imitais leurs coiffures et leurs maquillages, et je prenais notes des tenues qu'elles portaient. Je me faisais toute petite en essayant de tout enregistrer.

Les clients avaient l'air de débarquer d'une autre planète : célébrités, rock stars, P-DG, stars de la finance, princes, on ne savait jamais qui allait rappliquer. La plupart avaient une très haute opinion d'eux-mêmes, et c'était quasiment impossible de les satisfaire en permanence. Mais j'appris de petits trucs, comme de m'adresser d'abord et surtout aux femmes (pour les couples), ou d'être efficace mais invisible pendant les déjeuners d'affaires. Je savais décoder les attentes des gens, mais j'étais nulle pour le service. Je passais mon temps à laisser tomber des assiettes, j'oubliais d'enlever certaines fourchettes et, quand j'essayais d'ouvrir le vin avec le décorum attendu, c'était la catastrophe.

Mais c'était Reardon et ses deux associés qui m'intéressaient le plus.

Brillant, impatient, capricieux et ingérable, Reardon était le cerveau de l'opération.

Cam était le fils de l'un des hommes les plus riches du monde. Chaque mois, il percevait assez de dividendes pour s'acheter une petite île. Il ne semblait pas s'intéresser beaucoup aux affaires et, pour autant que je pouvais en juger, il passait sa vie à coucher à droite à gauche, à faire la fête, à jouer de l'argent, et à satisfaire tous les vices hédonistes imaginables. C'était le portefeuille : son rôle se bornait à se porter garant.

Sam avait grandi avec Cam. Charmant et très drôle, il avait une intelligence sociale qui frôlait le génie et plus de bagou que n'importe qui. Il devait s'occuper du marketing et des relations clients.

Regarder ces trois-là interagir, c'était comme observer une nouvelle espèce. Ils ne vivaient pas dans le monde que j'avais connu pendant les vingt dernières années. Ils planaient loin au-dessus des autres, ne craignaient pas les conséquences de leurs actes et se fichaient complètement des règles et des structures.

LA POLITIQUE DU RESTAURANT était la même que pour tous ceux qui espèrent survivre à Beverly Hills : proposer au client éclairé le meilleur dans tous les domaines. Les associés avaient dépensé une petite fortune en nappes Frette, cristal Riedel, et vins issus des meilleurs domaines. Le cadre était magnifique, les serveurs séduisants et professionnels, et le chef jouissait d'une renommée mondiale.

L'atmosphère plaisante créée par les employés n'était qu'une comédie. Notre politesse de façade dissimulait la frénésie qui menaçait en permanence de faire surface. Vous comprenez, les patrons exigeaient la perfection et le professionnalisme — jusqu'à ce qu'ils boivent un verre de trop et oublient leurs projets bien ficelés.

Un dimanche matin, en allant ouvrir pour le brunch, je découvris que Sam, un DJ et un groupe de filles faisaient toujours la fête. Sam avait transformé notre restaurant élégant en boîte miteuse. Je tentai de lui expliquer qu'il fallait que j'ouvre les grands rideaux en daim et que je démonte le coin DJ improvisé pour préparer le restaurant au service. En guise de réponse, il bredouilla :

— Nananananère...

Et il refermait les rideaux dès que je les ouvrais.

J'appelai Reardon.

— Sam est toujours là à faire la fête. Il refuse de partir et il ne veut pas me laisser ouvrir le restaurant, qu'est-ce que je fais ?

— Merde ! Putain ! Passe-moi Sam. J'arrive.

Je tendis le téléphone à Sam.

— Nananananère, déclara-t-il à Reardon avant de me le rendre.

— Mets-le dans un taxi ! hurla Reardon.

Je cherchai Sam des yeux, mais il avait disparu.

— Attends, je crois qu'il est parti.

Je regardai par la fenêtre. Sam, avec son énorme Rolex en or, ses chaussures Prada vernies et son pantalon en soie beige, était en train de monter dans un bus. Je lui courus après en gloussant.

— Qu'est-ce qui se passe, qu'est-ce qu'il fout ? s'impatienta Reardon.

— Il monte dans un bus qui va vers le centre-ville.

— Genre, les transports en commun ?

— Eh oui, répondis-je tandis qu'un Sam joyeux et complètement défoncé me faisait coucou depuis le bus.

— Putain.

Reardon soupira.

— Dis au Broyeur d'aller le chercher.

Le Broyeur était leur service de sécurité/chauffeur de limousine/collecteur de dettes. J'avais entendu qu'il venait de sortir de prison, mais personne ne voulait me dire pourquoi.

J'appelai le Broyeur, qui accepta à contrecœur de prendre

la « luge » (c'est comme ça que Sam surnommait leur limousine) pour aller ramasser son patron quelque part dans les rues. Quand je raccrochai et que je me retournai, le DJ et les filles s'apprêtaient à ouvrir une bouteille de cognac Louis XIII d'une valeur de mille dollars.

Je fondis sur eux.

— Non non non ! Allez, c'est l'heure d'aller faire dodo.

J'éteignis la musique comme une mère qui débarque à une fête et je les mis à la porte.

Je parvins à ouvrir le restaurant à l'heure pour le brunch et le Broyeur finit par trouver Sam, qui errait dans les rues de Compton avec une bouteille de champagne Cristal et des amis pour le moins intéressants. La vie au restaurant devenait de jour en jour plus absurde, mais on ne s'ennuyait jamais.

3

— Tu es la pire serveuse qu'on ait jamais vue, aboya Reardon un jour. J'étais consciente de mes aptitudes limitées pour le service, mais la pire qu'ils aient jamais vue ? Vraiment ? Mon cœur se serra... Il était en train de me virer ?

— La pire, répéta-t-il. Mais tu as un truc. Tu plais à tout le monde. Les gens reviennent juste pour te parler.

— Merci..., répondis-je d'un ton hésitant.

— Pourquoi est-ce que tu ne viendrais pas bosser pour nous ?

Je le regardai sans comprendre.

— Pour notre fonds d'investissement immobilier. On vient de lever 250 millions de dollars.

— Qu'est-ce que je ferais ? demandai-je, prudente.

— Ne pose pas de questions débiles. Qu'est-ce que t'en as à foutre ? C'est mieux que de faire le service et tu apprendras un tas de trucs.

Je ricanai sous cape, pensant à toutes les scènes ridicules auxquelles j'avais assisté depuis deux mois.

— Oh ! tu te crois maligne ? Tu n'as aucune idée de la façon dont le monde fonctionne.

Ce n'était pas une proposition très aimable, mais il ne me virait pas non plus.

— OK, je veux bien.

— Sans déc'.

*
* *

TRAVAILLER POUR LE FONDS IMMOBILIER élimina toutes les autres strates de ma vie. Tout ne tournait plus qu'autour de Reardon, Sam et Cam, tout le temps. C'était comme s'ils formaient leur propre fraternité étudiante, avec des règles et même un langage particuliers. Évidemment, ils étaient issus d'un monde complètement différent du mien : ce qui me semblait être des occasions comme on n'en a qu'une fois dans une vie — le festival Sundance, les afters des Oscars, les balades en yacht — constituait leurs projets de week-end standards. Ils fréquentaient des célébrités, des athlètes célèbres, des milliardaires et des it-girls. Je passais mes journées et mes nuits à effectuer des tâches diverses pour eux, en regardant de loin et en espérant secrètement être invitée dans leur club.

Reardon débarquait dans mon bureau à 20 h 30 un vendredi et me disait :

— Trouve-moi une table pour 21 heures à [insérer le nom du restaurant le plus en vue, où c'est le plus impossible d'avoir une réservation].

J'appelais et la fille de l'accueil me riait au nez et raccrochait.

— Ils sont complets, annonçais-je.

Reardon se mettait en rogne :

— J'ai jamais vu une débile pareille. Qu'est-ce qui cloche chez toi ? Comment est-ce que tu veux réussir dans la vie si t'es même pas foutue de réserver une table dans un putain de restaurant ?

Il me rendait tellement nerveuse que je commençais à bredouiller et à tirer sur mes cheveux.

— Parle ! Parle ! Arrête de te tripoter les cheveux. Arrête de gigoter !

C'était le même scénario à chaque fois que j'apprenais

quelque chose, si bien que j'avais l'impression d'être en première ligne d'une bataille tous les jours.

Un matin, je fus réveillée à 5 h 30 par un coup de fil de Reardon.

— J'ai besoin de toi au bureau, tout de suite, ordonna-t-il. Prends des bagels.

Il raccrocha ; il était du genre direct et ne disait jamais bonjour ni au revoir.

Je grognai et me traînai sous la douche. J'avais à peine eu le temps de me sécher quand je reçus un message.

Qu'est-ce que tu fous ?

Je fonçai au bureau en espérant passer devant une boutique de bagels. Je ne vis qu'une épicerie Pink Dot, où je courus acheter des bagels et du fromage à tartiner. J'avais les cheveux mouillés et les yeux à moitié fermés, mais je débarquai au bureau, avec le petit déjeuner, en un temps record.

— Où sont mes bagels ? aboya Reardon en guise de bonjour.

Je posai le sac sur son bureau.

Il le déchira : Reardon ne se contentait jamais d'ouvrir les paquets, il détruisait tout sur son passage.

— QU'EST-CE QUE C'EST QUE CETTE MERDE ?

Je sursautai. J'aurais dû m'habituer à ses accès de fureur soudains, mais ça lui arrivait quand même de me prendre par surprise de temps en temps.

— Je rêve ou ça vient de PINK DOT ?

Apparemment, Pink Dot était une chaîne d'épiceries bas de gamme ouvertes toute la nuit.

— Pourquoi t'es pas carrément allée à la soupe populaire ! hurla-t-il. JE NE BOUFFE PAS DES PUTAINS DE BAGELS DE MERDE. PINK DOT, C'EST DES BAGELS DE PAUVRES.

Il me balança le sac, que j'esquivai juste à temps.

— Où est-ce que tu voudrais que j'achète tes bagels, à l'avenir ? demandai-je d'une voix délibérément calme, pour qu'il se rende compte qu'il se comportait comme un gamin de deux ans capricieux.

— Va chercher la voiture, aboya-t-il.

Je le conduisis chez Greenblatt's pour prendre des bagels de « *shark* ».

Il m'ordonna de le déposer pour son rendez-vous.

— Attends là, dit-il.

— Combien de temps ?

— Jusqu'à mon retour, idiote.

Il éclata de rire et claqua la porte.

REARDON FINIT PAR M'EMMENER AUX RENDEZ-VOUS au lieu de me faire attendre devant. Je ne le quittais pas des yeux. C'était un négociateur de génie, capable de convaincre des gens très intelligents de prendre des décisions complètement stupides. Il allait à un rendez-vous et, quand il ressortait, il avait un accord signé qui répondait à ses exigences délirantes : il ne prenait aucun risque et avait le dernier mot pour tout. Peu importait qui était son adversaire, il le battait à chaque fois. J'appris à reconnaître le moment crucial où le businessman arrogant en costume sur mesure, sorti d'une Ivy League, comprenait brusquement que le type en treillis et en T-shirt tête de mort, qui n'avait rien foutu pendant ses études dans une fac de seconde zone, venait de l'anéantir. Je devais dissimuler mon sourire quand l'expression élitiste de Mr Snob s'effaçait devant sa débâcle lamentable.

Aucune université sur terre n'aurait pu me préparer pour l'éducation que je reçus auprès de Reardon. C'était frustrant et difficile, un vrai baptême du feu. Mais j'adorais chaque leçon. J'adorais le show. J'adorais le voir réussir. Pour survivre dans son monde, je devais apprendre à bien gérer la pression, et il me poussait à bout pour que j'apprenne. Reardon ressemblait à mon père, en plus extrême : il m'aiguillonnait en permanence, ne me laissait jamais une minute de répit, m'obligeait à m'endurcir. Il me donna une éducation à la Wall Street, le genre que les traders dispensent aux petits nouveaux, le genre auquel les femmes ont rarement accès. Je commençai à comprendre le monde, ou le sien, en tout cas. Je vis aussi qu'on pouvait réussir autrement que par les voies traditionnelles plan-plan.

Reardon devint mon université. J'observai sa façon d'opérer, mes velléités d'études de droit oubliées. C'était un stratège exceptionnel, qui savait analyser une transaction et sauter sur la moindre occasion. Peu importait qu'il n'ait aucune expérience dans le domaine, il planchait dessus jour et nuit jusqu'à ce qu'il maîtrise.

Cependant, les leçons que me donnait Reardon sur la gestion des affaires proprement dites étaient ridiculement sommaires.

— On se tire à Monaco, Molly. Occupe-toi de la boîte.

Ils partaient faire la fête quatre semaines ; pendant tout ce temps, les documents qu'ils devaient signer s'accumulaient.

— Hé, Molly, occupe-toi du dépôt fiduciaire.

— C'est quoi, un dépôt fiduciaire ?

— Démerde-toi, idiote.

Si je ne faisais pas exactement ce que voulait Reardon, il pétait les plombs et, quand il me laissait enfin partir, je rentrais chez moi, éteignais toutes les lumières et me réfugiais dans la baignoire pour pleurer. Ou je buvais du vin avec Blair à son retour d'une vraie fête avec des vrais gens, ou d'un vrai rendez-vous avec un vrai mec, et je pleurnichais en lui disant que je n'avais pas de vie.

— Sors, alors, disait-elle en secouant la tête devant ma bêtise.

Je n'étais même pas très bien payée ; elle ne comprenait

pas pourquoi je m'accrochais aussi désespérément à quelque chose qui me rendait tellement malheureuse.

Blair était moins lucide que moi. Même si j'avais eu l'intention de passer mon année à L.A. à profiter de la vie et de ma jeunesse, mon instinct me disait de m'accrocher.

POUR PRÉSERVER MON ÉQUILIBRE, je décidai de faire du bénévolat dans le service de pédiatrie de l'hôpital local. Le bénévolat avait toujours été quelque chose d'important dans ma famille, et ma mère nous emmenait souvent nourrir les sans-abri ou rendre visite à des personnes âgées. Mon histoire personnelle m'avait rendue particulièrement sensible à la souffrance des enfants. En effet, j'avais fait des allers-retours entre l'hôpital et la maison pendant plusieurs mois après mon opération de la colonne vertébrale, qui m'avait laissé de graves séquelles. Quand j'avais quitté la salle d'opération, je souffrais d'insuffisance hépatique et d'une grave infection de la vésicule biliaire, et les médecins ne comprenaient pas ce qui clochait. À un moment, ils avaient même pensé que j'avais contracté une infection mystérieuse pendant l'opération, et m'avaient placée en isolement. J'avais eu l'impression d'être dans un film de science-fiction : les médecins portaient des combinaisons de protection et tout le service m'évoquait une bulle géante dans laquelle j'étais emprisonnée. Les visites n'étaient pas autorisées. Je me souviens d'avoir eu peur de mourir toute seule là-dedans.

À part à ce moment-là, quand j'étais en isolement, ma mère n'avait jamais quitté mon chevet. Dans le service de pédiatrie, j'avais eu le cœur brisé en voyant la souffrance des enfants qui n'avaient pas ce genre de soutien. J'avais eu la chance de me rétablir complètement, mais je n'avais jamais oublié.

Après avoir fini ma formation à l'hôpital, je me mis à

passer quelques soirées par semaine avec les enfants en phase terminale. On nous avait prévenus que la plupart allaient mourir, mais rien ne permet de s'y préparer vraiment. Malgré leur pâleur et leur faiblesse, c'étaient de petits êtres joyeux et adorables, qui donnaient une vraie leçon de vie et d'humilité. Au bout de quelques semaines, je rencontrai une petite fille qui s'appelait Grace. Elle était fragile physiquement, mais débordait d'énergie et avait de grandes ambitions. Ça faisait très longtemps qu'elle n'était pas sortie, et elle ne rêvait que d'une chose, devenir archéologue pour découvrir des cités perdues. Je suppliai qu'on me laisse l'emmener dehors en fauteuil et finis par en obtenir l'autorisation. Le lendemain, je me précipitai au sous-sol, mais sa chambre était vide.

— Elle est partie, Molly, m'annonça mon infirmier préféré, Patrick, en me posant une main sur l'épaule.

Même si mon superviseur m'avait prévenue que ça allait arriver et avait demandé que tous les bénévoles fassent leur deuil en privé pour rester forts devant les enfants et leurs familles, je craquai. Patrick m'emmena dans les toilettes.

— Ça fait partie du job. Tu dois être forte pour les autres. Prends un moment pour te calmer, dit-il doucement.

Il me laissa sangloter sur le sol des toilettes.

Même s'il y avait des tragédies soudaines qui vous brisaient le cœur, on voyait parfois aussi de petits miracles. L'un des jeunes garçons, Christopher, se rétablissait de jour en jour malgré un pronostic qui le condamnait à mort ; ses yeux se ravivaient et sa peau blanche comme un linge rosissait. Il faisait le tour des couloirs en racontant son histoire aux autres enfants, leur redonnant espoir. Le courage et l'optimisme de Christopher m'aidèrent à garder une saine distance par rapport au nouvel univers, délirant, dans lequel j'évoluais.

4

Avec le temps, et sous la pression de mon boss et professeur impitoyable, je devins l'assistante qui sait tout faire. Passer en haut d'une liste d'attente pour la dernière montre hors de prix, réserver une voiture pendant une grève de transports à New York, évacuer un coup d'un soir : je réglais tout. Je gérais aussi bien les dépôts fiduciaires que les réservations dans des restaurants complets des mois à l'avance.

Maintenant, quand Reardon demandait l'impossible, je souriais, j'acquiesçais et je prenais mon téléphone.

— Bonjour, j'appelle pour confirmer ma réservation pour ce soir.

— Désolé, nous ne l'avons pas.

Pause.

— Mais j'ai réservé il y a dix mois. C'est l'anniversaire de mon boss, et il a fait venir ses meilleurs amis de New York ! Oh, mon Dieu, il va me virer. Je vous en supplie, vous ne pouvez pas faire quelque chose ? répondais-je, en ajoutant quelques sanglots si nécessaire.

Pause.

— C'était à quel nom, déjà ?

— Molly Bloom.

— OK, Miss Bloom. Je l'ai retrouvée. Une table pour quatre à 20 heures.

— Six.

— Oh ! effectivement. Six. Merci, Miss Bloom. Excusez-nous pour ce malentendu.

UN SOIR, JE CLASSAIS DES DOCUMENTS en écoutant mes boss rire et évoquer le passé dans le bureau de Reardon. Cam et Sam avaient grandi ensemble, tandis que Sam et Reardon étaient passés par la même fac. Après avoir fini leurs études, ils s'étaient rendu compte qu'en plus d'adorer faire la fête ensemble ils étaient très complémentaires, et leur boîte était née. Ce soir-là, ils étaient de très bonne humeur : ils fêtaient un énorme contrat qu'ils venaient de signer.

— Le fric, y a que ça de vrai, hein, les mecs ? demanda Sam. Tu te rappelles quand tu as tiré sur l'homme-lune ? ajouta-t-il à l'adresse de Cam. C'était vraiment abuser.

Ils pouffèrent. Je les entendais remplir leurs verres.

— Il faut que tu racontes ça à Molly, ajouta Sam.

Mes oreilles se dressèrent et je courus les rejoindre.

Cam se leva pour mieux illustrer son histoire. Un mètre quatre-vingt-quinze de muscles et une énergie débordante, comme un chiot géant déchaîné.

— On jouait au paintball, commença Cam en mimant un fusil avec lequel il nous tira dessus un par un. Mon père avait invité Buzz Aldrin, tu sais, le vieux qui a marché sur la Lune. J'ai été droit vers lui et je lui ai tiré dessus, tout près : BAM !

Il continua à mimer.

— Et je lui ai dit : « *Boum*, je t'ai eu, l'homme-lune ! »

Ils éclatèrent d'un rire hystérique.

Je les imitai, imaginant l'absurdité de la scène : Cam qui couvrait de peinture le légendaire Buzz Aldrin.

— Donne un verre à la petite Molly, ordonna Reardon. Elle nous a bien aidés pour la négo.

— Tu commences vraiment à être un *shark*, Mol, me

dit Sam affectueusement en me tendant un Macallan de dix-huit ans d'âge.

On leva tous nos verres.

Je voulais être acceptée parmi eux. Négocier des deals, goûter au mode de vie des riches et des puissants. Le whisky single malt avait un goût d'essence, mais je souris en réprimant un haut-le-cœur.

MIEUX JE ME DÉBROUILLAIS, plus les attentes de mes boss grandissaient. Mais même si j'endossais des responsabilités de plus en plus lourdes, je m'occupais toujours de la vie personnelle de Reardon. Ça impliquait surtout de veiller à la satisfaction des filles qui se succédaient dans son lit. Il m'envoyait tout le temps faire des achats dans des boutiques de luxe. Dans le Colorado, je n'avais pas été exposée aux vêtements de couturiers ni aux sacs à main griffés, et je ne m'y étais pas franchement intéressée. Mais les cadeaux hors de prix que j'achetais pour la copine de la semaine de Reardon commencèrent à me séduire, et je m'imaginais vêtue de ces tenues, portant les belles chaussures que je livrais à Brittny, Jamie et toutes les autres filles à qui Reardon offrait des cadeaux de rupture. Ce n'est pas tant que je m'intéressais à ces objets hors de prix, mais je me rendais compte que les gens vous traitaient différemment, vous prenaient plus au sérieux quand vous les portiez. Cet après-midi-là, Reardon m'expédia dans une boutique appelée Valerie's.

Il s'agissait d'une parfumerie de luxe de Beverly Hills qui fournissait des mélanges de maquillage sur mesure au gratin de Hollywood et de Beverly Hills.

J'entrai dans la boutique ; on aurait dit le boudoir d'une princesse de conte de fées. Des tentures vaporeuses, des tons lavande doux, des fauteuils en velours crème, et tout un assortiment de jolis produits.

Une belle blonde me salua.

— Bonjour, je suis Valerie, qu'est-ce que je peux faire pour vous ?

— Vous avez fait tout ça ? lui demandai-je.

— J'ai tout créé.

— C'est magnifique, répondis-je avec envie.

Quand elle encaissa les cosmétiques que Reardon avait commandés, je faillis m'étrangler — la facture était de 1 000 dollars pour trois pots.

— Waouh ! Les gens sont vraiment prêts à mettre autant d'argent dans du maquillage ?

Valerie sourit, amusée.

— Venez.

Elle me fit signe de la suivre et me conduisit devant sa coiffeuse, digne d'une star de l'âge d'or de Hollywood. Elle installa le fauteuil dos à la glace et, après quelques coups de brosse, de crayon et de mascara, elle me tendit un miroir en argent. J'étais méconnaissable.

C'était stupéfiant : j'avais l'impression de voir quelqu'un d'autre.

— Incroyable…, soufflai-je en contemplant mon reflet.

— Le vrai luxe n'a pas de prix.

Je hochai la tête en jetant un nouveau coup d'œil à mon visage transformé.

— Revenez me voir quand vous serez prête.

Elle me fit un clin d'œil.

On m'avait répété toute ma vie que l'argent ne faisait pas le bonheur, mais je voyais bien que ça donnait accès à des avantages enviables.

LE SALAIRE QUE ME PAYAIT REARDON suffisait à satisfaire mes besoins vitaux, mais je décidai de gagner plus pour refaire ma garde-robe. Pour arrondir mes fins de mois, je postulai comme serveuse de cocktails à temps partiel.

C'était très différent des jobs de serveuse normaux. Par exemple, la plupart des boîtes demandaient un CV avec photo.

Quand je postulai au Shelter, je découvris que Fred, le responsable, était l'ancien programmeur informatique excentrique du premier restaurant où j'avais travaillé. À L.A., les gens changeaient de rôle en permanence. Prenez Fred, par exemple. Un jour, il portait des lunettes et une cravate fine et organisait des séminaires sur les systèmes de gestion de restaurants ; le lendemain, il était manager dans une boîte à thème « homme des cavernes », vêtu d'un costume Armani.

Juste après m'avoir embauchée, il m'expliqua que mon uniforme serait sur mesure et me glissa une carte.

Le « studio » du styliste était un minuscule appartement miteux et désordonné de West Hollywood, et le styliste lui-même un personnage haut en couleur qui me renversa son verre de vin blanc à l'eau de Seltz dessus en prenant mes mesures.

— Et voilà, mon petit chat ! chantonna-t-il en promettant de m'appeler quand ce serait prêt.

Quelques jours plus tard, mon téléphone sonna.

— Viens, ma coccineeeelle. Viiiite ! On veut un défilé !

À mon arrivée, l'assistante du styliste me tendit un verre de rosé et un petit bout de tissu et me poussa dans une minuscule salle de bains.

J'enfilai ce qui était en fait une sorte de tunique outrageusement décolletée en fausse peau bordée de fourrure. Quand j'avais passé les examens d'entrée à l'université, je n'aurais jamais imaginé qu'au lieu de tailleurs de femme d'affaires je porterais un truc pareil.

— Euh, je crois qu'il va me falloir plus de tissu, plaidai-je, trop gênée pour ouvrir la porte.

— Ne sois pas bêêête, répondirent le styliste et ses

assistants depuis les canapés où ils se prélassaient, un verre de vin à la main. *Tu es magnifiiique.*

Pour compléter le look, ils me tendirent une crête à clipper coupée dans la même fausse fourrure. Je les remerciai et ils m'envoyèrent des baisers en guise d'adieu. Une petite voix me susurra : *Tu vas ressembler à un coq dévergondé.* Je choisis d'en écouter une autre. *Prends sur toi. Les filles qui servent les bouteilles au Shelter gagnent plus en une soirée que toi en une semaine.*

TRAVAILLER AU SHELTER ÉTAIT PARTICULIÈREMENT RENTABLE. La réussite d'une soirée dépendait des pros chargés d'attirer le public, les promoteurs, et les meilleurs d'entre eux étaient suivis par une troupe fidèle de célébrités, milliardaires et top models.

Pour les gros événements, les gens attendaient pendant des heures devant les cordes en velours en suppliant qu'on les laisse entrer. Je fis la connaissance des promoteurs et, à la fin, je travaillais dans les clubs les plus en vogue lors de ces événements très prisés. Beaucoup de managers et de promoteurs étaient des alcoolos vicieux ou des toxicos qui utilisaient leur droit à choisir qui entrait pour coucher avec de jolies actrices ou mannequins en herbe sincèrement convaincus qu'être dans le bon club au bon moment leur permettrait d'être repérés. Tout cela me paraissait idiot, mais je m'occupais de mes oignons. J'étais ponctuelle, responsable et professionnelle. Pendant que les autres serveurs se faisaient des shots et bavardaient, je veillais sur mes tables. Mes pourboires dépassaient toujours les 20 % de la note et, en général, je gagnais plus que tous les autres. J'étais là pour l'argent, pas pour me faire des amis.

Sans que je m'y sois attendue, mes soirées dans cette boîte complétèrent mon éducation sur Los Angeles. Toutes les nuits, sans boire une goutte, j'observais les vedettes de Hollywood bourrées qui manigançaient, bavardaient et draguaient. L'argent que je gagnais comme serveuse arrondit mes fins de mois, pas assez pour m'acheter des chaussures de marque, mais suffisamment pour refaire ma garde-robe du Colorado. Et je trouvais jouissif de repartir chaque soir avec un gros rouleau de billets.

Je travaillais dur toute la journée, et j'enchaînais dans une boîte différente tous les soirs. J'étais complètement exténuée, mais je découvrais que j'avais une endurance illimitée quand il s'agissait de gagner de l'argent.

J'avais beau être épuisée et surbookée, je ne refusais jamais un job.

5

Ces dernières semaines, j'avais entendu Reardon mentionner plusieurs fois un endroit appelé le Viper Room. Comme je n'avais pas franchement le droit de poser de questions, surtout pendant la phase initiale des négociations, je menai ma propre enquête.

Le Viper était l'un des bars les plus emblématiques de Los Angeles. Peint en noir mat, niché dans un coin douteux de Sunset Boulevard entre un vendeur de spiritueux et une boutique de cigares, le lieu avait une longue histoire de débauche entre célébrités. Dans les années 1940, il s'appelait le Melody Room et appartenait au parrain de la mafia Bugsy Siegel. Johnny Depp et Anthony Fox le rachetèrent en 1993 et Tom Petty anima la réouverture. C'est là que River Phoenix mourut d'une overdose en 1994, le jour de Halloween, pendant que Depp et Flea jouaient sur scène.

En 2000, l'associé de Depp, Anthony Fox, le poursuivit en justice pour des questions de bénéfices et disparut avant la fin du procès. Pendant le chaos consécutif, le Viper Room fut placé sous administration judiciaire, et il se trouve que le responsable désigné par le tribunal était un ami de famille de Reardon. C'est comme ça que son entreprise eut l'occasion de racheter le Viper, qui opérait alors à perte. La négo devait être en bonne voie parce qu'un jour, après avoir hurlé sur tout le monde pendant une heure ou deux comme à son habitude, Reardon m'ordonna d'aller chercher la voiture et me guida jusqu'au parking du bar.

Pendant que je me garais, Reardon se tourna vers moi, l'air grave.

— D'après les ventes d'entrées et l'inventaire des stocks, la boîte devrait être rentable, mais c'est un gouffre financier depuis cinq ans. Les employés sont une bande d'escrocs ; ils travaillent tous ici depuis des lustres et, d'après les rumeurs, il y a eu beaucoup de vols. Je vais probablement tous les virer, mais il faut que tu leur soutires des informations sur le fonctionnement de la maison.

Sur ce, il sortit de la voiture en claquant la portière tellement fort que je crus que la vitre allait se casser. Le temps que je sorte, il était à l'autre bout du parking, et comme toujours je dus lui courir après.

On pénétra dans le bâtiment noir par une porte de derrière. Le soleil de Los Angeles disparut brusquement pour laisser place à une cave sinistre et humide, où nous attendait un homme aux cheveux longs, coiffé d'un haut-de-forme et aux yeux cernés de khôl.

— Bonjour, Mr Green. Je m'appelle Barnaby, dit-il en tendant la main.

Reardon l'ignora et se dirigea vers l'escalier.

— Molly, me présentai-je en serrant la main que Reardon avait dédaignée et en esquissant un sourire chaleureux pour compenser son impolitesse.

— Barnaby, répéta-t-il en me rendant mon sourire.

Je suivis Reardon dans un escalier sombre. Les employés étaient assis autour d'une table, l'air morose.

— Je m'appelle Reardon Green et je suis le nouveau propriétaire. Il va y avoir beaucoup de changements par ici. Si ça ne vous plaît pas, je ne vous retiens pas. Si vous voulez garder votre boulot, vous allez devoir coopérer pour faciliter la transition. Si vous vous adaptez, vous ne perdrez pas votre job. Voici mon assistante, Molly. Elle va passer du temps avec vous aujourd'hui. Il faut que vous lui montriez comment les choses se passent ici.

Il se détourna, prêt à partir. Je fis un sourire crispé.

— Je reviens tout de suite, déclarai-je à la foule en colère. Franchement, Reardon ? Tu me plantes là — qu'est-ce que tu veux que je fasse ?

— Démerde-toi.

Et il partit.

J'avais soudain une conscience aiguë de porter une robe d'été de midinette et un gilet cucul la praline.

Je balayai les visages furieux qui me faisaient face et écoutai les employés débattre avec passion. Ils étaient tous vêtus de noir, et la plupart arboraient des tatouages et des piercings, des rangers et des crêtes. C'étaient des durs, des rockeurs, et je ne savais pas comment leur parler. J'aurais voulu courir me réfugier sous le soleil de Sunset Boulevard, mais je pris une grande inspiration et m'approchai du groupe enragé. Le plus important était de tisser un lien.

— Salut, tout le monde, commençai-je tout bas. Je m'appelle Molly. Je ne sais pas trop ce qui se passe. Reardon ne m'a rien dit avant de me planter là. Mais je sais une chose : je peux vous défendre. Moi aussi, je travaille dans des boîtes, la nuit, et pendant la journée j'essaye de ne pas me faire hurler dessus ou virer par le cinglé que vous venez de rencontrer. En général, il me hurle quand même dessus, d'ailleurs.

J'entendis quelques grognements, et même un petit rire.

— Bref, si on peut collaborer et donner à Reardon ce qu'il veut, je pense qu'on peut tous garder nos jobs.

Une femme aux yeux cerclés de noir et en rangers me jeta un regard mauvais.

— Donner à ce type ce qu'il veut ? Qu'est-ce qui nous dit que tu n'essayes pas de nous soutirer des infos pour pouvoir tous nous virer ? accusa-t-elle en agitant un ongle noir beaucoup trop près de mon visage.

— C'est ça, votre plan ? demanda un vieux type avec une barbichette.

— Effectivement c'est un risque à courir, répondis-je honnêtement. Je ne peux pas vous donner de garantie, mais je peux vous dire que lui donner satisfaction est votre unique espoir de garder vos boulots. Et je vous donne ma parole que je vous défendrai.

— Donne-nous une minute, demanda une jolie blonde en minijupe écossaise.

Je m'éloignai et m'installai sur une banquette sale en faisant semblant de regarder mon portable.

Il y eut un débat agité à l'issue duquel deux personnes sortirent.

Les autres me rejoignirent.

— Je suis Rex, le gérant. Enfin, je l'étais, dit le premier en me tendant la main.

Les autres suivirent son exemple.

Je passai le reste de la journée avec Rex, qui me montra comment il tenait l'endroit pendant que je prenais des notes. Il avait une femme et un enfant, et était le gérant du bar depuis dix ans. Ç'avait l'air d'être un type bien. Duff, qui était chargée de recruter les musiciens, me donna sa *to-do list* et son calendrier, et m'initia aux ficelles du métier. À la fin de la journée, j'avais un mode d'emploi fonctionnel, les contacts des groupes et des agents, les informations pour commander les boissons… Je les remerciai profusément et leur donnai mon numéro.

— Appelez-moi quand vous voudrez, déclarai-je. Je vais parler à Reardon et lui dire que vous m'avez tous beaucoup aidée.

Au fond, je savais qu'il allait probablement les virer. Je retournai au boulot en traînant les pieds, me sentant horriblement coupable. Je tendis mes notes à Reardon. Je me réfugiai dans mon bureau en réfléchissant à la meilleure façon de présenter les choses pour donner une chance aux gens que j'avais rencontrés.

Reardon vint me voir.

— Molly, ce n'est pas du bon boulot, annonça-t-il.

Je commençai à me justifier, mais il m'interrompit :

— C'est excellent.

J'étais tellement sonnée que je faillis tomber de ma chaise.

— Je suis fier de toi, dit-il simplement.

Ça faisait si longtemps que j'attendais un encouragement, une confirmation que Reardon ne me considérait pas comme la dernière des idiotes.

— Pour les employés…

Il se retourna. Ses yeux bruns lançaient des éclairs, comme à chaque fois qu'il s'apprêtait à me sermonner.

— Quoi ? demanda-t-il d'un ton sévère.

— Rien, répondis-je.

Je me détestais.

— Tu sors avec nous ce soir. Sois prête à 19 heures. Tu as vraiment fait du bon boulot aujourd'hui.

Je rentrai chez moi, tiraillée entre la joie et la culpabilité.

La limousine passa me chercher à 19 heures, avec les trois garçons à l'intérieur. Reardon ouvrit une bouteille de champagne.

— À Molly, qui commence enfin à piger.

— À Mol ! répétèrent Sam et Cam.

Je souris.

On sortit de la limousine devant chez Mr Chow, et les flashs des paparazzis crépitèrent sur notre passage.

— Regarde par là, me crièrent-ils en me mettant leurs appareils sous le nez.

— Je ne suis pas…, commençai-je, mais Reardon me prit le bras et repoussa les photographes.

On avait une table VIP, où des mannequins canon, des it-girls à la réputation sulfureuse et quelques acteurs controversés que connaissait Reardon nous rejoignirent. On était vendredi soir et toutes les tables chez Mr Chow étaient réservées pour l'élite de Hollywood. À chaque fois que je baissais les yeux, j'avais un nouveau martini-litchi devant moi. Ensuite, on se dirigea vers la nouvelle boîte la plus sélecte de L.A. On nous plaça à la meilleure table, avant tout le monde. Nous étions tous pompettes, heureux et insouciants.

J'étais tellement grisée par l'alcool, la splendeur sans effort, l'entrée VIP et le prestige que j'oubliai presque la façon dont j'avais trompé les employés du Viper Room.

Je pris le bras de Reardon. Il fallait au moins que j'essaye.

Il me sourit, l'air fier de moi.

C'était ce que j'avais toujours voulu, et c'était tellement bon que je laissai les employés et mes promesses disparaître.

6

Un vendredi en fin d'après-midi, je m'activais dans nos bureaux dans l'espoir de finir rapidement pour pouvoir partir tôt. J'avais rendez-vous avec un barman d'une des boîtes où je travaillais. Je ne voulais pas en parler aux garçons, qui m'auraient chambrée pendant des jours.

— Viens là ! hurla Reardon.

Je me préparai au pire. Je compris qu'il avait une nouvelle idée : il remplissait un bloc-notes de gribouillages délirants, dessinant des carrés collés les uns aux autres jusqu'à ce qu'ils occupent toute la page. Il avait des carnets entiers de ce genre — c'était sa façon de réfléchir.

— On va faire un poker au Viper Room, annonça-t-il sans cesser de griffonner. Ce sera mardi soir, tu vas nous aider à le superviser.

Je savais que Reardon jouait au poker de temps en temps, parce que j'avais remis et endossé quelques chèques depuis que j'avais commencé à travailler pour lui.

— Mais je bosse à la boîte ce soir-là.

— Crois-moi, tu vas y trouver ton compte.

Il se détourna de son bloc-notes. Ses yeux souriaient comme s'ils connaissaient un secret.

— Prends ces noms et ces numéros et invite-les. Mardi à 19 heures, aboya-t-il en gribouillant ses carrés. Dis-leur d'apporter 10 000 en cash pour la cave. Les blindes sont de 50 et 100.

Je prenais en note frénétiquement. Je ne comprenais rien à ce qu'il racontait, mais j'essayerais de déchiffrer ses mots toute seule avant d'oser lui poser une question.

Il commença à fouiller dans son téléphone en balançant des noms et des numéros.

— Tobey Maguire... Leonardo DiCaprio... Todd Phillips...

Mes yeux s'écarquillaient à mesure que la liste s'allongeait.

— ET TU FERMES TA GUEULE, COMPRIS ?

— Promis.

Je fixai mon bloc-notes jaune. Là, écrits de ma main, s'étalaient les noms et les numéros de téléphone de certaines des célébrités les plus riches et les plus puissantes de la planète. J'aurais voulu remonter le temps et murmurer mon secret à l'oreille de l'adolescente de treize ans que j'avais été, qui avait regardé *Titanic* les yeux brillants et le cœur battant.

En rentrant, je cherchai sur Google les mots et les expressions que Reardon avait utilisés pour les invitations à envoyer. Par exemple, il m'avait demandé de dire aux gens que « les blindes seraient de 50 et 100 ». J'appris qu'une blinde était une mise obligatoire à verser avant la distribution des cartes. Il y a une « petite » blinde et une « grosse » blinde, qui doivent toujours être versées par le joueur à la gauche du donneur.

Il avait aussi demandé : « Dis aux joueurs d'apporter 10 000 dollars pour la cave. » La cave est la quantité minimale de jetons qu'un joueur doit acheter pour participer à une partie. Armée de quelques bases, je commençai à écrire un message.

Salut, Tobey, je m'appelle Molly. Enchantée.

LOSER ! pensai-je. Virer « enchantée ».

Je vais chapeauter la partie de poker de mardi. Ça commencera à 19 heures, apportez 10 000 en cash SVP.

Trop autoritaire ?

La cave est de 10 000, tous les joueurs vont apporter du cash.

Trop passif.

Les blindes sont de…

Tu réfléchis trop, Molly. Ce sont juste des gens à qui tu donnes des infos pour un jeu de cartes.
Je composai un message simple et j'appuyai sur « Envoyer ». Je m'obligeai à sauter sous la douche pour me préparer à mon rendez-vous. Je me séchai tranquillement et me tartinai de crème tout en couvant des yeux mon portable, que j'avais laissé à l'autre bout de la pièce.
Je finis par craquer. Je courus le récupérer.
Chacun des hommes à qui j'avais écrit avait personnellement répondu, presque instantanément.

Ça marche.

Ça marche.

Ça marche.

Ça marche…

Je fus parcourue d'un délicieux frisson, et la perspective de mon rendez-vous me sembla soudain très ennuyeuse.

PENDANT LES QUELQUES JOURS QUI SUIVIRENT, j'essayai de me renseigner pour organiser le poker parfait. Il y avait peu d'informations sur le sujet. Je cherchai sur Google des questions du genre : « Quel style de musique les joueurs de poker aiment écouter ? » Et je préparai des playlists avec des morceaux tellement communs que c'en devenait gênant : « The Gambler » ou « Night Moves ».

Pendant que j'écoutais la playlist pour vérifier que ça s'enchaînait bien, j'essayai toutes les robes dans mon placard. Mon reflet dans le miroir me déçut à chaque fois ; j'avais l'air d'une jeune fille mal dégrossie débarquée d'une petite ville. Dans mes fantasmes, je faisais une entrée triomphale, vêtue d'une robe noire moulante achetée dans l'une des boutiques de luxe de Rodeo Drive, de talons aiguilles sexy de chez Jimmy Choo (la marque préférée de Reardon pour ce genre de cadeaux) et d'un rang de perles Chanel. Dans la réalité, je portais une robe bleu marine avec un nœud dans le dos et des talons de la même couleur, cadeau de Chad à la fac. Ils n'étaient plus de toute première jeunesse.

LE JOUR DU POKER, je ne savais plus où donner de la tête, entre les commissions pour Reardon et sa boîte et la préparation de la soirée. Je trouvai le temps d'aller chercher un plateau de fromages et d'autres trucs à grignoter.

Les joueurs me bombardèrent de messages toute la journée, obsédés par l'identité des autres invités. J'étais tout excitée à chaque fois que mon portable vibrait. C'était comme recevoir le SMS d'un beau garçon, en mieux. Reardon me garda au bureau tard, pour que je finisse des documents dont il avait besoin pour conclure une négo sur un nouveau projet immobilier.

J'eus à peine le temps de me sécher les cheveux et de me maquiller un peu. Je mis ma tenue désespérément ordinaire et décidai que, pour compenser mon manque d'élégance, je serais hyper sympa, efficace et professionnelle. Je courus au Viper Room avec mes compils et mon plateau de fromages. J'allumai des bougies et je disposai quelques bouquets de fleurs dans l'espoir de rendre la pièce plus accueillante, mais on fait difficilement plus glauque que le sous-sol du Viper, et ce n'était pas quelques fleurs et trois bougies qui allaient y changer grand-chose.

Diego, le croupier, arriva en premier, vêtu d'un pantalon kaki et d'une chemise blanche bien repassée. Il me serra la main avec un sourire aimable. Reardon l'avait rencontré en jouant au poker au Commerce Casino, un établissement pas très loin de Los Angeles. Ça faisait plus de vingt ans que Diego distribuait des cartes dans des casinos et des parties privées, et il avait probablement vu à peu près tous les scénarios possibles et imaginables dans un jeu de cartes. Mais même sa longue expérience n'avait pas pu le préparer à la façon dont ce poker changerait nos vies.

— Prête ? me demanda-t-il en déballant une table recouverte de feutre vert.

— Plus ou moins, répondis-je.

J'admirai la rapidité avec laquelle il comptait et empilait les jetons.

— Je peux t'aider ? m'enquis-je poliment.

— Tu sais jouer ? rétorqua-t-il, gentiment moqueur. Tu ne fais pas très poker.

— Non. C'est ma première fois.

Il rit.

— Ne t'inquiète pas, je te guiderai.

Je me sentis un peu rassurée. J'avais besoin de toute l'aide qu'on voudrait bien me donner.

Barnaby arriva en deuxième, coiffé d'un haut-de-forme. C'était l'un des seuls employés que Reardon avait gardés. Il s'occupait de la porte ; je lui donnai une liste de noms et insistai sur l'importance de ne laisser entrer que ceux qui étaient sur la liste.

— Pas de problème, poulette.

— Ne laisse entrer personne d'autre, répétai-je plusieurs fois. Désolée, Barnaby, je sais que tu sais ce que tu fais. Je suis juste stressée. Je veux que tout soit parfait.

Il passa un bras autour de mes épaules.

— Ne t'inquiète pas, mon ange, tout va être plus que parfait.

Je lui adressai un sourire reconnaissant.

— J'espère.

À 18 H 45, JE ME POSTAI près de la porte d'entrée pour faire le guet. Je tripotai ma robe, me demandant comment saluer les joueurs. Je connaissais leurs noms, mais est-ce que je devais me présenter ?

Stop. Je fermai les yeux et j'essayai de me calmer en m'imaginant telle que j'aurais voulu être.

Molly Bloom, tu portes la robe de tes rêves, tu as confiance en toi, tu n'as peur de rien et tu vas être parfaite.

Rien de tout cela n'était vrai, bien sûr, mais c'était mon objectif. J'ouvris les yeux, je relevai le menton et je détendis mes épaules. C'était l'occasion ou jamais de percer.

Le premier à arriver fut Todd Phillips, le scénariste et réalisateur de *Retour à la fac* et des *Very Bad Trip*.

— Bonsoir, dis-je en lui tendant une main chaleureuse. Molly Bloom.

Je lui décochai un sourire sincère.

— Salut, beauté. Content de te rencontrer en personne. Je te donne la cave ?

— D'accord, répondis-je en examinant la grosse liasse de billets de cent dollars. Vous voulez boire quelque chose ?

Il commanda un Coca Light. J'allai poser l'énorme somme derrière le bar.

Après lui avoir servi sa boisson, je vérifiai qu'il y avait le compte et rangeai la liasse dans la caisse avec le nom de Todd dessus. Compter tout cet argent me faisait me

sentir cool, rebelle et dangereuse. Les autres commencèrent à arriver.

Bruce Parker se présenta et me tendit aussi sa cave.
D'après mes recherches, il avait cofondé l'une des entreprises de golf les plus prestigieuses au monde. Bob Safai
était un magnat de l'immobilier. Quant à Phillip Whitford,
en plus de descendre d'une longue lignée d'aristocrates
européens, il était le fils d'un top model et d'un des play-
boys les plus célèbres de Manhattan. Reardon débarqua
en lançant son « salut, mecs ! » habituel, suivi d'un homme
tout débraillé du nom de Houston Curtis, puis de Tobey
et de Leo.

Je me redressai et souris avec le plus de naturel possible.
Ce sont des gens comme les autres, me répétai-je pendant
que mon estomac faisait des soubresauts. Je me présentai,
récupérai leurs caves et demandai ce qu'ils voulaient boire.
Quand je serrai la main de Leo et qu'il me fit un sourire
en coin sous son chapeau, mon cœur battit un peu plus
vite. Tobey était mignon aussi, et il avait l'air très sympa.
Je ne savais rien sur Houston Curtis, sauf qu'il travaillait
dans l'industrie du cinéma. Il avait un regard doux, ne
ressemblait pas aux autres et n'avait pas l'air à sa place.
Steve Brill et Dylan Sellers, deux autres réalisateurs
importants, arrivèrent ensuite.

L'atmosphère était chargée d'électricité. On aurait dit
que le sous-sol du Viper s'était transformé en stade un
soir de match.

Reardon finit d'engloutir son sandwich et cria à la
cantonade :

— C'est parti !

J'OBSERVAIS, FASCINÉE. Tout me semblait irréel. J'étais
debout dans un coin du Viper Room, où je comptais
100 000 DOLLARS EN CASH ! J'étais en compagnie de stars

de cinéma, de réalisateurs importants et de puissants magnats des affaires. J'avais l'impression d'être Alice au pays des merveilles, tombée dans le terrier du lapin.

Diego étala dix cartes et tous les joueurs se dirigèrent vers leur siège, avec gravité, me sembla-t-il.

Une fois que tout le monde fut installé, Diego commença à distribuer les cartes. Je me dis que c'était le bon moment pour proposer aux joueurs d'autres boissons. Armée de mon plus beau sourire, je fis le tour de la table en offrant des rafraîchissements. Bizarrement, je n'étais pas très bien accueillie.

Phillip Whitford me prit la main et me chuchota à l'oreille :

— Ne leur parle pas s'ils sont dans une main. La plupart n'arrivent pas à réfléchir et à jouer en même temps.

Je le remerciai chaleureusement et je pris note.

Sauf pour quelques commandes de boissons, personne ne m'adressa la parole pendant la partie, et j'eus le temps de les observer de près. Les stars de cinéma et les réalisateurs parlèrent de Hollywood, Reardon et Bob Safai analysèrent le marché de l'immobilier, Phillips et Brill échangèrent des piques hilarantes. Évidemment, ils parlèrent aussi de poker. J'avais l'impression d'être une petite souris dans un club top secret de maîtres de l'univers.

À la fin de la soirée, pendant que Diego comptait les jetons de tous les joueurs, Reardon déclara :

— N'oubliez pas de donner un pourboire à Molly si vous voulez être réinvités.

Il me fit un clin d'œil.

Pendant que les joueurs sortaient, ils me remercièrent, certains m'embrassèrent sur la joue, et tous me glissèrent des billets. Je leur souris chaleureusement et les remerciai en essayant de calmer le tremblement de mes mains.

Après leur départ, je m'assis, étourdie, et, en frissonnant, je comptai 3 000 dollars.

Mais, mieux encore que l'argent, je savais désormais pourquoi j'étais venue à L.A., pourquoi j'avais supporté les caprices de Reardon, ses insultes continuelles, les uniformes dégradants de serveuse de cocktails, les pervers qui me pinçaient les fesses.

Je voulais une vie trépidante, une belle aventure, et personne n'allait me la tendre sur un plateau. Contrairement à mes frères, je n'étais pas née avec un don m'ouvrant la voie royale. J'attendais ma chance, et je savais qu'elle viendrait. Je pensai à nouveau à l'Alice de Lewis Carroll, qui déclare : « Je ne peux pas revenir à hier, parce que je ne suis plus la même personne. » Je comprenais la simplicité profonde de cette constatation — parce que, après ce soir-là, je savais que je ne pourrais jamais revenir en arrière.

DEUXIÈME PARTIE

BLUFF À HOLLYWOOD

Los Angeles, 2005

Bluff (nom) :

Comportement visant à faire croire à ses adversaires qu'on dispose de meilleures cartes que celles qu'on a en main.

7

Le lendemain matin, je me réveillai spontanément avant l'aube, dans la fraîcheur de l'obscurité... Dans quel univers parallèle avais-je atterri ?

Le temps que je finisse de tout ranger au Viper, il était presque 2 heures du matin. J'avais fermé à clé derrière moi et couru vers ma voiture, mon sac serré sous le bras pour mieux le protéger. J'étais rentrée chez moi en chantant à tue-tête.

À mon arrivée, Blair n'était pas encore rentrée. J'avais pris une douche chaude en essayant de me calmer mais, quand je m'étais glissée dans mon lit, j'étais toujours surexcitée. J'avais commencé à faire des listes de tout ce que j'allais pouvoir faire avec l'argent des pourboires. Payer le loyer du mois suivant. Acheter de nouveaux vêtements, régler ma facture de carte de crédit. Peut-être même économiser un peu.

J'avais fini par m'endormir.

En sortant du lit, je vérifiai tout de suite mon tiroir à chaussettes. La pile de billets de cent dollars était là où je l'avais laissée.

J'allai dans la cuisine faire du café. D'après l'horloge, il était à peine 6 heures, mais les nouvelles étaient trop bonnes pour que je les garde pour moi. Il fallait que je raconte à Blair. Si je n'en parlais pas à quelqu'un, j'allais exploser. Vu l'heure à laquelle elle était rentrée, j'avais intérêt à lui apporter du café.

— Pourquoi t'es d'aussi bonne humeur ? grommela-t-elle en prenant le mug, les yeux à moitié fermés.

Je m'apprêtais à lui débiter toute cette histoire incroyable, quand la caféine fit son effet et que la réalité me rattrapa. Blair avait beau être ma meilleure amie, je ne pouvais pas lui en parler. C'était à moi de garder ce secret. Si elle gaffait et en parlait à quelqu'un, et que ça revenait aux oreilles d'un des joueurs, je perdrais leur confiance.

Je décidai à cet instant de ne parler du poker à personne, pas même à ma famille. Je ne ferais rien qui risquerait de me faire perdre ma place dans ce milieu que je venais d'intégrer.

— Rien de spécial, prétendis-je en essayant d'atténuer mon enthousiasme. C'est juste une journée magnifique et je ne voudrais pas que tu passes à côté.

— J'peux pas, là. Ferme la porte.

Elle se retourna en grognant.

— Désolée !

Je sortis de la pièce.

J'ARRIVAI AU BUREAU tôt ce matin-là, pour prouver que le poker ne nuisait pas à mon efficacité. Je passai une heure à nettoyer et à ranger le bureau de Reardon, et à classer des documents.

Après avoir fini mon travail, je regardai mon portable. Sept nouveaux messages ! Mon cœur fit un bond. D'habitude, ça voulait dire que Reardon piquait une crise, mais pas aujourd'hui. Ce n'étaient que des messages des joueurs, qui demandaient quand serait la prochaine partie, nous remerciaient pour la soirée et voulaient réserver leur place pour la semaine suivante. Je fis une petite danse de victoire.

Reardon ne fit son apparition qu'à 10 heures.

— Salut ! le saluai-je d'un ton enjoué en lui tendant un café et son courrier.

— T'as l'air de bonne humeur, répondit-il avec un clin d'œil.

Je me détendis un peu. Ouf, c'était un de ses bons jours.

— Combien est-ce que tu t'es fait ?

— 3 000 ! chuchotai-je, toujours incrédule.

Il éclata de rire.

— Je t'avais dit que tu y trouverais ton compte, idiote.

Je fis un grand sourire.

— Tout le monde était super content, déclara-t-il. Ils me soûlent déjà. Ils m'ont harcelé toute la matinée.

Je tentai de cacher mon avidité.

— On fera une partie tous les mardis.

Mon visage s'illumina et, malgré moi, je fis un énorme sourire.

— T'as pas intérêt à te laisser distraire et à saloper le boulot, me prévint-il.

Puis il regarda mes pieds.

— Et va t'acheter des chaussures neuves. Celles-ci sont à vomir.

Pour notre deuxième partie, Reardon stipula que tous les joueurs devraient apporter 10 000 dollars pour la cave de départ et un chèque couvrant leurs éventuelles pertes supplémentaires. Pendant la semaine, je tendis l'oreille à chaque fois qu'il répondait à des appels de gens qui avaient entendu parler du poker et voulaient participer. Puis je créai un tableur pour tous les joueurs actuels et potentiels.

Je voulais me rendre indispensable. Il me restait encore beaucoup… enfin, tout à apprendre sur le poker, mais je comprenais un peu la psychologie, grâce à mon expérience dans des restaurants et à force de regarder mon père travailler. Je savais que les hommes, surtout ceux qui appartenaient à cette classe sociale et jouissaient d'un certain prestige, ont besoin de leur petit confort et veulent se sentir chouchoutés. Je remplaçai le plateau de fromages de supermarché par une version plus haut de gamme achetée dans une fromagerie de Beverly Hills. Je mémorisai la boisson, le plat et les snacks préférés de chaque joueur au restaurant chic où nous commandions généralement. Ces petits détails compteraient sûrement beaucoup.

Quand Reardon me donna la liste des hommes que je devrais inviter pour la deuxième partie, ils étaient neuf, en majorité des joueurs déjà présents la première fois. J'entrepris de me renseigner sur chacune de ces personnalités.

Bob Safai, le magnat de l'immobilier. Très sûr de lui, il pouvait se montrer charmant ou terrifiant, selon qu'il gagnait ou perdait. Je l'avais vu s'énerver contre le croupier et plusieurs adversaires la semaine précédente. Il avait été adorable avec moi, mais j'avais l'impression que c'était quelqu'un qu'on n'avait pas intérêt à se mettre à dos.

Todd Phillips, le scénariste et réalisateur dont le dernier film, *Very Bad Trip*, était déjà une légende dans le genre humour régressif.

Phillip Whitford, le riche aristocrate, un homme beau et bien élevé, peut-être le meilleur joueur de la table. C'était lui qui m'avait conseillé de ne pas parler à quelqu'un qui jouait, et qui m'avait adressé des sourires encourageants. Je pressentais qu'il s'agissait d'un allié.

Tobey Maguire, le mari de Jen Meyer, la fille du P-DG d'Universal. Malgré sa petite taille, c'était une immense star de cinéma et, à en croire les autres, le deuxième meilleur joueur de la table.

Leonardo DiCaprio, peut-être l'acteur le plus célèbre du monde. Il était non seulement d'une beauté à couper le souffle, mais aussi incroyablement doué. Cependant, il avait un drôle de style quand il jouait ; on aurait presque dit qu'il se fichait de gagner. Il passait son temps à se coucher et écoutait de la musique sur un énorme casque.

Houston Curtis était l'un de ceux qui détonnaient. Houston n'avait pas eu une enfance privilégiée. Il produisait de la télé-réalité de bas étage, comme des vidéos de combats amateurs. Sa grande fierté était qu'il avait appris à jouer aux cartes enfant et débarqué à Hollywood sans un sou en poche. Il semblait assez proche de Tobey.

Bruce Parker avait une cinquantaine d'années. Je l'avais entendu dire qu'il avait commencé en dealant de l'herbe. Il avait fini par mettre à profit sa connaissance des affaires pour grimper dans la hiérarchie de l'une des entreprises de golf les plus anciennes et les plus rentables. On murmurait que ses ventes rapportaient des milliards et qu'il avait aidé à introduire l'entreprise en Bourse.

Reardon, sur qui j'avais déjà plus d'informations qu'il ne m'en fallait.

Mark Wideman, que je n'avais pas encore rencontré, un ami de Phillip qui jouerait pour la première fois à notre table cette semaine.

Cette fois-ci, écrire le message au groupe fut plus facile. Je savais qui ils étaient et à quoi m'attendre. J'appuyai sur « Envoyer », et comme la dernière fois ils répondirent immédiatement par des « ça marche » et « qui sera là ? ».

Je trépignai d'impatience jusqu'au mardi suivant.

8

Pendant le week-end, je pris ma vieille jeep et me rendis chez Barneys. Je tendis mes clés au voiturier, gênée et très consciente que ma voiture détonnait parmi les belles Mercedes, BMW, Ferrari et Bentley.

Une fois à l'intérieur, j'oubliai mes complexes et je me dirigeai tout droit vers les chaussures. Je contemplai les présentoirs étincelants. Pour la première fois de ma vie, je pouvais me permettre d'acheter ce que je voulais, et j'avais l'impression d'être une gamine dans une confiserie.

— Qu'est-ce que je peux faire pour vous ? demanda un vendeur tiré à quatre épingles en couvant d'un regard désapprobateur les tongs fatiguées que je portais.

— Je regarde, c'est tout, rétorquai-je en ignorant son attitude snob.

— Je peux vous proposer quelques modèles ?

— Allez-y, répondis-je joyeusement.

Après avoir essayé dix paires, j'optai pour des Louboutin noires classiques.

— Vous êtes aussi doué pour trouver des robes ? lui demandai-je.

— Suivez-moi, me dit-il d'un ton chaleureux après avoir encaissé en cash les 1 000 dollars que coûtaient les chaussures.

Il était plus sympa maintenant que je dépensais de l'argent.

— Laissez-moi vous présenter une amie du quatrième étage.

Elle s'appelait Caroline. En la suivant, j'eus l'impression de vivre la même chose que ma voiture, seule dans un parking où toutes les autres respiraient l'élégance. J'avais une conscience aiguë de mon apparence négligée. Barneys était plein de femmes très soignées qui donnaient l'impression de se réveiller naturellement avec un brushing parfait. Je portais un short en jean, des tongs, un sweat et une casquette de football américain par-dessus une queue-de-cheval en désordre, mais le pire était mon sac, un Prada mal imité acheté dans une rue du centre-ville.

— Qu'est-ce que je peux faire pour vous ? demanda Caroline.

— Je cherche une robe qui ne me ressemble pas du tout.

J'éclatai de rire et elle m'imita.

— C'est pour le travail ? Un rendez-vous amoureux ? Une audition ?

— À ce prix-là, tout ça à la fois, j'espère.

— Je vais vous chercher quelques modèles, asseyez-vous.

Elle m'indiqua une grande cabine d'essayage capitonnée.

— Pendant ce temps, enlevez votre casquette, faites-vous un chignon et mettez les nouvelles chaussures.

J'obéis.

Elle revint avec plusieurs robes magnifiques.

— Essayez-moi tout ça, ordonna-t-elle.

J'enfilai la Dolce & Gabbana structurée. Un vrai tour de magie : ma poitrine était relevée, ma taille affinée, mes fesses accentuées.

Je sortis de la cabine.

— Méconnaissable, lâcha Caroline d'un air appréciateur en me conduisant vers un miroir triple.

Le vêtement créait une illusion d'optique qui me rendait non seulement élégante, mais aussi sexy.

Comment aurais-je pu refuser, même à ce prix ? Ce bout de tissu m'avait autant transformée que le maquillage de Valerie.

— Voilà votre robe sexy, on va vous en trouver une classique, et vous serez une autre femme.

Je souris, comblée.

J'essayai une Valentino bleu marine, moulante là où il fallait sans être trop provocante.

Pour la touche finale, elle me proposa un rang de perles Chanel.

— Vous êtes vraiment hyper douée, déclarai-je avec admiration.

Elle sourit.

— Donnez-moi votre carte de crédit.

— Oh ! répondis-je en sortant une liasse de billets de cent. J'ai du liquide.

Caroline se décomposa. Consternée, je me rendis compte qu'elle me prenait pour une prostituée.

— Je reviens avec la facture.

Quoique toujours amical, son ton s'était rafraîchi. Je remettais mes vêtements quand elle se glissa dans la cabine.

— Je ne devrais pas vous dire ça, je pourrais être virée. Mais je vous aime bien et j'ai vu cette ville détruire des filles.

— Caroline, je ne suis pas une call-girl, promis. J'ai juste eu beaucoup de chance au poker. C'est la stricte vérité.

Elle sourit.

— C'est très cool, et bien mieux que ce que je craignais. Voici ma carte, appelez-moi si vous avez besoin de quelque chose.

Je lui rendis son sourire.

— Merci d'avoir été honnête, même au risque de vous attirer des ennuis.

Je sortis de Barneys avec mes nouvelles tenues, un immense sourire aux lèvres.

LE MARDI ARRIVA ENFIN, et, miracle, cette fois Reardon me laissa partir à une heure raisonnable. Je rentrai me métamorphoser.

J'étais en route quand mon téléphone sonna ; c'était un de mes boss de boîte. Je faisais encore le service quand je pouvais.

— Salut, T.J. Quoi de neuf ?

— J'ai besoin de toi ce soir.

Il avait l'air impatient. Quand on travaille dans une boîte de nuit, on est toujours de mauvaise humeur la journée.

— Je peux pas.

C'était la première fois que je lui disais non.

— On dirait que tu ne tiens pas à ton job, insinua-t-il d'un ton dur. Il y a un million de filles dans cette ville qui tueraient pour te remplacer.

Je pensai à ce que j'avais gagné la semaine précédente avec le poker, plus en une nuit qu'en un mois au club, j'inspirai et je rétorquai :

— Eh bien, tu n'as qu'à en appeler une, parce que j'arrête.

Il resta muet, sous le choc. Je le remerciai poliment pour sa proposition avant de raccrocher.

Je savais que je prenais un énorme risque. Il n'y avait aucune garantie que ce poker dure, mais j'allais essayer de le maintenir aussi longtemps que possible. Et puis, ça faisait tellement de bien d'arrêter ce job de serveuse éreintant et humiliant.

J'ARRIVAI VÊTUE DE MES LOUBOUTIN ET DE MA NOUVELLE ROBE. J'avais choisi la plus sexy des deux.

— Waouh, regardez-moi ça, lança Diego en me prenant les sacs d'alcool. Tu vas gagner un max ce soir.

— C'est trop ?

— Mais non. Tu es à tomber. En parlant de pourboires, comment tu veux qu'on fasse ?

— Comment ça ?

— Les joueurs me donnent des pourboires pendant la partie. J'ai vu qu'ils te filaient du cash à la fin. On gagne toujours plus quand il y a des jetons. Si tu veux, on peut partager. Cinquante-cinquante.

J'y réfléchis attentivement. J'avais vu les joueurs lancer des jetons au centre après avoir gagné une main. La logique voulait donc que les pourboires de dix joueurs pendant de longues heures fassent beaucoup d'argent. Cela dit, Reardon leur avait clairement fait comprendre que, pour être réinvité, il fallait me laisser un pourboire.

— On n'a qu'à voir comment ça se passe ce soir et décider après, suggérai-je.

Je voulais savoir combien je gagnerais.

— D'accord, acquiesça Diego avec un sourire.

Reardon fit son apparition à cet instant.

— Waouh, dit-il en riant. T'as l'air bien baisable.

C'était ce qui se rapprochait le plus d'un compliment pour lui. Je le fusillai du regard.

Il contempla le buffet.

— *Yes !* lâcha-t-il en mordant dans un sandwich.

Traduction : je m'étais bien débrouillée avec les courses. Pour être honnête, c'était Reardon qui m'avait tout appris, lui qui n'aimait que le meilleur — du caviar en guise de remède contre la gueule de bois, par exemple. J'avais bien progressé depuis le jour où il m'avait balancé les bagels de Pink Dot à la figure. À son contact, j'avais affiné mes connaissances culinaires.

Houston arriva et m'étreignit chaleureusement.

Son Snapple light à la framboise était prêt.

Bruce Parker débarqua ensuite, suivi de près par Todd Phillips. Ils s'esclaffaient.

— Qu'est-ce qui vous fait rire, abrutis ? demanda Reardon en leur faisant un *high-five*.

Reardon était un germaphobe qui préférait les *high-fives* aux poignées de main pour des raisons d'hygiène. Évidemment, sa peur des germes s'évanouissait quand il s'agissait de sexe.

— Parker vient de se faire branler dans le parking, expliqua Phillips.

— Elle était mignonne et elle ne demandait que 500, je me suis dit que ça me porterait chance.

Bruce éclata de rire.

— Stylé, dit Reardon d'un air approbateur.

À cet instant, ils me virent me faire toute petite dans un coin.

— Désolé, chérie, dit Todd.

— Molly en a vu d'autres, elle travaille pour moi.

Reardon balaya leurs excuses pendant que je hochais la tête en me forçant à sourire.

— Ça n'embête pas ton copain, que tu traînes avec des vieux pervers comme nous dans cette robe ? me demanda Todd.

— Je n'ai pas de…, commençai-je.

Mais ils s'étaient désintéressés de moi — Tobey et Leo venaient d'entrer. Les autres devinrent un peu timides et gênés, sauf Reardon, bien sûr, qui fit un *high-five* à Leo en lui lançant un « salut, mec ! » désinvolte.

Pendant que tout le monde se pressait autour de Leo, Tobey alla voir Diego et lui tendit son Shuffle Master. C'était un mélangeur automatique à 17 000 dollars censé distribuer les cartes de façon juste et aléatoire à chaque fois, rendant chaque tour plus rapide et plus précis. La semaine précédente, Tobey avait dit aux autres qu'il refuserait de jouer sans.

Le suivant fut Bob Safai. La dernière fois, j'avais vu Diego lui donner ce que les autres avaient appelé un *bad beat*. Ça voulait dire que, même si Bob avait une main beaucoup plus forte, il avait quand même perdu. J'avais regardé Bob balancer ses cartes à Diego d'un air rageur.

Statistiquement, m'avait expliqué Diego ensuite, Bob aurait dû gagner. C'était un *two-outer*, ce qui voulait dire qu'il n'y avait que deux cartes dans le jeu qui pouvaient faire gagner son adversaire. Quand Tobey avait remporté la main, Bob était devenu fou furieux. Il avait lancé un regard mauvais à Diego et marmonné qu'il avait truqué la distribution en faveur de Tobey. Après ce genre d'incidens, j'étais soulagée que Tobey ait apporté son mélangeur automatique. Et surtout, bien contente de ne pas devoir gérer moi-même les parties.

— Salut, chérie, me dit Bob quand je pris son manteau.

Je le vis balayer la pièce du regard ; même lui eut l'air un peu étourdi en apercevant Leo.

Phillip Whitford arriva avec son ami Mark Wideman, un proche de Pete Sampras, qui jouait aussi de grosses sommes au poker, apparemment. Wideman était un bon joueur, mais il avait surtout promis d'essayer d'amener Sampras, ce qui serait un vrai atout pour nous.

En me voyant, Whitford eut un sifflement admiratif et me fit un baisemain.

Je rougis et regardai mes pieds, savourant la sensation d'être la seule fille au milieu de ces hommes beaux et talentueux.

Au-dessus du bourdonnement des voix, j'entendis la voix de Reardon :

— C'est parti !

ILS S'INSTALLÈRENT DANS LEURS FAUTEUILS, et on n'entendit plus que les sons ronds de ma playlist Frank Sinatra, le ronronnement du mélangeur automatique, le tintement des jetons et les railleries bon enfant des joueurs.

Une fois que la partie eut vraiment commencé, j'eus du mal à suivre. Les joueurs rechargeaient leurs jetons par salves rapides et tout le monde pariait toutes ses réserves en même temps, ce qui, comme Phillip me l'expliqua pendant une des rares pauses, s'appelait « être à tapis ». Même si je ne connaissais rien au poker, j'étais captivée. L'énergie que dégageait la partie était électrisante. Et je n'étais pas la seule à y être sensible. Diego distribuait à une vitesse record. Les joueurs faisaient aussi des paris annexes sur la couleur du *flop* (les trois premières cartes du tableau donné par Diego) ou, plus insolite, sur le sport.

Assise dans un coin, je ne les quittais pas des yeux. De temps en temps, je remplissais les verres. Les joueurs étaient tellement focalisés sur la partie qu'ils en oubliaient presque ma présence, sauf Phillip, qui m'envoyait sans cesse des SMS avec des explications sur le poker. Je tapais frénétiquement sur mon ordinateur, prenant en note tout ce que j'apprenais.

Pendant ce temps, Bob donnait des conseils judicieux sur le marché de l'immobilier, Wideman parlait de Sampras, Tobey analysait les mains de poker avec Houston, Reardon insultait tout le monde dans l'espoir de les pousser à l'imprudence, Phillips faisait de petites blagues, et Leo gardait son casque pour mieux se concentrer. Bruce décrivit la fille qui l'avait branlé pour 500 dollars, puis il raconta comment il avait fait fortune en commençant par dealer de l'herbe à Hollywood.

À l'heure du dîner, je commandai chez Mr Chow. Les joueurs n'étaient pas ravis d'arrêter la partie pour manger, et je me promis d'acheter des petites tables et de les laisser se nourrir en jouant la prochaine fois. Pendant le repas, j'entendis Bruce demander à Phillip une adresse de restaurant pour emmener une fille (pas celle qui l'avait branlé, supposai-je).

— Je connais l'endroit idéal, intervins-je. Madeo. Hyper romantique et la cuisine est géniale.

— Super idée.

— Tu veux que je m'occupe de réserver ? proposai-je.

Grâce à toutes les réservations que j'avais faites pour Reardon et son équipe, je connaissais les maîtres d'hôtel de tous les meilleurs restaurants.

— Ce serait parfait, acquiesça Bruce avec un sourire.

— Envoie-moi la date par texto, et je m'en charge.

— Merci, Molly. Tu es géniale.

Pendant la semaine, j'avais réfléchi à des façons de m'insinuer dans la vie des joueurs, pour diminuer le risque d'être remplacée. Sachant à quel point Reardon appréciait que je gère les détails pour lui, je m'étais promis d'essayer avec mes nouvelles cibles. Mais il fallait que ça ait l'air naturel. Je me félicitai de la manière dont ça s'était passé avec Bruce. Plus tard dans la partie, je reçus un message de Houston me demandant si je pouvais lui obtenir de rentrer, avec un ami, dans une certaine boîte de Hollywood. Comme je connaissais tous les promoteurs et les videurs là-bas, je m'en occupai aussi.

LA PARTIE REPRIT à toute allure après le dîner. Assise dans mon coin, je regardais les mains de Diego voler autour de la table en poussant des jetons et en retournant des cartes — c'était presque impossible à suivre. Soudain, le bruit retomba et Mark Wideman se leva. Il fit le tour de la table, les mains dans les poches.

Il y avait une énorme pile de jetons au milieu. Je regardai qui avait encore des cartes…

Tobey.

Tobey continua à manger tranquillement la pâtisserie vegan qu'il avait apportée, ses yeux ronds fixés sur Mark.

Celui-ci réfléchit pendant que nous retenions notre souffle. Je ne comprenais pas du tout ce qui se passait, mais je sentais le suspense.

— Je suis ! annonça-t-il.

Tobey le fixa, abasourdi.

— Tu suis ? répéta-t-il.

— Oui, dit Mark. Ça passe ?

Je tentai d'additionner tous les jetons dans ma tête, mais il y en avait trop, étalés un peu partout.

— Ça passe, confirma Tobey en tendant ses cartes à Diego.

Il sourit à Mark.

— Jolie main, mec.

Puis il braqua sur moi un regard mauvais et m'envoya un SMS :

C'est qui, ce type ?

Mark Wideman. Il est avocat.

Je vois.

J'avais l'impression que j'allais avoir des ennuis.

La partie reprit, et Tobey et moi retenions notre souffle chaque fois que Reardon jouait. Je connaissais assez bien Reardon pour savoir que l'excitation du jeu ne durerait pas longtemps s'il perdait à chaque fois. Et, clairement, il fallait aussi que je veille à la satisfaction de Tobey. La partie dura jusqu'à 3 heures du matin. À la fin de la soirée, ils étaient tous les deux gagnants, et la tension m'avait épuisée. Mais j'avais adoré.

J'aidai les joueurs à récupérer leurs manteaux et leurs

tickets de voiturier, je leur fis la bise ou les serrai contre moi, et je fus amplement récompensée par chacun en cash ou en jetons. Les plus généreux furent Phillip, Houston et Bruce, mais je veillai à remercier chaque joueur avec le même enthousiasme. Tobey, qui avait pourtant gagné plus que tous les autres, me glissa le plus faible pourboire.

Après leur départ, je m'assis à table avec Diego. On mit nos gains en commun avant de les compter : 15 000 dollars. 7 500 chacun.

Je le regardai, abasourdie.

— C'est normal ?

— Non, répondit-il avec un petit rire heureux. Je n'ai jamais vu une partie pareille.

— Diego, chuchotai-je. 7 500 dollars ! C'est une blague ?

— Continue à porter ces robes, plaisanta-t-il.

J'allai nous verser un verre de champagne.

— Ça mérite un toast, annonçai-je. Fifty-fifty, parce qu'on est amis, et alliés !

— Ça me plaît.

Même si nos pourboires n'étaient pas toujours identiques, c'était agréable d'avoir un associé.

On sirota nos bulles, trop heureux pour échanger le moindre mot. Diego vivait à plusieurs autoroutes de distance de Beverly Hills et sa carrière avait consisté à donner des mauvaises mains dans des casinos de seconde zone, à des types pour qui ça pouvait signifier un arrêt de mort. Il était autant aux anges que moi, voire plus.

— J'espère que ça durera éternellement, dis-je quelques minutes plus tard.

— Rien ne dure éternellement, surtout au poker, répondit-il avec sagesse.

Je me forçai à oublier les mots de Diego. Je me concentrai sur le souvenir de la voix de ma mère, qui me disait tous les soirs en me bordant : « Tu pourras faire tout ce que tu voudras, ma chérie, tout ce que tu décideras. » Ce n'était peut-être pas ce qu'elle avait imaginé, mais c'était ce que je voulais plus que tout, et je ferais tout mon possible pour que ça dure.

9

Après chaque partie, le protocole était le même : faire les comptes. Payer les gagnants. Récupérer l'argent des perdants.

Au début, l'aspect financier me stressait. Je me sentais mal de demander de l'argent aux perdants, sans compter que ça prenait beaucoup de temps d'écumer la ville pour leur courir après ou payer les autres. Mais je compris rapidement que ces tête-à-tête étaient des occasions en or de mieux connaître les joueurs.

Ce mercredi-là, je devais passer voir Tobey et Phillip.

Je rendis d'abord visite à Tobey. Je commençais à connaître le chemin : il gagnait toutes les semaines.

Après avoir gravi lentement la route escarpée, je sonnai et m'annonçai.

— C'est Molly, pour déposer un chèque.

Un long bip indiqua que je pouvais entrer. Les portes s'ouvrirent lentement et je redémarrai. Le palace de Tobey trônait au bout d'une allée.

Il était déjà à la porte à mon arrivée.

— Saluuut, comment ça va ?

— Salut, dis-je en lui tendant le mélangeur automatique, une grosse machine encombrante. Merci de nous avoir laissés l'utiliser pour la partie.

— Pas de problème, répondit-il en s'en emparant. Je voulais te parler de quelque chose.

— Qu'est-ce qu'il y a ?

Il plissa les yeux.

— Je crois que je vais commencer à vous facturer la location du Shuffle Master.

Je jetai un coup d'œil à l'immense entrée de son manoir niché dans les collines, avec sa vue dégagée sur l'océan.

J'éclatai de rire. C'était une blague. Il ne pouvait pas sérieusement envisager de faire payer aux types à qui il prenait de l'argent toutes les semaines la location d'une machine qu'il était le seul à vouloir utiliser.

Mais il était on ne peut plus sérieux, et j'étouffai rapidement mon rire.

— OK, dis-je d'une voix aiguë. Euh, combien ?

— 200 dollars.

Je souris pour dissimuler ma surprise.

— Je suis sûre que ça ira. Pas de problème.

Je savais que je ferais mieux de demander à Reardon d'abord, mais je voulais lui donner l'impression que je pouvais prendre des décisions. Je m'arrangerais avec Reardon plus tard.

— Coool. Merci, Molly. Et autre chose. J'aimerais savoir qui sera là chaque semaine. S'il y a un nouveau, je veux absolument savoir qui c'est. À l'avance.

Il parlait lentement, d'une voix douce en apparence, mais qui me sembla menaçante. Il pensait probablement à la main perdue contre Mark Wideman.

— Pas de problème, répétai-je, pressée de m'éloigner avant de lui promettre mon âme et mon premier-né.

— OK, à plus, dit-il en m'adressant un signe joyeux.

Je repartis en secouant la tête. Je ne comprendrais jamais les riches.

PHILLIP M'ATTENDAIT à son club de fumeurs de cigares préféré, dissimulé dans un bâtiment de deux étages de Beverly Hills. Quand l'ascenseur s'ouvrit, je découvris un luxueux vestibule tapissé d'acajou qui menait à un salon élégant plein d'hommes qui fumaient le cigare. Gênée, je cherchai des yeux une pancarte INTERDIT AUX FEMMES, mais le maître d'hôtel sourit et me conduisit jusqu'à Phillip, qui sirotait un scotch, seul au bar.

Il avait un paquet de cartes dans les mains et m'adressa un sourire en coin.

— Je suis complètement accro aux cartes, reconnut-il. Mais en fait celles-ci sont pour toi. Je vais te donner une leçon de poker.

Je rougis. J'avais espéré que les joueurs ne voient pas à quel point je n'y connaissais rien.

— Comment est-ce que tu sais que je ne suis pas une pro incognito qui cherche à repérer vos tells ?

Grâce à une recherche Google, j'avais appris quelques mots de vocabulaire du poker — les tells sont de subtils changements de comportement qui donnent des indices sur le jeu d'un adversaire.

Phillip eut un rire appréciateur.

On s'installa à une table dans un coin et je lui glissai l'enveloppe contenant son cash. Il la prit, l'approcha de son visage et me regarda.

— D'habitude, mes gains ne sentent pas les fleurs. Tu as vraiment le sens des détails.

— J'ai renversé du parfum dans mon sac, avouai-je, à nouveau gênée.

Il retrouva son sérieux et battit les cartes. Deux pour moi, deux pour lui.

— Ce sont tes cartes cachées. Ne laisse personne les voir. Le poker dépend moins des cartes qu'on tient que de la façon dont on les joue. On peut gagner avec une mauvaise main si on sait lire son adversaire et comprendre le message qu'on envoie, avec des indices comme le style de jeu ou les expressions du visage.

Phillip mit de côté une carte qu'il appela la *burn* puis en posa trois autres face cachée au milieu de la table : le *flop*.

— Alors, ne tombe pas amoureuse d'une belle main, parce que, quand le *flop* arrive, ta belle main peut virer au cauchemar. Le poker est un jeu de probabilités élémentaires et de psychologie. Si tu bluffes, il faut que tu y croies toi-même. Souviens-toi que les autres joueurs t'observent pour avoir des informations. Ils analysent tes expressions, ton langage corporel, la somme que tu paries et la façon dont tu t'y prends. Quand tu as ce que tu penses être la meilleure main, ce qu'on appelle les *nuts*, tu peux soit essayer de pousser tes adversaires à continuer à jouer en pariant d'une façon qui ne les fasse pas fuir, soit parier agressivement en misant à hauteur du pot. Et, si tu comptes miser ton tapis, réfléchis bien. Assure-toi d'avoir les *nuts*, ou que ton adversaire pense que tu le bats.

Il fit une pause et continua :

— Mais jouer mieux que ton adversaire ne marche pas toujours. Même les meilleurs joueurs au monde ont des nuits où ils n'ont pas de chance. Reconnais ces moments-là, fixe-toi une limite de pertes et respecte-la. Il faut savoir quitter la table.

On joua quelques tours cartes visibles et Phillip m'expliqua comment calculer les probabilités de mes mains de départ, ainsi que la façon dont elles changeaient au cours du tour. Après le *flop* (les trois premières cartes), il y avait la *turn* (la carte suivante), et enfin la *river* (la dernière).

— Je crois que j'ai compris, annonçai-je.

Pendant les premières mains, je jouai exactement comme il me l'avait appris. Mais, au bout d'un moment, je commençai à m'ennuyer et j'arrêtai de me coucher, même quand j'avais une mauvaise main.

Phillip me regarda d'un air déçu.

— Je ne crois pas que je ferais une bonne joueuse de

poker. J'ai trop hâte de voir ce qui arrive ensuite, même si j'ai une mauvaise main.

Il rit.

— N'oublie pas que le poker est bien plus qu'un jeu. C'est une philosophie. Si tu veux prendre des risques, fais en sorte qu'ils soient calculés.

Je hochai la tête en absorbant tout cela.

En allant au bureau, je continuai à penser à notre séance de poker. Ça me semblait être surtout une leçon de vie. J'entrai dans le bureau et, avant que je puisse dire bonjour, Reardon m'égrena une longue liste de tâches, toutes plus urgentes les unes que les autres d'après lui.

— Va chercher le courrier et trie-le, paye les factures. Défais les cartons. Et il me faut plus de T-shirts noirs. Et n'oublie pas de classer les documents et d'organiser tous les accords opérationnels, et il faut que tu ailles déposer ça à la City National, et…

Je hochai frénétiquement la tête en prenant des notes à mesure que Reardon énumérait ses multiples exigences. Depuis le début des parties, il avait substantiellement augmenté ma charge de travail. Je commençais à recevoir ses ordres à 7 heures du matin et, parfois, je ne finissais de les exécuter qu'à minuit. En dehors des jours de poker, je restais cloîtrée au bureau ou chez lui, à faire tout et n'importe quoi. Il savait qu'il avait un moyen de pression extraordinaire sur moi, si bien que je devins l'esclave à plein temps de Reardon en échange du droit d'être son organisatrice de poker à temps partiel.

Les parties se succédaient depuis un mois sans anicroche. Quatre mardis d'affilée, j'avais gagné des milliers de dollars et écouté des experts parler d'à peu près tous les sujets pertinents. L'élite savait des choses qu'on ne disait pas au commun des mortels. Je passais des heures à réfléchir au magnétisme du jeu et aux interactions entre ces hommes.

Pourquoi est-ce que ces types, avec leurs vies trépidantes et glamour, avaient envie de passer des heures innombrables dans un sous-sol puant à regarder des schémas aléatoires émerger d'un paquet de cinquante-deux cartes ? Ils n'étaient sûrement pas là pour gagner leur vie… sauf peut-être Houston Curtis.

Après un mois à les observer en tendant l'oreille, j'avais une théorie. La plupart d'entre eux avaient tout risqué pour en arriver à un succès pareil. Mais c'était déjà de l'histoire ancienne. Maintenant, ils se la coulaient douce, en sécurité, invulnérables. Ils pouvaient coucher avec n'importe quelle femme, acheter ce qu'ils voulaient, tourner des films, vivre dans des palaces, acquérir et démanteler d'immenses entreprises. Ils avaient soif de l'adrénaline du pari : voilà pourquoi ils revenaient. C'était bien plus qu'un jeu — une façon de s'évader, une aventure, une vie fantasmatique.

Pour moi aussi, c'était devenu une évasion. Un moyen d'éviter de grandir, ce qui impliquait, à en croire mon père au moins, une vie d'obligations ingrates. Je décidai que le poker constituait la suite de mon éducation. Tout ce qui défilait devant mes yeux était une leçon d'économie, de psychologie, d'entrepreneuriat, un cours magistral sur le rêve américain.

Alors, quand Reardon me disait de me lancer, je me lançais. Ça ne voulait pas dire que ça me plaisait.

— C'est tout ? demandai-je à Reardon avec une pointe de sarcasme.

Ce jour-là, il venait de me donner la charge de travail d'une semaine en s'attendant à ce que je finisse tout avant d'aller distribuer ses gains à Tobey.

— Encore une chose, répondit-il. Le bénévolat, c'est fini.

— Tu parles de l'hôpital ? demandai-je, incrédule.

— Oui.

— Quoi ? Pourquoi ?

J'étais furieuse.

— Ça n'a jamais affecté mon travail.

— Ce n'est pas la question. Je n'ai pas besoin que tu rapportes des germes au bureau. Et puis, tu es trop pauvre pour faire du bénévolat. Quand tu seras riche, tu pourras en faire autant que tu voudras, mais tu es pauvre et bête et tu dois consacrer ton temps à développer ton intelligence et à trouver un moyen de ne plus être pauvre.

— C'est une blague, répétai-je, attendant un semblant de compassion.

— Pas du tout. C'est le bénévolat ou le poker. À toi de voir.

Je le fixai sans y croire.

— C'est complètement illogique. Tu es dingue.

— OK.

Il haussa les épaules.

— Pas de poker mardi prochain.

Je sortis de son bureau en claquant la porte, les larmes aux yeux en pensant aux sourires des enfants de l'hôpital malgré leur situation. Ils méritaient d'être soutenus et encouragés ; ils avaient besoin de moi et de tous les autres bénévoles. Et moi, j'avais besoin d'eux. J'avais besoin d'avoir l'impression que je ne me perdais pas complètement dans ce nouveau monde dominé par tout ce qui brille. C'était égoïste, je le savais, mais mes visites à l'hôpital me ramenaient à la réalité et m'aidaient à garder les pieds sur terre. Reardon essayait sans cesse de me rendre plus dure et plus rusée ; pour lui, l'idéalisme était synonyme de stupidité. Il me gardait parce que je suais sang et eau et que j'étais sa première assistante à ne pas démissionner au bout d'une semaine. Il l'admettait très rarement, mais de temps en temps il me disait que j'avais du potentiel, que je pourrais devenir intelligente. Une insulte suivait toujours rapidement, bien sûr. Il ressemblait à une marraine bonne fée — en version démoniaque.

Le bénévolat était l'un des derniers vestiges de mon ancienne identité. Que quasiment personne n'avait remarquée, comme je me le rappelai. Je pensai au poker. À son éclat et aux gros enjeux, et à l'excitation d'écouter les conversations de certains des hommes les plus riches et les plus puissants au monde.

J'avais cru pouvoir être à la fois idéaliste et capitaliste, et j'y arriverais un jour. Mais pour l'instant j'allais devoir choisir.

Mon ancien moi détestait celle que j'étais devenue, mais je le réduisis au silence pour écrire un mail à mon superviseur de l'hôpital.

Après l'avoir envoyé, en mettant Reardon en copie cachée, je retournai dans son bureau en tapant des pieds.

— T'es content ? demandai-je.

Il sourit comme le chat du Cheshire.

— Un jour…, dit-il, un jour, tu comprendras. Le bénévolat ne résout pas tes problèmes. Toutes les filles perdues et débiles que je connais sauvent des chiots ou des bébés au lieu de regarder le monde réel en face et de réfléchir à leur stratégie de survie.

— Tu es vraiment le mal incarné.

Il éclata d'un rire effrayant.

— Honnêtement, je me demande si tu n'as pas vendu ton âme au diable.

— Il n'aurait pas osé faire des affaires avec moi.

10

Notre poker prenait des proportions impressionnantes. Il avait rapidement acquis la réputation
d'être le meilleur de Los Angeles. La formule
consistant à refuser les pros et à inviter des célébrités et
des personnalités intéressantes, ainsi que l'aura mystique
de la salle privée du Viper Room, en faisait l'une des
invitations les plus convoitées de la ville. Je devais refuser
des gens importants toutes les semaines. Bientôt, nous
dûmes organiser deux parties par semaine, et c'était moi
qui distribuais les précieux sésames.

Parmi les nouveaux visages :

John Asher, qui passait la moitié de son temps à se
lamenter sur son divorce avec Jenny McCarthy et l'autre
moitié à se faire chambrer par ses adversaires.

Irv Gotti (rien à voir avec les Gotti d'Italie) qui avait
fondé le label de disques Murder Inc et faisait travailler
des artistes comme Ashanti et Nelly. Il amena Nelly
quelques fois.

Nick Cassavetes, le fils de Gena Rowlands, qui venait
de réaliser *N'oublie jamais*.

Un riche héritier du nom de Bryan Zuriff, qui donnait
l'impression d'être au-dessus de tout ça.

Chuck Pacheco, l'un des piliers de la célèbre bande de
fêtards de Tobey et Leo.

Leslie Alexander, le propriétaire des Houston Rockets.

Amener un nouveau visage chaque semaine entretenait

l'attrait de l'événement. La dynamique était assez inté-
ressante à observer. Au début, le nouveau était toujours
gêné, et je faisais de mon mieux pour le mettre à l'aise. Les
habitués, surtout Todd Phillips et Reardon, essayaient de
l'intimider. On aurait dit une bande d'ados. Si le nouveau
se mettait à gagner d'entrée de jeu, les autres s'acharnaient
encore plus sur lui. S'il perdait ou s'il jouait mal, ils devenaient beaucoup plus sympas. Si c'était une célébrité ou
un milliardaire, plus aucune règle ne s'appliquait et on le
traitait comme un prince.

On peut en apprendre beaucoup sur le caractère de
quelqu'un en le regardant gagner ou perdre de l'argent.
La relation à l'argent met à nu la personnalité, quelle que
soit la classe sociale.

Parfois, il y avait des malentendus, et Reardon invitait
quelqu'un sans me le dire, si bien que nous avions trop
de joueurs. Dans ce cas, je devais désinviter quelqu'un,
ce qui n'était pas drôle du tout. Ils le prenaient souvent
personnellement et me hurlaient dessus ou essayaient de
m'intimider.

« Tu sais qui je suis ? »

« Ne compte pas sur un pourboire la prochaine fois. »

« J'espère que tu as un plan B, parce que je vais te faire
virer. »

C'était difficile de ne pas être affectée. Mais, quand ils
pouvaient revenir, je me rendais compte que leur bravade
était creuse : ils couraient s'asseoir et se remettaient à me
faire la bise et à me glisser des pourboires, tout guillerets
d'être à nouveau acceptés dans la bande.

Et ce n'était pas juste tous les joueurs de Hollywood
qui voulaient participer ; tous leurs amis et amis d'amis
voulaient assister à la partie. Pressentant l'importance
de la discrétion, j'essayais de décourager les spectateurs
autant que possible, mais je ne pouvais pas empêcher

les joueurs d'amener leur copine pour se pavaner, ni une célébrité de passer. Pour être honnête, les célébrités étaient toujours les bienvenues. Comme ce soir où les jumelles Olsen débarquèrent accompagnées d'un milliardaire que j'essayai immédiatement d'attirer dans mes filets. On les laissa entrer sans poser de questions.

Une nuit, Reardon m'envoya un message me demandant d'aller chercher ses amis, qui attendaient dans la boîte. Je me précipitai — je ne voulais pas manquer une seule seconde de la partie. Je reconnus Neil Jenkins, un grand type au physique avantageux qui sillonnait les États-Unis dans le jet privé de sa famille. Il attendait près du bar avec quelques amis, et je leur fis signe de me suivre.

J'évitais généralement les amis de Reardon. Dans l'ensemble, c'étaient des dragueurs invétérés, et j'avais entendu trop d'anecdotes à leur sujet pour me sentir à l'aise en leur compagnie. Je faisais toujours semblant d'être occupée et de ne pas écouter quand ils se racontaient leurs histoires, mais je retenais tout. Je ne voulais pas connaître le même sort que les nombreuses filles qu'ils avaient séduites puis jetées avant de répandre des rumeurs horribles sur elles.

Je conduisis le groupe au sous-sol avant de retourner à mon poste derrière Diego. Je jetai un coup d'œil à Neil et à ses copains et remarquai un mec que je n'avais jamais vu, plus jeune que les autres et très mignon. Nos regards se croisèrent ; je m'empressai de détourner les yeux. Après m'être assurée que les joueurs n'avaient besoin de rien, je demandai à la bande de Neil s'ils voulaient boire quelque chose.

— Drew, se présenta le beau gosse.

— Molly, répondis-je avec un sourire amical mais pas trop. Je peux t'offrir quelque chose à boire ?

— Juste une bière.

Étrangement, je me sentis immédiatement à l'aise avec

lui. Il me rappelait mes amis d'enfance du Colorado : il était habillé de façon décontractée et buvait de la Bud Light alors que ses amis préféraient des vodka-Red Bull. Quand je lui tendis sa bière, nos regards se croisèrent à nouveau.

Je m'en voulus. Le moment était mal choisi pour un flirt ; ce n'étaient pas des joueurs, et il fallait que je me concentre sur mon boulot. Je m'occupai le plus possible avec la partie, mais le poker se suffisait à lui-même : je n'avais pas grand-chose à faire. Je m'assis et fis semblant de travailler sur mon ordinateur. Drew vint me parler.

Il venait de décrocher un diplôme d'astrophysique à Columbia, était intelligent, drôle et à des années-lumière des idioties superficielles qui obsédaient la plupart de ces types. Je me surpris à sourire et à rire facilement avec lui.

Mon portable vibra. Blair, qui exigeait de savoir où j'étais.

C'était son anniversaire et je lui avais dit que j'essayerais de partir du boulot tôt, mais je savais que ça ne serait pas possible.

Je lui envoyai un message d'excuse en lui promettant de me rattraper et en disant que j'étais désolée de ne pas pouvoir me libérer… le pipeau habituel, quoi.

Elle ne répondit même pas.

Phillip m'appela, puis je dus m'occuper de Bob, et Tobey voulait quelque chose, si bien que j'oubliai Blair pour me concentrer sur la partie. Je continuais à jeter des coups d'œil à Drew en me demandant si je pourrais faire une entorse à ma règle de ne pas fréquenter les copains de mon boss.

Quand les amis de Reardon décidèrent de partir, je les entendis parler d'une boîte de strip-tease. Drew se leva pour les suivre, puis il me regarda. Je lui fis un petit signe poli, déçue d'avoir eu tort : clairement, il était comme les autres, tout compte fait.

Il vint vers moi.

— Ça te dérange si je reste un peu ?

— Pas du tout, répondis-je en faisant semblant d'être occupée pour qu'il ne voie pas mon grand sourire.

À 2 heures du matin, il ne restait que Reardon et moi, qui comptions les jetons. Je lançai d'un ton que j'espérais nonchalant :

— Drew a l'air sympa, normal.

Reardon leva les yeux au ciel.

— C'est le propriétaire des Los Angeles Dodgers, idiote.

— Comment ça ?

— Sa. Famille. A. Acheté. Le club. Des. Dodgers.

Parfois, il s'amusait à me parler comme si j'avais deux ans.

— Oh. Enfin, je ne voulais pas dire qu'il me plaisait vraiment… Je me disais juste qu'il était mieux que tes autres copains.

Je peux faire une croix sur lui, me dis-je, consciente d'être tout en bas de l'échelle sociale (pour l'instant).

Reardon me regarda d'un air entendu.

Je m'empourprai.

— La petite Molly et le petit McCourt, me taquina Reardon. De toute façon, il sort avec Shannen Doherty.

Évidemment, il fréquentait l'une des actrices à la réputation la plus sulfureuse de Hollywood.

— Comme je te l'ai dit, je m'en fiche, mentis-je en sentant mon cœur se serrer.

— C'est ça.

Je me concentrai sur l'argent.

Le temps de tout ranger et de sortir, il était 4 heures du matin et j'avais complètement raté l'anniversaire de Blair. Je me sentais coupable, mais je n'avais pas eu le choix, si ?

J'entrai sans faire de bruit, dans l'espoir de ne pas croiser Blair. Elle était assise dans le salon avec une bouteille de vin, le visage rouge et gonflé.

— Qu'est-ce qui ne va pas ? demandai-je en me précipitant vers elle.

— C'est Jason, dit-elle en se remettant à pleurer. On s'est engueulés et il est parti, et ma meilleure amie n'est même pas venue à ma fête. C'est le pire anniversaire de ma vie.

Elle se cacha le visage dans les mains et éclata en sanglots. Elle passait son temps à se disputer et à se réconcilier avec Jason, sa dernière obsession.

Me sentant terriblement coupable, je m'approchai et lui caressai le dos.

— Allons nous coucher. Il est tard et tout ira bien demain matin.

Elle se redressa, le visage couvert de mascara et de traces de larmes.

— Où étais-tu ? demanda-t-elle en reniflant.

— Au boulot, répondis-je avec un soupir.

— Hein ? Quel genre de boulot t'occupe jusqu'à 4 heures du mat' ? releva-t-elle d'un ton plaintif.

— On a beaucoup de trucs à faire, esquivai-je, ce qui, techniquement, n'était pas un mensonge.

— Je me sens tellement loin de toi. C'est comme si je ne te connaissais même pas. Avant, on se disait tout !

Son expression blessée me brisa le cœur, mais je ne savais pas quoi dire. J'étais consciente de faire passer le poker avant mes amis et ma famille ; néanmoins, Blair avait son héritage pour assurer ses arrières. Je devais tracer ma propre voie.

Je ne pouvais pas retourner à ma vie d'avant. J'en avais assez de galérer pour joindre les deux bouts et d'être une rien du tout.

PEU IMPORTAIT MON ÉTAT D'ÉPUISEMENT, le lendemain d'une partie, les gagnants devaient recevoir leur dû, et pour ça il fallait que les perdants payent, et c'était à moi de m'en occuper. Je commençai par Pierre Khalili. Sa chance n'avait jamais tourné la veille, si bien qu'il me devait une somme vertigineuse à six chiffres.

La plupart du temps, je redoutais ces recouvrements. Je comprenais que ç'avait un côté émasculant pour les hommes, parce que ça signifiait un échec, et ce n'était pas le genre d'hommes qui supportait bien de perdre, surtout devant une femme. Je commençais à comprendre qu'il fallait faire preuve de subtilité, et j'avais élaboré quelques techniques pour amortir le choc. Par exemple, si je disais « eh bien, heureusement que vous êtes riche et beau » avec une expression admirative, la plupart souriaient d'un air satisfait et me tendaient le gros chèque avec nonchalance pour prouver que j'avais raison.

Je ne m'inquiétais pas pour Pierre. Élevé à Londres, issu d'une des familles les plus riches d'Iran, c'était un vrai gentleman, cultivé et sophistiqué.

Mon téléphone sonna pendant que je me dirigeais vers sa belle maison de Bel Air. C'était Blair, qui boudait depuis son anniversaire. J'espérais que sa mauvaise humeur était passée.

— Salut, Blair.

— Brian m'a invitée à l'after des Oscars de Patrick Whitesell !

Brian était l'acteur avec lequel elle était sortie avant Jason.

— Tu viens ? S'il te plaît ?

— C'est quand ?

— Ce soir. Tu viendras, hein ? Tu me dois bien ça, tu as raté mon anniversaire.

Ces fêtes me laissaient un arrière-goût amer. Elles étaient glamour, pleines de célébrités et de gens chics, mais elles me faisaient surtout me sentir déplacée et pas à la hauteur. En général, je restais assise dans un coin avec un verre de vin en regrettant de ne pas être chez moi.

Mais Blair avait raison : je lui devais bien ça.

— Tu ne sors plus jamais ; tu es hyper mystérieuse. Je ne sais rien sur toi ! Tu es un agent double ? La CIA nous écoute ?

Je m'arrêtai devant le portail recouvert de lierre de Pierre.

— Bien sûr que je viendrai, mais là il faut que je te laisse, déclarai-je, pressée d'en finir.

— Coool ! Je t'adore. À ce soir.

Je raccrochai et j'appuyai sur l'interphone.

LE MAJORDOME DE PIERRE me fit traverser l'immense maison et me conduisit dans le jardin de derrière (plutôt une prairie, vu sa taille), où Pierre sirotait du rosé en lisant le journal.

— Ma chérie, tu es encore plus éblouissante que la dernière fois.

Je souris, ravie. J'adorais les compliments.

Il me tendit une enveloppe et, au poids, je devinai que c'était du liquide.

— Je t'ai mis un petit bonus, annonça le perdant le plus charmant de l'histoire du poker.

— Sérieusement, Pierre, tu n'aurais pas dû, protestai-je.

Je me sentais sincèrement mal quand les gens perdaient.

— J'en avais envie. Tu travailles dur et tu fais du super boulot. Ça te dirait de me retrouver à Santa Barbara pour un match de polo ce week-end ? Je t'enverrai un hélico si tu n'as pas envie de conduire.

Je me forçai à ne pas écarquiller les yeux et essayai de donner l'impression que je recevais des invitations de ce genre tout le temps, mais en mon for intérieur j'étais surexcitée. Je m'autorisai à imaginer les grands chapeaux, le champagne et un hélicoptère rien que pour moi. Mais la voix de la raison intervint, me disant que fréquenter un joueur n'était pas une bonne idée. Je trouvais Pierre sympa mais, clairement, il me draguait, et je ne pouvais pas lui donner de faux espoirs.

— C'est très tentant, mais j'ai déjà des projets pour ce week-end.

— Une autre fois, alors, chérie. Je te verrai la semaine prochaine au poker ?

— Oui, bien sûr, répondis-je en souriant, soulagée qu'il le prenne aussi bien.

En rentrant chez moi, je ne pouvais m'empêcher de m'extasier sur la façon dont ma vie avait changé en aussi peu de temps. On m'avait ouvert en grand les portes d'un monde auquel je n'aurais jamais cru accéder un jour. Mais je ne pouvais pas me permettre la moindre erreur. Je savais que tout pourrait disparaître aussi vite que c'était arrivé. Je devais analyser froidement ce genre de propositions ; il fallait que je réfléchisse sur le long terme. Je devais trouver un équilibre délicat, profiter du glamour du jeu et devenir indispensable aux joueurs, sans engager mon intimité et ma vie privée. Tout devait rester professionnel.

Les années précédentes, quand j'avais besoin de conseils, je me tournais vers mes parents. Ma mère avait la tête sur les épaules, des principes et de la compassion à revendre, et les connaissances en psychologie de mon père m'aidaient souvent à tracer ma voie en territoire inconnu. Mais je n'avais pas parlé du poker à mes parents, même si je trouvais encore plus pénible de leur cacher la vérité à eux qu'à Blair. Cela créait une nouvelle distance entre nous, qui n'avait jamais existé auparavant.

J'eus soudain terriblement besoin de parler à ma mère, de lui raconter certains des trucs géniaux qui m'arrivaient.

— Coucou, ma chérie, répondit-elle chaleureusement.

— Salut, maman, comment ça va ?

— Je vais bien, mon amour. Et toi ? Comment ça va à Los Angeles ?

— C'est génial, maman, vraiment génial. Ça marche du tonnerre. Je gagne plein d'argent, je rencontre des gens vraiment importants et puissants, des stars, et c'est hyper sympa.

— C'est super, ma chérie. Comment va Blair ?

— Bien, comme d'habitude. Mais écoute, maman, un type vient de me proposer de m'envoyer son hélicoptère privé pour m'emmener à un match de polo à Santa Barbara !

— Ça a l'air sympa. Comment va Christopher ? Il a fini sa chimio ?

Christopher était l'un des enfants de l'hôpital.

— Euh, je ne sais pas. J'ai pris un congé la semaine dernière, mentis-je.

— Eh bien, renseigne-toi la semaine prochaine et dis-moi.

— D'accord.

La délicieuse légèreté que je ressentais un instant plus tôt s'était transformée en culpabilité lancinante.

Todd Phillips m'appelait sur l'autre ligne, probablement pour savoir où était sa part de l'argent de Pierre.

— Il faut que j'y aille, maman.

— Ça va, ma chérie ? Tu n'as pas l'air dans ton assiette.

— Je vais bien. Tout va très bien. Il faut juste que j'y aille.

— Je t'aime, dit-elle.

— Moi aussi.

Et je raccrochai pour prendre Phillips.

CE SOIR-LÀ, j'enlevai mon jean et mon sweat pour enfiler ma nouvelle robe noire et mes Louboutin à lanières.

— Waouh, s'étonna Blair. D'où tu sors cette robe ?

— C'est une des copines de Reardon qui me l'a refilée.

Pfou, ce mensonge était sorti vite et facilement. À présent, je me sentais obligée de tout minimiser, jusqu'au moindre détail, pour ne pas avoir à répondre à des questions sur la façon dont je gagnais de l'argent.

J'aurais voulu lui dire : « Je l'ai achetée moi-même, en cash !... Et je reçois des messages de Leonardo DiCaprio et de Tobey Maguire, et j'ai 20 000 dollars dans mon placard ! »

Mais je ne pouvais pas.

Quand on arriva à la fête, des stars prenaient la pose sur le tapis rouge et les paparazzis pullulaient. Dès qu'on entra dans la maison, Blair partit retrouver Brian.

— Je reviens tout de suite, Mol. Brian veut me montrer la vue du toit.

Elle gloussa et me fit un clin d'œil.

Je hochai faiblement la tête en souriant.

Franchement, Blair ?

Je soupirai et pris une flûte de champagne sur un plateau en argent. J'attendis un peu Blair et fis semblant d'écrire sur mon portable, mal à l'aise. Au bout d'un moment, comme elle n'était pas réapparue, j'errai dans la villa, qui était immense, froide et pleine de VIP — des top models sculpturaux et des filles plantureuses qui avaient l'air sorties d'une couverture de *Playboy*. Dehors, sur la terrasse, je sirotai mon verre en admirant la ville qui scintillait en contrebas.

Je pensais que ma nouvelle robe et mes beaux escarpins me feraient me sentir plus à l'aise, mais une paire de chaussures ne faisait pas le poids face à la magnificence de Hollywood. Les plus grandes stars gravitaient autour de cette planète, et coexister avec elles avait de quoi intimider. Certes, après avoir grandi avec mes super-héros de frères, j'étais habituée à me sentir inférieure. Mais maintenant je voulais me libérer de ce complexe et obtenir quelque chose qui n'appartienne qu'à moi.

Deux hommes bavardaient dans le patio, et je devais être aussi invisible que j'en avais l'impression, parce qu'ils ne me saluèrent même pas. L'un était un grand réalisateur que je reconnus facilement, l'autre le célèbre directeur d'une agence artistique.

— Il va le faire ? demandait le réalisateur.

— Il a déjà accepté les chiffres.

— Comment tu sais ?

— J'ai un copain qui a joué aux cartes avec lui à Hollywood.

— Où ça ?

— Au poker secret.

Je tendis l'oreille.

— C'est hyper sélect. Il faut une invitation nominative et un mot de passe.

Je gloussai en entendant l'exagération sur le mot de passe.

— Tu es sérieux ?

— Personne ne sait où ils jouent. Aucun des joueurs ne veut donner de détails. Mais tout le monde en a entendu parler. Et tout le monde veut participer.

— Qui contrôle le jeu, comment est-ce qu'on y entre ?

— C'est une fille. Elle a la mainmise sur la liste.

Et je compris alors que je pouvais avoir tout ce que je voulais. Il n'y avait plus aucune raison de m'apitoyer sur mon sort, de me sentir inférieure — je disposais du sésame ultime. Des négociations d'affaires, des films, des fusions-acquisitions… tout était imaginable. Il fallait juste que je continue à nourrir le jeu avec du sang neuf et riche, et que je choisisse stratégiquement qui occuperait ces dix précieux sièges. Le recrutement pour les parties était crucial et, même si je ne contrôlais pas vraiment la liste, c'était l'illusion qui comptait. Après les centaines d'heures que j'avais passées à regarder les joueurs, je me sentais capable de bluffer. J'avalai mon champagne d'un trait et je me dirigeai vers les deux hommes.

— Je n'ai pas pu m'empêcher d'entendre votre conversation, déclarai-je.

Ils me regardèrent en clignant des yeux, essayant de deviner si j'étais un vulgaire manant ou quelqu'un avec qui il fallait être sympa.

— Je suis Molly Bloom et c'est moi qui dirige le poker dont vous parliez. Donnez-moi vos cartes et, si une ouverture se présente, je pourrai envisager de vous contacter.

Soudain, ces deux hommes puissants fouillaient leurs poches *à ma demande* pour retrouver une carte.

Ils commencèrent à me poser une volée de questions.

— Qui participe ? Où est-ce que vous jouez ? Quand aura lieu la prochaine partie ?

J'esquivai tranquillement.

— Vous aurez tous ces détails en temps voulu, promis.

Je leur serrai la main puis m'éloignai d'un pas léger, sentant leur regard scrutateur dans mon dos.

11

Noël approchait et je me rendis compte que je n'étais pas rentrée depuis deux ans. Entre les besoins sans cesse croissants de Reardon et le poker, j'étais complètement débordée. Je sentais l'impact sur le marché de l'immobilier de la crise du logement imminente. Reardon était encore plus stressé et impossible que d'habitude. J'étais à ses côtés tous les jours, et j'avais souvent l'impression d'être son punching-ball. Je m'étais habituée au stress permanent, au sommeil minimal et à la crainte constante de tout perdre. Il n'y avait aucune stabilité dans ma vie ; je dépendais complètement des caprices de Reardon. Je savais que, s'il décidait que le poker ne servait plus ses intérêts, il pouvait y mettre un terme. J'avais passé l'année à m'insinuer soigneusement dans la vie des joueurs, devenant la personne indispensable qui s'occupait de tout ce qu'ils voulaient, pendant les parties et même en dehors. C'était comme d'avoir quinze Reardon dans ma vie, mais ça ne me dérangeait pas. La fête des Oscars m'avait permis de dépasser ma timidité vis-à-vis des célébrités : désormais je les voyais avant tout comme des atouts pour mes prochaines parties.

Malgré mon assurance nouvelle, il n'était pas facile de recruter les bons joueurs. Premièrement, je devais être discrète. Deuxièmement, j'étais obligée de m'assurer que le joueur avait bien les fonds qu'il prétendait (si vous saviez combien de gens dans le rouge conduisent une Ferrari ou portent une montre sertie de diamants à L.A., vous seriez choqué). Troisièmement, il ne fallait pas que ce soit de trop bons joueurs pour ne pas faire de l'ombre aux autres, et enfin ils devaient avoir le feu vert des membres du noyau dur. Au début, je parvins à recruter beaucoup de *fish*, c'est-à-dire de mauvais joueurs. Le premier soir où ils jouaient, j'étais hyper stressée, espérant que mon pigeon perdrait, serait sympa et plairait aux autres. Puis, s'il perdait effectivement, je me rongeais à nouveau les sangs en me demandant s'il payerait. Les joueurs fidèles m'aimaient bien, me témoignaient du respect et me confiaient leur argent. Je ne pouvais pas trahir leur confiance.

Reardon, en revanche, était plus difficile à amadouer, même si j'y travaillais depuis plus longtemps. J'avais l'impression de devoir lui prouver ma valeur au quotidien. Il n'était pas tendre avec moi, même si au fond il croyait en moi. J'avais évité de rentrer chez moi parce qu'avouer que ma famille me manquait constituerait pour lui un signe de faiblesse, et je savais très bien ce que Reardon pensait de la faiblesse. Mais, cette année-là, je décidai de prendre le risque. Il prétendit que ça ne le dérangeait pas. Je savais que c'était faux, mais décidai de le prendre au mot — j'avais mérité des vacances.

Je pris l'avion le 24 décembre. Ma mère vint me chercher à l'aéroport et m'emmena directement à la soupe populaire de Denver. Dans ma famille, c'était une tradition de servir un repas aux sans-abri pendant les fêtes. Je me sentais différente cette année-là ; je compatissais toujours, mais je me sentais aussi un peu lointaine. Je passai toute la soirée à regarder mon portable.

— Et si tu rangeais ça, ma chérie ? finit par suggérer ma mère.

Elle avait raison. Je laissai mon téléphone dans la voiture et j'essayai d'être présente. C'était la première fois que je m'étais séparée de lui plus d'une minute depuis que j'avais commencé à travailler pour Reardon. Je dormais avec mon portable posé sur ma poitrine.

Quand on retourna à la voiture, j'avais cinq appels en absence et plusieurs nouveaux SMS. Mon ventre se serra et l'angoisse familière revint. C'était Reardon, qui enrageait pour tout et pour rien. La télévision ne marchait pas. Je ne l'avais pas bien paramétrée. Il y avait un million de choses à faire au bureau et je n'avais pas tout fini. Il avait besoin de réservations au restaurant et il fallait que je contacte un des chantiers et pourquoi je ne répondais pas à mon portable, putain ? J'appelai le câble et ils me confirmèrent qu'ils avaient des problèmes et que la télé ne marchait pas dans tout le quartier. Je rappelai Reardon pour lui communiquer leur réponse. Mais les explications raisonnables ne l'intéressaient pas : il voulait punir quelqu'un. Il partit donc dans une longue diatribe et me hurla dessus pendant que j'étais dans la voiture avec ma mère et mes frères, qui entendaient tous son sermon. J'étais rouge de honte.

— Je vais te coller une amende !

Depuis peu, Reardon s'était mis à me mettre des amendes quand je ne faisais pas les choses « correctement ». Le pire, c'était qu'il ne me payait même plus. Après le début des parties, mon salaire avait commencé par diminuer, alors même que mes horaires s'allongeaient. À mesure que mes pourboires augmentaient, mon salaire avait été complètement supprimé. À présent, mes pourboires étaient ma seule source de revenus, donc, quand Reardon me collait une amende, ça ne voulait pas dire que mon salaire diminuait, mais que je le payais de ma poche.

Reardon venait de déménager et il m'avait fait trimer tous les soirs jusqu'à minuit avant mes vacances, à emballer et déballer des cartons. Apparemment, j'avais mal empaqueté une commode en marbre que le propriétaire précédent voulait garder.

— Tu t'en fous parce que ce n'est pas à toi ; ce machin me coûterait cher s'il se cassait. Tu bâcles tout. Eh ben, maintenant, tu en auras quelque chose à foutre. Je te colle une amende de 1 000 dollars. Ramène tes fesses et fais-le correctement.

À chaque fois que je protestais contre une amende, ou que je me défendais de façon générale, Reardon menaçait de me retirer le poker. J'acceptais simplement cela comme un élément de ma nouvelle vie, comme de devoir payer le troll pour traverser le pont.

— Je ne peux pas contrôler ton réseau de câble local, Reardon.

Il haussa encore le ton :

— Tu es nulle partout ces temps-ci, tu t'en fous, tu t'en fous complètement !

— Ce n'est pas vrai, Reardon, je me décarcasse, mais je suis avec ma famille et je ne peux pas en parler, là, tout de suite. Il faut que j'y aille.

Et, pour la première fois depuis que j'avais commencé à travailler pour lui, c'est moi qui raccrochai.

MA CHAMBRE N'AVAIT PAS CHANGÉ depuis mon départ pour L.A. deux ans plus tôt. Elle était peut-être juste un peu plus propre. J'avais l'impression que c'était il y a une éternité, mais toutes mes affaires m'attendaient, aussi familières que si je n'étais jamais partie. Je m'assis à mon bureau et j'examinai la pièce. Quand le téléphone sonna, je ne voulais pas répondre, mais j'avais plus peur des histoires que Reardon ferait si je l'ignorais que de la tirade qui m'attendait.

— Salut, Reardon.

— Tu es virée.

— Quoi ?

— Plus de poker.

— C'est une blague ? Tu me vires à Noël ? Parce que tu as des problèmes de câble ?

— Je vais reformuler, pour être sûr que tu comprennes. Tu es virée. Joyeux Noël.

Et il raccrocha.

Reardon m'avait déjà virée, parfois quotidiennement, mais ce niveau de cruauté était inédit. Je me sentis stressée et lointaine toute la soirée. J'avais l'estomac noué. J'avais eu tellement envie de débarquer avec mes beaux vêtements, de régaler tout le monde avec des anecdotes intéressantes sur ma nouvelle vie, peut-être même de payer l'addition et de filer à l'aéroport en les laissant convaincus que j'étais heureuse et que j'avais réussi. Mais, au lieu de ça, je me faisais commander, crier dessus et humilier devant toute ma famille.

— Je ne comprends pas, déclara mon frère Jeremy, l'air perdu.

Jeremy le sportif olympique, le mannequin Tommy Hilfiger, le petit prodige. Ses capacités physiques et son visage saisissant lui avaient épargné les étapes peu glamour du monde du travail.

— Tu vaux mieux que ça, déclara mon autre frère.

C'était difficile de le leur expliquer, mais j'avais une certaine conception de ma vie et les crises de Reardon constituaient un mal nécessaire. Comme on pouvait s'y attendre, ils ne comprenaient pas ce qu'avoir la mainmise sur ces parties de poker signifiait. Ne parlons même pas de l'argent, qui coulait pourtant à flots, suffisamment pour changer ma vie ; le principal, c'était le réseau, les informations, les entrées. Le poker était mon cheval de Troie, que je pouvais utiliser pour pénétrer dans n'importe quel cercle social. Le monde de la culture, de la finance, de la politique, du divertissement. La liste était infinie. Je m'étais rendu compte que peu importait que je ne sois hyper brillante nulle part — j'avais le don de reconnaître les opportunités. J'avais une mentalité d'entrepreneur et ces parties constituaient une mine d'or. Sans parler du fait que j'apprenais auprès des meilleurs dans leur domaine. Alors même si mes parents, mes frères et Blair ne comprenaient pas, moi, si. Il fallait que je me rabiboche avec Reardon, mais je voulais le laisser se calmer.

Je l'appelai le lendemain matin, pensant que, comme d'habitude, il ferait comme si de rien n'était et me donnerait de nouveaux ordres. Mais il avait une voix différente et paraissait très sérieux.

— Je vais engager une autre fille pour gérer le poker. Elle t'appellera aujourd'hui. Si tu te sors les doigts du cul, tu peux revenir travailler lundi, mais juste comme assistante. Pas de poker.

— Reardon, ce n'est pas juste, j'arrive au bureau à 7 heures du mat', je pars quand tu m'y autorises, parfois à 22 heures. Si je fais des erreurs, elles sont minimes et insignifiantes. Je gère ta vie et je suis la seule à t'aider à diriger l'entreprise.

— C'est à toi de voir, tu peux ravoir ton boulot si tu veux, mais j'ai pris ma décision pour le poker. Je n'ai plus rien à te dire.

Il raccrocha.

Comment est-ce qu'il pouvait me faire ça ? Mon cœur cognait dans ma poitrine. J'avais l'impression que de l'eau glacée coulait dans mes veines.

— Je vais arranger ça, je trouverai un moyen, il changera d'avis, me répétai-je.

Mon portable sonna à nouveau. Je ne reconnus pas le numéro.

— Molly ? demanda une voix de femme.

— Oui.

— Salut !

C'était la nouvelle.

— Reardon m'a demandé de t'appeler pour prendre les noms et les numéros des joueurs de poker...

Mon angoisse se transforma en furie. Pas question que je laisse les choses se passer comme ça.

— Je vais devoir te rappeler, répondis-je, les dents serrées.

Cette fois-ci, c'est moi qui raccrochai.

Je pris une grande inspiration. Il fallait que je réfléchisse. Que j'élabore une stratégie. Regarder les joueurs m'avait appris que c'étaient ceux qui gardaient la tête froide qui gagnaient. Jouer une main ou prendre une décision sous le coup de l'émotion était rarement une bonne idée.

La balance penchait clairement en ma défaveur. Reardon faisait partie du club des milliardaires. Il jouait avec les autres, parlait leur langage, et beaucoup d'entre eux avaient peur de lui. Moi, j'étais la fille qui leur servait à boire, riait à leurs blagues, leur faisait des faveurs — toujours contre une généreuse rémunération. Et, dans leur esprit, j'appartenais à Reardon. J'avais besoin d'un allié tout aussi puissant que lui, voire plus, et prêt à se mouiller pour moi. Phillip Whitford était le choix évident : un homme intègre, puissant et respecté, qui était devenu un très bon ami. Je l'appelai et lui expliquai la situation.

— Il ne peut pas faire ça, déclara Phillip, calmement mais fermement.

Je ne voulais pas perdre mon sang-froid, mais c'était trop injuste, et tout raconter à Phillip me mit tellement en colère que je fondis en larmes.

— Ne pleure pas, Molly. On va arranger ça. Voici ce qu'on va faire.

Phillip proposa de faire la prochaine partie chez lui avec tous les joueurs sauf Reardon. Il raconterait aux autres ce qu'avait fait Reardon et essayerait de les convaincre de me laisser officiellement responsable de l'organisation.

Ce n'était pas gagné, mais c'était mon seul espoir.

— ALLEZ, MOLLY, QU'EST-CE QUE TU FABRIQUES ? cria mon frère Jordan depuis le rez-de-chaussée.

On avait prévu une journée de ski, juste mes deux frères et moi. Ça faisait longtemps que nous n'avions pas fait ça, peut-être six ou sept ans, et j'avais hâte.

JE RESTAI SILENCIEUSE dans la voiture, en allant à la montagne.

— Qu'est-ce qui t'arrive, Mol ? Tu es à côté de tes pompes depuis ton arrivée.

— Désolée, je suis juste stressée par le boulot et tout ça, répondis-je en me forçant à prendre un ton dégagé.

Sur les télésièges, on se chamailla pour savoir si on allait descendre la barre ou pas, comme on l'avait fait si souvent enfants. On choisit la piste — Ambush — où on avait appris à skier sur bosses. En haut de la pente, en regardant le mur de bosses raide, je voyais presque mon père, avec sa veste rouge, appuyé sur ses bâtons, qui nous hurlait de serrer les genoux. Je me souvins de la première fois où j'étais revenue ici après mon opération. Ç'avait été la descente la plus importante de ma vie. Ça faisait des mois que je n'étais pas sortie du lit, sans parler de skier, et plus personne ne croyait en moi, mais j'étais remontée sur mes skis. J'étais entrée dans l'équipe nationale, et j'avais porté ses couleurs, debout sur le podium, une médaille autour du cou. Je ne sais pas si j'aurais autant apprécié ma victoire si je n'avais pas dû me démener autant, défier les pronostics pour en arriver là. Je souris, envahie par une vague de sérénité. Je n'avais rien à perdre, et tant à gagner. Je me sentais libre et pleine de vie.

Je regardai mon frère Jordan partir en premier ; c'était

encore un skieur exceptionnel. Il avait toujours eu un immense talent, mais avait abandonné la compétition bien des années plus tôt pour réaliser son rêve, devenir médecin.

Jeremy descendit ensuite. Numéro un mondial, il connaissait actuellement une série de victoires qui battait tous les records, et le regarder skier était éblouissant. C'était mon petit frère, mais aussi le meilleur skieur au monde, et, pour couronner le tout, une star de l'équipe de football américain de l'université du Colorado. J'étais fière de mes frères, de vrais modèles qui ne s'étaient pas simplement reposés sur leurs talents naturels. Ils avaient travaillé plus dur que leurs compétiteurs, transformé les échecs en opportunités de devenir encore meilleurs. Je me sentis soudain sûre de moi et inspirée. Je poussai sur mes bâtons et négociai avec fluidité le mur de bosses.

Mes frères applaudirent.

— T'es toujours aussi douée, sœurette, déclara Jeremy avec fierté.

Je fis un grand sourire et me forçai à oublier L.A., le poker et Reardon.

12

Tout le monde avait confirmé sa présence le mardi suivant, sauf Reardon, qui n'avait pas été prévenu. Il ne rentrait de vacances que tard le mardi et, avant de me virer et de tenter de me remplacer, il m'avait demandé de n'envoyer des invitations que pour le jeudi, ce qui me réconfortait un peu.

J'arrivai chez Phillip pour tout mettre en place. Il habitait une maison élégante, dont les accents rustiques évoquaient une retraite d'écrivain, tout en bois poli et bibliothèques bien garnies. Un grand jardin planté d'arbres s'étendait à l'arrière, orné d'un treillis où grimpait une vigne. On se serait cru dans un roman de Fitzgerald. Tout était sobre et chic, à l'opposé du luxe de mauvais goût qui caractérisait la plupart des maisons de Los Angeles.

Je feignis le calme, mais en mon for intérieur j'étais à deux doigts de craquer. Si la soirée se passait mal, je perdrais tout. En revanche, si mon plan marchait, non seulement les parties m'appartiendraient, mais je serais libérée du joug de Reardon. Je misais tout, une sensation à la fois terrifiante et électrisante. Soudain, je me sentais très proche des joueurs et du poker.

Phillip me sourit quand il me vit arriver.

— Tu es magnifique. Ça va marcher, m'assura-t-il.

Je lui rendis son sourire et le serrai contre moi.

— Merci pour tout.

Je savais que Phillip prenait un risque. Reardon faisait un ennemi redoutable.

Les joueurs commencèrent à affluer. Bruce Parker, Steve Brill, Todd Phillips, Tobey, Houston Curtis et Bob Safai, une main formidable si je parvenais à la jouer. Seul Tobey était au courant de mes manigances.

Ils avaient tous l'air ravis d'être dans la belle demeure de Phillip, qui tranchait nettement avec le sous-sol sombre et glauque du Viper Room. Je me rendis tout de suite compte qu'ils étaient beaucoup plus détendus et à l'aise ici.

Si je reprends les rênes, tout sera plus classe, me promis-je. J'imaginai les parties dans des belles pièces, avec des buffets garnis de caviar et de bons fromages. J'engagerais de jolies filles pour servir à boire en silence, et la ville de Los Angeles scintillerait loin en dessous de mon *penthouse*. Si ces hommes voulaient du rêve, je le leur vendrais.

— Où est Reardon ? demanda Todd.

Mon cœur s'arrêta de battre.

— Il ne joue pas ce soir, répondit Phillip d'un ton dégagé.

La partie commença sans encombre ; j'étais soulagée de voir que tout le monde passait un bon moment. Le seul à avoir l'air mécontent était Phillips, qui affirmait préférer une ambiance glauque au confort d'une belle maison. Phillips avait l'esprit de contradiction et une nature de fauteur de troubles, ce qu'on lui pardonnait volontiers en raison de ses blagues pince-sans-rire qui tombaient toujours pile au bon moment. Son humour noir et caustique nous faisait rire aux larmes, un atout considérable pour une table de poker.

Quand Mr Chow livra le dîner comme d'habitude, les hommes, plus à l'aise qu'au Viper, optèrent pour un repas civilisé au lieu de grignoter en jouant. Je préparai la salle à manger et ils se jetèrent sur le buffet comme s'ils n'avaient pas mangé depuis trois jours, me laissant une minute pour souffler. Je sortis me promener dans le jardin parfumé, m'installai sur un banc gravé et contemplai le ciel. Le soleil se couchait ; c'était l'heure où la lumière est parfaite et les contours s'adoucissent. À travers les portes-fenêtres, j'entendais les joueurs bavarder, rire et gesticuler avec leurs baguettes.

Je voudrais tellement que ça marche, plus que j'ai jamais désiré quoi que ce soit. Je restai assise tranquillement, jetant régulièrement un coup d'œil à mon équipe. S'ils avaient fini de manger, il fallait que je débarrasse les assiettes. Ils semblaient plongés dans une conversation sérieuse. Mon sang se glaça. Je fis le tour du jardin et, quand je revins au banc, je vis Phillip se diriger vers moi, les mains dans les poches et le regard baissé.

— J'ai perdu ? demandai-je, le cœur au bord des lèvres.

C'était un risque, un risque calculé, exactement comme Phillip me l'avait appris. Je commençai à bredouiller, me disant que ce n'était qu'un jeu, que je m'en sortirais.

— Molly, Molly, m'interrompit Phillip. Tu as gagné. C'est ton poker, maintenant.

Un sourire stupéfait mais immense se peignit sur mes lèvres.

Je me jetai sur Phillip et le serrai tellement fort contre moi qu'il éclata de rire.

En fait, ç'avait été une décision unanime.

— Tu es un type bien, Phillip Whitford, déclarai-je en souriant.

Je flottai sur un petit nuage pendant tout le reste de la soirée. En même temps que mes pourboires, je reçus un chœur de promesses de soutien. Malgré leur sympathie pour Reardon, ils trouvaient tous qu'il avait eu tort de me virer. Après leur départ, Phillip ouvrit une bouteille de champagne spéciale, qu'on but en regardant son jardin.

— Pourquoi est-ce que tu m'as aidée ? demandai-je.

— C'était injuste et j'ai toujours eu un faible pour les causes perdues.

Je souris et bus une gorgée de plus.

Soudain, je me rappelai qu'il restait le problème de Reardon.

— Ce n'est pas encore fait. Je vais devoir affronter Reardon.

— Tu veux que je lui parle ? proposa généreusement Phillip.

— Il vaut mieux que je me débrouille seule, mais merci infiniment de t'être proposé.

Je savais que Reardon découvrirait vite le pot aux roses. Et, même si les autres m'avaient prêté allégeance, je les fréquentais depuis assez longtemps pour savoir que rien n'était joué.

Je rentrai chez moi vers 3 h 30. J'allai me coucher sans fermer l'œil.

MON PORTABLE SONNA À 5 H 30 DU MATIN.

— Ramène tes fesses, grogna Reardon.

Je l'avais déjà vu en colère, mais jamais comme ça.

— J'arrive, répondis-je dans le vide.

Il avait déjà raccroché.

Je me préparai rapidement et sautai dans ma voiture. Le silence de l'aube et l'absence de circulation sur Sunset Boulevard ne firent qu'accroître ma nervosité. Le paysage défilait au ralenti. Qu'est-ce qu'il allait me faire ? La moindre contrariété le rendait fou de rage, comment réagirait-il à ça ? Allait-il m'agresser ? Me forcer à quitter Los Angeles ? Je n'arrivais même pas à l'imaginer.

Je me garai dans son allée et attendis une minute dans la voiture. Le miroir me renvoyait un reflet pâle et terrifié.

Tu ne peux pas te défiler. Je pris une grande inspiration et sortis du véhicule.

Reardon me fit lambiner quelques minutes avant d'ouvrir la porte.

— Va m'attendre dans la chambre d'amis, m'ordonna-t-il d'un ton sérieux que je ne l'avais jamais entendu employer.

Ses yeux bruns plissés n'étaient plus que des fentes, et dans la pénombre de l'aube ils paraissaient presque noirs.

La chambre d'amis était tout à l'arrière de la maison. Je ne comprenais pas pourquoi il m'expédiait là-bas. J'obéis cependant, et j'attendis. Cinq minutes. Dix minutes. Mon angoisse grandissait ; j'avais l'impression que j'allais tomber dans les pommes. Je tentai de respirer profondément, mais j'avais une boule dans la gorge.

Est-ce que je le laisse parler en premier ? Vaut-il mieux que j'aie l'air forte ou passive ? Je m'assis sur le lit, les genoux repliés sous mon menton. Je ne me sentais pas forte ; j'avais l'impression d'être une petite fille convoquée dans le bureau du directeur. À ce stade, je voulais juste qu'on en finisse. Qu'est-ce que je m'étais imaginé ? Mon plan me semblait tellement stupide. Reardon ne me laisserait jamais faire.

Il entra enfin, interrompant mes ruminations de plus en plus sombres, et s'assit en face de moi. Au début, il ne dit rien, se contentant de me fixer d'un regard dur et inexpressif.

Je lui rendis son regard en tentant de ne pas flancher et refoulai mes larmes. J'étais sur le point de craquer et de le supplier de me pardonner, de promettre de retourner travailler et d'abandonner complètement le poker, quand sa voix me parvint de très loin.

— Je suis fier de toi.

Clairement, j'avais mal entendu.

— Je suis fier de toi, répéta-t-il avec un grand sourire.

Aucun des scénarios que j'avais envisagés ne se déroulait de cette façon.

— Vraiment ? demandai-je, prête à l'entendre changer d'avis et me hurler dessus.

— Bien sûr. Le poker est à toi. Tu l'as mérité.

Je secouai la tête, incrédule. Je ne pouvais pas avoir autant de chance. On n'était pas dans un conte de fées. Je vis que Reardon me souriait comme un père satisfait.

Tout mon corps se détendit, peut-être pour la première fois depuis que j'avais emménagé à Los Angeles, et je fis un énorme sourire. Je ne m'étais jamais sentie aussi heureuse, ou abasourdie.

Je courus le serrer contre moi, pour la première fois depuis que je l'avais rencontré.

Il éclata de rire et haussa les épaules.

— Tu le mérites, idiote. Tu es une super apprentie.

J'AVAIS RÉUSSI, obtenu le poker, gagné le respect de Reardon, on était presque en 2006, une nouvelle année pour un nouveau moi. J'avais l'impression que Reardon venait de me remettre mon diplôme.

Il me tapota la tête.

— La petite Mol a grandi, déclara-t-il en me couvant d'un regard plein d'orgueil.

Il changea vite de ton.

— Qu'est-ce qu'on fait pour le Nouvel An ? Il nous faut un plan qui déchire.

TROISIÈME PARTIE

RUSH

Los Angeles, 2006-2008

Rush (nom) :

Période relativement courte où tout réussit à un joueur.

13

Dans un retournement de situation ironique, et afin de consolider notre trêve, je partis à Miami avec Phillip et Reardon. Phillip et quelques amis de l'école prestigieuse qu'il avait fréquentée avaient loué un yacht pour la semaine. Tout le monde réserva des billets d'avion en première. Je n'avais jamais voyagé qu'en éco, et c'était le jour et la nuit. Les hôtesses de l'air, habituellement aussi aimables que des portes de prison, me sourirent, m'installèrent dans un énorme fauteuil en cuir et m'apportèrent un verre de champagne, avant de me montrer mon écran personnel, qui diffusait absolument tous les films actuellement au cinéma. J'observai les autres passagers pour voir si ce service royal les enthousiasmait autant que moi, mais ils avaient l'air de s'ennuyer. Je jouai avec les boutons jusqu'à ce que le fauteuil se transforme soudain en lit ; je regardai Reardon, qui éclata de rire devant mon expression incrédule. Après avoir jeté un coup d'œil aux passagers en classe éco, serrés sur leurs sièges minuscules, je me jurai de ne jamais y retourner.

À notre arrivée, un chauffeur nous attendait avec une pancarte au nom de Phillip. Il porta nos sacs jusqu'à sa Mercedes noire flambant neuve et nous informa que le trajet ne serait pas trop long. Au port, un membre de l'équipage vint à notre rencontre. La marina regorgeait de grands yachts élégants.

— Lequel est le nôtre ? demandai-je à notre guide après m'être présentée.

Il désigna un yacht blanc et bleu marine aussi gros qu'un paquebot de croisière.

J'écarquillai les yeux. Soudain, je me mis à douter de moi. J'étais sûre que tous les autres sur le bateau avaient l'habitude de ce train de vie, et je n'avais pas envie de faire tache. Je feignis l'air d'ennui que j'avais remarqué chez les autres passagers de première.

Ce yacht était incroyable. Un véritable manoir flottant, équipé d'un grand salon, d'une salle à manger, d'une salle de sport et même d'un hélicoptère. Quant au reste des passagers, il était constitué de it-girls et autres top models ultra-glamour, mais aussi d'élégants play-boys issus de grandes familles. Tout le monde semblait sorti d'un numéro de *Vogue*.

Un membre de l'équipage du nom de Jason me montra ma chambre.

— Le coucher de soleil est dans une heure, nous servirons des cocktails sur le pont nord.

LES JOURS QUI SUIVIRENT FURENT FABULEUX. J'avais l'impression d'avoir été parachutée dans un épisode d'*Amour, gloire et beauté*. Élevée dans la classe moyenne, je n'avais jamais imaginé un luxe pareil, même dans mes rêves les plus fous. Je passai les jours suivants à paresser au soleil sur le pont avec Reardon et Phillip et à savourer les repas époustouflants préparés par le chef. Le soir, quand nous ne faisions pas la fête sur d'autres bateaux, nous allions dans des clubs où nous ne faisions jamais la queue et étions traités comme des princes.

Les boîtes aussi me donnaient le vertige. Elles donnaient raison à tous les clichés sur l'argent et ses excès. Un groupe de mannequins connus sniffaient de la cocaïne sortie de leurs poudriers sur des billets de cent dollars. Bouteille après bouteille, le champagne était renversé… Je perdis le compte au bout de cinquante, ce qui voulait dire qu'il y avait pour 50 000 dollars de Dom Pérignon par terre. Un autre top model bavardait avec l'héritier grec célèbre pour sa liaison avec Paris Hilton. Quelques secondes plus tard, celle-ci entra dans le club et se précipita vers son ex et sa nouvelle copine. J'écarquillai les yeux en voyant la jolie blonde mettre son poing dans le nez de la fille. À part moi, personne ne semblait s'étonner.

Tout le monde ne pensait qu'à s'amuser et se fichait de tout le reste. Il n'y avait ni règles ni limites, et personne ne se souciait de l'addition monstrueuse, qui devait se situer entre 80 000 et 100 000 dollars rien que pour l'alcool. Les top models attiraient des hommes riches, des sportifs de haut niveau et des célébrités. Tous les soirs, je tentais de surmonter ma timidité et de parler à autant de gens que possible en mentionnant négligemment le poker et en relevant des noms. Ces cours de récréation chaotiques réservées à l'élite étaient le meilleur terreau possible pour recruter de nouveaux joueurs. N'oubliant jamais mon travail, je dénichai un nombre de numéros invraisemblable, de recrues potentielles ou de gens qui en connaissaient. Le poker faisait tomber toutes les barrières.

Pour le Nouvel An, nous étions à *la* soirée, organisée par P. Diddy en personne. Certains des plus grands noms de la musique jouèrent à tour de rôle. Quelqu'un me tendit de l'ecstasy et, même si j'avais toujours eu peur de la drogue, j'avalai le cachet. Une demi-heure plus tard, j'avais l'impression que toutes les cellules de mon corps pétillaient ; je flottais dans une bulle de bonheur et d'amour, la musique, les lumières, tout était beau, tout était parfait, j'avais juste envie de danser. Tout le monde était mon meilleur ami et, quand minuit arriva, dans l'atmosphère saturée de paillettes, il me sembla que l'univers entier voulait m'embrasser. Pendant qu'on criait le compte à rebours, je me dis que je n'avais jamais été aussi heureuse.

APRÈS L'AFTER ET L'AFTER DE L'AFTER, les premières lueurs de l'aube poussèrent les clubbeurs à se réfugier au lit comme des vampires. Les effets de l'ecstasy s'étaient globalement dissipés, mais j'avais toujours l'impression de flotter sur un petit nuage.

— Oh, mon Dieu, je peux plus blairer le lever de soleil ! s'exclama une brune aux longues jambes, qui laissait une traînée de sequins derrière elle.

— T'as trop raison, ça me flippe teeeeellement, répondit sa copine blonde, l'air éclatée. On n'a qu'à prendre un Xanax tout de suite.

D'un seul geste, elles ouvrirent des tubes identiques et avalèrent les petites pilules blanches à sec.

À mon retour au yacht, je mourais de faim, la musique du club tintait encore dans mes oreilles et je débordais trop d'adrénaline pour dormir. J'allai me chercher quelque chose dans la cuisine, puis je grimpai tout en haut du yacht, mon assiette à la main. Je commençais à revenir à la réalité. Assise en tailleur, je regardai le soleil se lever sur l'océan. Aujourd'hui, nous rentrions à L.A. et tout allait changer. J'avais été tellement excitée par ma victoire et mes bonnes relations avec Reardon que je n'avais pas pensé à ce que reprendre les rênes impliquait vraiment. Jusque-là, j'avais été protégée par Reardon, de façon oppressante certes, mais tout de même. Maintenant, j'étais seule ; il n'y avait personne d'autre pour porter le chapeau, pas de taré qui faisait peur à tout le monde à mes côtés. Je savais que j'avais beaucoup à apprendre et peu de temps pour étudier, mais au lieu d'avoir peur je me sentais excitée. Tout était possible, et mon destin dépendait enfin de moi.

14

Je rentrai de Miami gonflée à bloc, pleine d'idées pour le poker.

Je m'inspirai de mon père. Il analysait tout en permanence, si bien que les conversations avec lui n'étaient jamais simples : il disséquait les mots, vérifiait les références. C'était parfois énervant quand nous étions enfants, mais j'avais compris que ces réflexes constituaient un atout précieux dans le monde réel. Pour vraiment diriger le poker dont je rêvais, pour créer de la valeur ajoutée et me rendre indispensable, je devais analyser mes joueurs. Me glisser dans leur peau.

J'étais consciente qu'il ne s'agissait pas d'un poker traditionnel. Les enjeux étaient trop élevés pour des parties entre amis avec des *nachos* et de la bière, mais d'un autre côté les joueurs n'étaient pas des pros, et ils étaient déjà trop fortunés pour avoir à gagner leur vie avec des cartes.

Mon poker était une façon de s'évader. Et pour satisfaire le fantasme de mes clients, je devais leur proposer bien plus que des jetons, des cartes et une table. Je devais leur vendre du rêve — le rêve d'une vie encore meilleure et plus stimulante, dans laquelle le joueur pourrait côtoyer des célébrités et des femmes sublimes, être servi comme s'il était la personne la plus importante de la pièce.

Pour que quelqu'un veuille s'évader grâce au poker, cependant, il fallait qu'il ait le gène. Ces joueurs pouvaient s'offrir l'exutoire de leur choix, et il fallait qu'ils optent pour ma table, plutôt que les plages d'Hawaï ou les pistes de ski d'Aspen. Dans un environnement standard, on ne pouvait jamais deviner qui avait le gène du poker. Ça n'avait rien à voir avec le compte en banque, la classe sociale, les origines ethniques ou le métier. Ce qui contribuait à rendre la table passionnante, c'était un groupe éclectique réuni par un genre de mutation génétique. Et, malgré les préjugés, les joueurs disposent d'une réserve apparemment inépuisable d'espoir et d'optimisme. Mes clients croyaient tous qu'ils pouvaient créer quelque chose à partir de rien. Chaque semaine, ils arrivaient pleins d'espoir, indépendamment des résultats des fois précédentes. Surtout si, en plus du frisson de la bataille, ils trouvaient du réconfort auprès d'une assistante qui gérait tous les détails de la partie, mais aussi certains aspects de leur vie privée. Et, cette assistante, c'était moi.

Mes atouts étaient donc ma capacité à les faire s'évader, mon instinct pour deviner qui avait le gène, mon don pour créer un environnement favorisant l'excitation de la victoire, et ma propre personne.

Leçon numéro 1 : veiller en permanence au confort des joueurs.

Leçon numéro 2 : nourrir l'engrenage avec du sang neuf.

Leçon numéro 3 : être irremplaçable.

Leçon numéro 4 : tout est toujours une question d'argent.

Clairement, mon père m'avait beaucoup appris.

JE ME MIS TOUT DE SUITE AU TRAVAIL.

Je pris rendez-vous dans les trois hôtels les plus luxueux de Los Angeles.

Je commençai par le Peninsula, un établissement à l'élégance tranquille qui accueillait les plus grandes fortunes. Après avoir remonté l'allée pavée, je rencontrai le gérant de l'hôtel, un homme tiré à quatre épingles jusqu'au bout de ses mocassins Prada. Il me commanda un cappuccino mousseux, puis il me fit faire le tour de l'hôtel pour me montrer les chambres magnifiques et les belles pelouses.

J'avais appris à avoir l'air sûre de moi, même quand je ne l'étais pas.

— Je vais organiser un grand nombre de soirées de *networking*, lui expliquai-je. Il y aura de multiples célébrités…

Pause théâtrale. Même dans les établissements les plus chics, certains grands noms ouvraient toujours des portes.

— Donc…

Nouvelle pause.

— Vous comprenez qu'un certain niveau de confidentialité est indispensable.

— Bien sûr. Bien sûr. Tout ce que vous voudrez, Miss Bloom.

— Il me faudra une table de poker livrée dans la chambre ce jour-là. Vous savez comment sont les hommes !

J'eus un petit rire auquel il fit écho en m'affirmant que, oui, il savait.

— Nous sommes certainement en mesure de satisfaire tous vos besoins, m'assura-t-il. Laissez-moi vous donner ma carte. J'y ai ajouté mon numéro de portable personnel… N'hésitez surtout pas à m'appeler s'il vous fallait quoi que ce soit d'autre.

Il était à deux doigts de m'embrasser quand je partis. Et ce n'était pas le seul : mes rendez-vous au Four Seasons et au Beverly Hills Hotel se déroulèrent de façon sensiblement identique. Je racontai aux gérants la même histoire qu'à celui du Peninsula, et j'ajoutai que je prendrais leur meilleure chambre toutes les semaines. Je commençais à comprendre ce qu'avait voulu dire Phillip pendant notre leçon. Le bluff et la façon dont on est perçu sont bien plus importants que la vérité.

À chaque hôtel, on me réserva le même accueil royal. C'était incroyable de voir l'impact de la célébrité dans cette ville. J'avais l'impression que j'aurais pu leur dire que j'organisais une soirée avec des dealers, des trafiquants d'armes et des prostituées, tant que des personnalités y assistaient, ils auraient acquiescé et se seraient pliés en quatre pour me satisfaire, tout excités.

En sortant du dernier rendez-vous, j'étais sur un petit nuage. Avec trois adresses luxueuses en réserve, je pourrais déménager les parties à volonté, ce qui présentait trois grands avantages : ce serait plus dur de nous infiltrer ; je contrôlerais le lieu ; et ce serait plus mystérieux, ce qui était selon moi toujours un atout, surtout avec les joueurs… et les hommes.

Tout se passait comme je le voulais.

Que la fête commence.

ÊTRE SEULE, SANS REARDON, voulait dire que je devais m'assurer que ce que je faisais était 100 % légal.

Les joueurs me dirent que leurs avocats leur avaient donné leur feu vert, mais ça ne suffisait pas à me rassurer, ni à m'éclairer sur le statut de mon propre rôle.

Il me fallait un avocat personnel.

Wendall Winklestein était un pénaliste brillant que plusieurs joueurs me recommandèrent chaudement. Il avait un cabinet chic décoré d'œuvres d'art hors de prix, preuve vivante que les riches se comportent souvent mal.

En entrant dans son bureau, je le vis se rincer l'œil depuis son fauteuil.

— Alors, comme ça, vous êtes la petite princesse du poker.

Je fis la grimace en mon for intérieur, mais je ris faiblement.

— En effet, j'organise des pokers. Je veux m'assurer que c'est légal.

Il prit une attitude professionnelle.

— Vous prenez un pourcentage ?

— Non.

— Comment est-ce que vous gagnez de l'argent ?

— Avec les pourboires.

Il leva un sourcil.

— Tout le monde veut participer à mes pokers, expliquai-je. Le premier soir, mon ancien boss a déclaré à tous les joueurs qu'ils devaient me laisser un pourboire pour s'assurer d'être réinvités.

Wendall éclata de rire.

— Pas bête.

Puis il retrouva son sérieux.

— Voici mon meilleur conseil. N'enfreignez pas la loi en enfreignant la loi.

— Qu'est-ce que vous voulez dire ?

— Ce que vous faites entre dans ce qu'on appelle une zone grise. Vous n'enfreignez pas de lois locales ou fédérales, mais c'est un peu flou. Veillez à ce que ça reste propre. Pas de drogues, pas de putes, pas de paris sportifs ni de gros bras pour recouvrer les dettes, et, Molly, payez vos impôts.

— Je peux faire ça.

— Si vous voulez m'engager, je demande un acompte de 25 000 dollars.

À sa façon de me regarder, je me demandai s'il avait une autre forme de paiement en tête.

— En cash, ça vous va ?

Je sortis une enveloppe de mon sac, ayant prévu la somme.

— Ça me va, répondit-il avec un sourire vicieux.

J'ORGANISAI MON PREMIER POKER au Peninsula, où mon contact m'avait proposé une remise conséquente. La partie devait commencer à 20 heures, mais je demandai à disposer de la chambre dès le matin pour m'assurer que tout serait parfait.

Diego apporta la table et le gérant nous accueillit avec enthousiasme, demandant au groom de nous aider à la faire rentrer dans l'ascenseur de service et à la porter. Le groom s'éclipsa, un pourboire en poche, et Diego et moi réarrangèrent les meubles pour faire de la place à la pièce maîtresse : la table de poker avec dix fauteuils, dix piles de jetons et, bien sûr, le mélangeur automatique de Tobey. Diego s'en alla en promettant de revenir une heure avant le début de la partie, me laissant seule dans cette magnifique suite royale.

Je m'empressai de faire le tour du propriétaire. La salle de bains était presque aussi grande que mon appartement, et j'y trouvai ces peignoirs moelleux géniaux qu'on voit dans les films. Le gérant m'avait laissé une bouteille de champagne et une assiette de fruits. Je me versai un verre. Même les fraises étaient meilleures dans un endroit de ce genre. Je courus vers le lit : le paradis — j'ignorais qu'un matelas pouvait être aussi confortable. Je me jetai sur une pile d'oreillers en duvet en gloussant.

Comme il restait six heures avant le début de la partie, j'enfilai mon bikini et j'allai à la piscine. Elle se trouvait sur le toit, avec une vue magnifique sur la ville. Tout était d'un blanc immaculé, des *pool-houses* aux chaises longues de rêve ; la piscine turquoise et le ciel d'un bleu éclatant constituaient les seules touches de couleur. Je m'installai sur un transat, savourant la chaleur du soleil et la fraîcheur de la brise qui soufflait de l'ouest. Un employé me vaporisa de l'eau de rose sur le corps et me tendit deux rondelles de concombre à poser sur mes yeux. Il me demanda mon numéro de chambre et, quelques minutes plus tard, il m'apporta un Bellini, avec les compliments du gérant. Je sirotai mon cocktail dans ma cahute privée en me disant que l'existence ne pouvait pas être plus parfaite. Mais, si je voulais garder ce train de vie, j'allais devoir rester concentrée et travailler dur. Je posai ma boisson et commençai à répondre aux appels des joueurs.

Ce n'est que quand je m'assis pour me préparer que je retournai à la réalité et commençai à stresser pour la partie. Je contemplai mon visage, démaquillé, sans faux-semblants. Est-ce que j'avais eu les yeux plus gros que le ventre ? Oui, dès mon arrivée à Los Angeles. Mais je n'allais pas me laisser intimider.

Ce soir, il n'y aurait que des joueurs familiers — Reardon, Steve Brill, Cam (l'associé de Reardon), Tobey, Houston Curtis, Bob Safai, Bruce Parker et Nick Cassavetes. Comme d'habitude, j'avais communiqué les noms à Tobey à l'avance, conformément à ses exigences et pour éviter qu'il me fusille du regard s'il trouvait un inconnu à la table.

Et ce n'est qu'après avoir obtenu son feu vert que j'avais envoyé l'invitation aux autres. Ils avaient tous accepté.

J'avais hâte de voir leur expression quand ils arriveraient dans cette pièce magnifique et verraient à quoi ressembleraient les parties à partir de maintenant. Tout devait être parfait. J'avais même engagé deux esthéticiennes professionnelles pour leur masser les épaules, puisque quelques joueurs en avaient exprimé le désir. Je m'assurai qu'elles avaient un permis ; on ne sait jamais à Hollywood, surtout quand il y a des célébrités ou des gens riches impliqués. Je demandai même à mon avocat de préparer des accords de confidentialité à leur faire signer.

Le plus grand risque était d'oublier de noter une cave, dans la frénésie du moment. Les joueurs étaient censés signer pour leur cave, mais parfois ils étaient de tellement mauvaise humeur qu'ils refusaient, ou ils se disaient que ça leur porterait malheur. J'insistais pour qu'après la partie personne ne puisse mettre les comptes en doute. Maintenant que j'étais responsable, j'allais devoir m'affirmer davantage. Une seule erreur, et il manquerait au moins 5 000 dollars, sinon plus, et je devrais payer la différence de ma poche. Deux erreurs et... je ne voulais même pas y penser.

Dans l'espoir d'éviter un désastre potentiel, j'avais demandé à Diego de m'assister pour les caves et les comptes, et à une amie, Melissa, de m'aider à satisfaire les requêtes des joueurs. Elle serait là pour remplir les verres et courir chercher les commandes de nourriture, qui pouvaient coûter des milliers de dollars par soir et étaient tellement exigeantes et nombreuses que s'en occuper constituait presque un travail à temps complet.

LA SUITE QU'ON NOUS AVAIT ATTRIBUÉE se situait à l'un des étages les plus élevés. Tout en blanc, beige, rose pâle et or, pleine de meubles hors de prix et entourée d'une terrasse à laquelle on accédait par des portes-fenêtres, elle était éblouissante. Un buffet chargé d'assiettes de fruits, de chocolats et de plateaux de fromages et charcuterie trônait dans un coin. Une brise fraîche soufflait dans la pièce, diffusant les parfums des bougies Diptyque et des bouquets de fleurs. Les deux masseuses étaient prêtes, Melissa ponctuelle, et Diego avait amené un croupier supplémentaire. Un léger fond sonore magnifiait l'ambiance. Je portais une longue robe blanche, beaucoup de bijoux en or, et j'avais coiffé mes longs cheveux en chignon.

Houston Curtis arriva en premier (comme toujours).

— Waouh ! C'est génial !

Il sortit sur la terrasse pour admirer la vue. Je le rejoignis, et Melissa lui demanda ce qui lui ferait plaisir.

— De l'eau, un thé, du champagne ?

Houston, le type qui commandait toujours un Snapple light à la framboise (j'avais prévu quelques bouteilles au frais), regarda autour de lui et décida de passer à la classe supérieure.

— Du champagne ? Pourquoi pas ?

Je souris.

— Ça te plaît ? Tu crois que les autres vont aimer ?

— Carrément ! C'est classe. C'est cool de ne plus être au Viper. Enfin, j'adorais cet endroit. Mais ici on est bien. Ça sent même bon.

Reardon arriva ensuite.

— Génial, chef, lâcha-t-il en faisant le tour.

Il regarda son portable et me mit sous le nez une photo de belles filles nues et étonnamment souples qui prenaient la pose.

— J'aurai peut-être besoin de la chambre plus tard, déclara-t-il en riant et en attrapant un menu. Mol, commande-moi du caviar. De l'ossetra, avec des petits toasts et…

— C'est bon, Reardon. Je connais tes goûts.

On rit ensemble.

Les autres arrivèrent ensuite, et tous semblaient approuver le changement d'ambiance.

Tobey débarqua en dernier.

— Sympa ! lança-t-il.

Je le regardai, surprise ; un compliment de Tobey était aussi rare qu'un câlin de la reine d'Angleterre.

Pendant que les hommes s'installaient autour de la table et que Diego commençait à distribuer les cartes, je m'assis dans un coin, contemplant la scène comme si je regardais un film que j'aurais mis en scène. Ils firent passer les jetons d'une main à l'autre, créant un chœur de cliquetis qui m'était devenu aussi familier que le bruit de la circulation. Les jetons s'accumulèrent autour des joueurs, formant des piles de taille variable. Je les regardai jouer, bavarder et se prélasser dans leur fauteuil pendant que de jolies filles leur massaient les épaules et que le monde en dehors de cette pièce disparaissait, et je sus que j'avais réussi. Toute mon équipe jouait son rôle à la perfection : Melissa servait des cocktails, Diego brassait les cartes. Et Tobey observait les autres joueurs.

L'atmosphère luxueuse faisait monter les enjeux. À peine trois heures après le début de la partie, Bob Safai avait perdu 300 000 dollars, un chiffre colossal pour une partie avec une cave de 5 000. Étrangement, Steve Brill capitalisait la plupart des gains. Je retins mon souffle un moment, puis je me détendis, parce que ça ne semblait pas déranger Safai plus que ça.

Il était 4 heures du matin quand les derniers partirent et, une fois la porte refermée derrière eux, Diego me fit un *high-five*.

— Joli poker. Tu as gagné.

— *Nous* avons gagné, répondis-je.

Je comptai les pourboires et divisai les piles. 10 000 pour chacun d'entre nous.

15

Les joueurs adoraient les hôtels, ainsi que les services en bonus. J'appris à mon équipe à accepter leurs moindres caprices, à moins que ce ne soit illégal ou humiliant. Plutôt que de créer mon propre décor coûteux, je profitais du fait que les hôtels haut de gamme avaient déjà pensé à tout. Ils étaient habitués aux exigences des clients les plus riches et les plus arrogants (je ne dis pas que mes joueurs l'étaient forcément, mais les employés de ce genre d'endroits en voient de toutes les couleurs).

Je mis au point un kit de poker en fonction des requêtes les plus fréquentes. Du whisky single malt, du caviar, du champagne. Vous avez besoin d'un chargeur de téléphone ? J'en ai un. Vous avez mal à la tête ? Un Doliprane et un linge frais. Mal au ventre ? J'ai. Il vous faut des réservations pour un voyage et vous ne pouvez pas passer par votre boîte ? Donnez-moi simplement vos dates. Vous voulez que je réserve une chambre au Four Seasons la semaine prochaine ? Aucun problème, quel genre de chambre ? Votre copine rêve du dernier *it-bag* en rupture de stock ? Je déduis le prix de vos gains et je m'en occupe. Il vous faut un acupuncteur, en cours de partie, pendant que vous jouez — il arrive. C'était un « oui » permanent. Ce petit mot magique était devenu mon mantra.

Je m'appelle Molly Bloom comme le célèbre personnage du roman de James Joyce, *Ulysse*. Dans son monologue final, Molly Bloom dit oui à l'amour et cède à son mari. Moi aussi, j'étais en train de tomber amoureuse. Du poker.

LE CADRE PLUS CHIC et le fait que chaque joueur était traité comme James Bond ne firent que rendre les parties encore plus désirables. Je commençai à gagner de l'argent à ne savoir qu'en faire et à vivre plus confortablement. Reardon me laissa reprendre le contrat de location de sa Mercedes Classe S. C'était une limousine argentée élégante, rapide et sexy. J'adorais sa voiture et autrefois, quand j'étais assise sur le siège passager et qu'il me dictait dix mille ordres en grillant toutes les priorités et en hurlant dans son portable, j'essayais d'oublier Reardon et d'imaginer que sa voiture m'appartenait. Ça arriva beaucoup plus vite que je ne le pensais. Il vint la déposer chez moi et me lança les clés.

— Amuse-toi bien avec ta nouvelle bagnole, dit-il en souriant comme un père orgueilleux… ou un scientifique fou, peut-être.

Sa nouvelle assistante (il en avait usé cinq pendant les trois mois qui s'étaient écoulés depuis notre retour de Miami), une jeune femme blonde, paraissait effrayée et mal assurée au volant de la voiture qu'elle avait conduite en suivant Reardon jusque chez moi.

— DÉGAGE, T'ES CONNE OU QUOI ? hurla-t-il.

L'air terrifié, elle enjamba maladroitement le levier de vitesse. Je jetai un regard désapprobateur à Reardon et adressai un sourire chaleureux à la fille.

— Si tu as la moitié du talent de Molly, je te donnerai peut-être une voiture, mais j'en doute. Elle a mis la barre très haut.

Je souris, le cœur léger. Malgré tous ses défauts, je savais que Reardon m'adorait. Il s'éloigna dans un nuage de poussière, de gravillons et d'insultes.

— BLAIR ! criai-je.

Elle sortit.

— Regarde ma nouvelle voiture ! dis-je en trépignant.
Je n'essayais plus de dissimuler ma réussite.

— Waouh ? Sérieux ? Emmène-moi faire un tour !

J'avançai le siège autant que possible, je me redressai et
j'essayai d'allumer le contact. La clé ne voulait pas rentrer.

— Oh ! mon père a une bagnole de ce genre. Mets le
pied sur le frein et appuie sur ce bouton. Et bascule un
peu le dossier. On dirait que c'est la première fois que tu
conduis, dit-elle en riant.

Je suivis ses instructions. Le moteur V12 émit un
ronronnement guttural, j'appuyai sur l'accélérateur et la
voiture partit à une vitesse alarmante qui nous arracha
un hurlement.

Je tournai à gauche sur Sunset Boulevard, ouvris les
fenêtres et allumai la radio. Tout le monde nous regardait.
Apparemment, à L.A., une belle voiture comptait pour
beaucoup. J'appuyai à nouveau sur le champignon et ma
superbe Mercedes fit un bond en avant tellement brusque
que je fus projetée contre mon dossier capitonné. Blair
éclata de rire.

— C'est une voiture puissante. Tu es sûre de réussir
à gérer ?

Je souris et me tus pour ne pas avoir l'air odieuse. Mais
c'était ce que je voulais, le pouvoir. J'en voulais plus, j'adorais ça. J'écrasai l'accélérateur. On fonçait à cent cinquante
kilomètres-heure sur Sunset Boulevard.

Je savourai les sensations fortes et la poussée d'adrénaline
que je ressentais en enfreignant la loi. Grisée par le pouvoir
sous mon pied, je changeai de file et dépassai des voitures.
Soudain, je vis un flic allumer son gyrophare derrière moi.
Je tournai vers le Beverly Hills Hotel dans un crissement
de pneus. Les voituriers me connaissaient tous.

— Bienvenue, Miss Bloom, me saluèrent-ils.

On déjeuna près de la piscine en s'attendant à voir arriver un policier, mais il ne vint jamais.

Ça faisait deux ans que je vivais avec Blair dans l'appartement que ses parents lui avaient acheté. J'avais l'impression qu'une éternité s'était écoulée depuis la fête débile où je l'avais rencontrée, cachée dans la salle de bains pour échapper à une starlette de télé-réalité trompée. Blair avait désormais un petit ami sérieux, et j'étais prête à quitter le nid. Je voulais être indépendante, avoir mon propre chez-moi. J'avais vécu avec d'autres gens toute ma vie, et la perspective d'avoir un endroit à moi me plaisait beaucoup. Je trouvai un logement au vingtième étage d'un immeuble chic sur Sunset Boulevard. Toutes les autres fois où j'avais loué un appartement, ç'avait été stressant, j'avais dû demander de l'aide à mes parents, courir après mes colocataires pour qu'ils payent leur part, sans jamais récolter assez. Un coup d'œil à la vue, à la salle de bains sexy en marbre couverte de miroirs et à la grande chambre suffit à me faire craquer. L'agent immobilier, une femme d'un certain âge, commença à additionner sur sa calculette : le premier mois, le dernier, la caution…

Je l'interrompis :

— Dites au propriétaire que je suis prête à payer immédiatement les six premiers mois, en cash, contre une remise.

Elle me jeta un regard surpris.

— Eh bien… tout en cash ?

— Tout en cash.

J'avais entendu Reardon mener ce genre de négociations cent fois, mais je n'avais jamais eu les fonds ni l'occasion de le faire moi-même.

Je retins mon souffle, m'attendant à ce que la dénommée Sharon, avec son gilet boutonné jusqu'au cou et son chignon, se moque de moi et appelle la police. Mais elle me demanda simplement de patienter un instant, et revint avec un sourire et l'air un peu moins coincé.

— Mon client est tout à fait prêt à discuter du prix.

Je négociai un super deal, sans l'aide de personne. Et, même si le loyer était cinq fois plus élevé que tous ceux que j'avais payés jusque-là, cet appartement n'appartenait qu'à moi. Je le décorai avec de beaux meubles, du linge de maison doux, des tapis moelleux, et même quelques œuvres d'art.

Rien ne semblait pouvoir arrêter mon poker ; les parties devenaient de véritables légendes. Mon portable sonnait sans arrêt. Lentement mais sûrement, je perdis de vue tous les amis de mon ancienne vie. Je sentais que je changeais. J'adorais ces chambres d'hôtel, les odeurs, les bruits. J'étais devenue cachottière ; si on me demandait ce que je faisais, je mentais, disant que je travaillais dans l'événementiel.

J'avais remarqué l'importance de l'apparence physique et je soignai la mienne. J'achetai des vêtements et des chaussures de luxe, j'engageai un coach, je m'offris des soins du visage, des manucures et des pédicures, j'allai chez les meilleurs coiffeurs et je retournai chez Valerie pour du maquillage sur mesure. J'avais du mal à reconnaître la fille dans le miroir.

Je voulais aussi me cultiver. Je pris des cours de français, étudiai l'art et lus des livres sur le business et la stratégie. Pendant les parties, j'absorbais les informations comme une éponge. À force d'avoir des chiffres dans la tête en permanence, je devins imbattable en calcul mental. Je regardais les hommes jouer, se mentir les uns aux autres, et leurs atouts, leurs faiblesses et leurs *tells* n'avaient plus aucun secret pour moi.

16

Reardon devint mon meilleur ami. Je l'aidais à former son flot constant de nouvelles assistantes (aucune ne tenait plus d'un mois) et il me donnait des conseils en affaires. Il était toujours dingue, mais je m'y fis et appris à aimer ses particularités.

Un après-midi, alors que je mettais à jour mes tableurs au bord de la piscine, je reçus un appel de lui.

— Je passe te chercher, sois dehors dans cinq minutes.

— Reardon, je ne peux pas. Je ne suis pas habillée et je suis en train de faire un truc.

— Sois dehors dans cinq minutes, c'est tout.

Et il raccrocha. Je courus dans ma chambre, j'enfilai quelque chose par-dessus mon maillot et je me fis une queue-de-cheval rapide. Par certains côtés, dans mon esprit, il resterait toujours mon boss. Je ne savais pas du tout où on allait. Mais, cinq minutes plus tard, je l'attendais dehors, conformément à ses instructions.

Il me jeta un coup d'œil quand je montai dans sa voiture.

— T'as changé.

— Comment ?

— En bien.

Il poussa un grognement et ajouta :

— T'as moins l'air d'une SDF débarquée du Colorado.

Reardon adorait raconter qu'il m'avait trouvée errant dans les rues de Beverly Hills avec un sac à dos, sans abri. Il n'était pas loin de la vérité, mais c'était l'histoire qu'il aimait le plus exagérer. Je me dis que le lent processus de ma transformation à L.A. était terminé.

— Merci, connard, et je n'étais pas SDF.

Son portable sonna, il répondit et passa le reste du trajet à hurler au téléphone et à conduire à cent soixante, comme d'habitude. Il pila devant les voituriers du Beverly Hills Hotel et sauta sur le tapis rouge. Je dus presque courir pour ne pas me laisser distancer. On s'assit au comptoir et Reardon posa une pile de journaux sur la chaise à côté de lui. J'étais habituée à son comportement. Même si nous n'étions que deux, il exigea une table pour quatre — en partie parce qu'il aimait commander tout le menu, en partie parce qu'il détestait côtoyer des inconnus. Il me jeta un coup d'œil et sourit.

— McCourt doit nous retrouver, annonça-t-il.

Reardon jouait les entremetteuses de façon étonnamment adorable.

Mon estomac fit un petit saut périlleux et je regardai Drew approcher du coin de l'œil sans lever la tête. Je fis semblant d'être passionnée par le journal.

— Salut, Molly, dit-il d'un ton chaleureux.

— Salut, Drew, répondis-je avec un grand sourire.

Ça faisait un moment que je ne l'avais pas vu, mais je pensais souvent à lui. C'était le seul mec à avoir retenu mon attention depuis mon arrivée à L.A.

Je bavardai avec Drew pendant tout le repas tandis que Reardon envoyait des SMS et des mails, dévorait le journal et s'éclipsait toutes les cinq minutes pour passer un coup de fil. C'était tellement facile de lui parler. Après la fin du repas, Reardon me fourra une liasse de billets dans la main en me disant :

— Paye, je reviens.

C'était sa façon de me dire « je te laisse, démerde-toi ».

— Alors, qu'est-ce que tu vas faire cet après-midi ? m'interrogea Drew.

— Je travaillais jusqu'à ce que je sois kidnappée par ce terroriste, expliquai-je en désignant Reardon qui s'éloignait. Qui est peut-être en train de me planter là, sans voiture.

En mon for intérieur, je maudis Reardon de me laisser dans cette situation gênante avec le seul mec qui m'ait plu depuis longtemps.

Drew éclata de rire.

— Je vais passer chez un copain. Il habite juste à côté. Tu veux venir ?

Évidemment que je voulais venir.

QUELQUES SEMAINES PLUS TARD, j'aidai la nouvelle assistante de Reardon, Jenna, à préparer un dîner chez lui. Il voulait que tout soit parfait et m'avait demandé d'expliquer à Jenna comment faire. C'était une brune magnifique, pas particulièrement maligne, et je dois dire que je ne l'avais pas classée première, ni deuxième, ni même troisième à l'issue des entretiens. J'avais trouvé des femmes professionnelles et compétentes, et évidemment Reardon avait choisi celle qui ressemblait à un mannequin de lingerie. À sa façon de battre des cils et de balancer les hanches, il était évident qu'elle n'était pas dénuée de talents et de compétences, même s'ils n'avaient aucun rapport avec le secrétariat.

Jenna était très douée pour obtenir ce qu'elle voulait des hommes comme des femmes. Elle braqua sur moi ses immenses yeux bruns en papillotant.

— Je suis teeeeellement heureuse que tu m'aides ! Tu me sauves la vie. Il se passe teeeeellement de trucs dans ma vie en ce moment, c'est fouuu.

— Des trucs bien, j'espère ! répondis-je, sachant qu'elle tentait de percer comme actrice.

— Je sors avec un homme marié, confessa-t-elle. Mais le truc c'est qu'il me traite pas vraiment comme une vraie maîtresse.

Ce n'était pas la réponse que j'attendais.

— Qu'est-ce que tu veux dire ?

— Il s'occupe pas assez de moi, et il paye même pas mes factures, expliqua-t-elle en faisant la moue.

Je grimaçai.

— Eh bien, tu as un nouveau boulot, donc tu peux les payer toi-même, lui fis-je remarquer d'un ton encourageant.

— C'est pas le problème, gémit-elle. Mais de toute façon j'ai trouvé une solution.

— C'est-à-dire ? demandai-je, à la fois horrifiée et intriguée.

— Ce mec est une rock star hyper connue, et j'ai tourné dans un de ses clips. Il m'a dit que lui et sa femme c'était vraiment pas ça, et qu'ils allaient divorcer. Mais bon, ils disent tous ça.

Elle secoua sa crinière.

— La dernière fois qu'il est venu, j'ai tout filmé sans qu'il le sache. S'il me traite pas mieux, je vais diffuser la *sex tape* !

J'ouvris de grands yeux. C'était exactement le genre d'assistante dont Reardon n'avait *pas* besoin.

— C'est super intelligent ! répondis-je d'un ton enthousiaste, comme si on était meilleures amies. Où est-ce que tu as caché la vidéo ?

— Dans la maison d'invités de Reardon, avoua-t-elle en gloussant. C'est là que je l'ai tournée !

— Bien joué.

Je l'envoyai faire une course et j'allai voir Reardon.

— Je t'avais bien dit de ne pas l'engager, lui rappelai-je, indignée, une main sur la hanche.

— Arrange les choses, je ne veux pas d'histoires, répondit-il. Et vire-la.

— REARDON !

— Démerde-toi.

J'avais toujours l'impression d'avoir une dette envers lui, vu qu'il m'avait laissé le poker.

PENDANT QUE JENNA CHERCHAIT une marque de caviar qui n'existait pas, je me glissai dans la maison d'invités et trouvai la caméra. Je remplaçai la cassette incriminante qu'elle contenait par une vidéo de la pièce vide.

J'avais un ami qui avait accompagné le groupe en question en tournée, et il me mit en contact avec Gage, star du rock et, désormais, du porno.

Gage me demanda de le retrouver à son studio. À mon arrivée, il chantait derrière la vitre. Toute la situation était délirante. Son agent m'accueillit avec moins d'enthousiasme que je ne l'aurais cru, étant donné que je sauvais son prestigieux client de la catastrophe.

— Combien ? demanda-t-il.

— Quoi ? Rien !

Je me rendis compte qu'il pensait que je voulais vendre la cassette.

— Vraiment ?

— Oui, vraiment, répondis-je, vexée.

— Vraiment ?

— OUI ! répétai-je.

— Gage, viens là !

Gage sortit et me jeta un regard inquisiteur.

— Elle ne veut pas d'argent, expliqua son agent.

— Qu'est-ce que tu veux, alors ?

— Rien, je me suis juste dit que tu préférerais la récupérer avant qu'elle sorte.

Ils m'invitèrent à m'asseoir pour discuter.

— Tu veux venir avec nous à Las Vegas pour notre concert ? proposèrent-ils.

Je refusai poliment.

— On regarde la vidéo ? suggéra Gage d'un air espiègle.

— Il faut que je retourne au boulot, mentis-je.

— Merci beaucoup, dit Gage. Comment est-ce que je pourrais te revaloir ça ?

Je réfléchis un instant.

— Tu connais des joueurs de poker ?

LE DÎNER DEVAIT AVOIR LIEU LE LENDEMAIN. Les amis de Reardon étaient des dégénérés pleins aux as et de jeunes potiches sexy. C'était plutôt sympa de voir la vie de Reardon de ce côté de la barrière.

Sam et Cam m'ébouriffèrent affectueusement les cheveux en arrivant.

— Regarde qui s'est transformé en bombe, cria Cam.

(Cam n'avait pas de voix « d'intérieur » ; il ne communiquait qu'en criant.)

J'attendais quelqu'un de particulier, et Reardon le savait.

— T'inquiète, il va venir, me dit-il.

— La ferme, Reardon. Je ne sais même pas de qui tu parles, prétendis-je en essayant de ne pas rougir.

— Arrête d'emmerder les gens, Green, déclara une voix derrière moi.

C'était Drew. Je fis volte-face et il me serra dans ses bras.

— Salut, Molly. Tu es magnifique !

— Merci, Drew, répondis-je en m'empourprant.

Cam lui tapa dans le dos.

— McCourt ! Quoi de neuf, mec ? Tes Dodgers m'ont explosé cette semaine. J'ai perdu un demi-million à cause de ces cons-là. J'ai dû prendre un camion de la Brink's pour payer mon bookmaker, c'est pas une blague, regarde.

Il sortit son téléphone et nous montra une vidéo de

lui en train de faire une danse bizarre devant un camion de la Brink's.

— Regarde la vidéo suivante, dit-il. C'est moi en train de faire une pluie d'or à une fille.

Je n'avais pas besoin de voir ça.

— Tu veux boire quelque chose ? demandai-je à Drew.

— Avec plaisir, répondit-il en riant. Je t'accompagne.

On s'éloigna et il ajouta en continuant à s'esclaffer :

— Je ne sais pas comment tu fais.

— Je ne travaille plus au bureau. Je gère juste le poker maintenant. Et toi, comment ça va ? demandai-je pour changer de sujet.

— Shannen et moi, on s'est séparés.

— Je suis désolée, répondis-je sincèrement.

— C'est mieux comme ça, dit-il.

J'entendis des sifflets et des cris dehors, et je jetai un coup d'œil juste à temps pour voir Cam sauter dans la piscine du toit de Reardon.

— Merde, ça commence bien, dis-je.

Je passai la plus grande partie de la soirée blottie sur le canapé avec Drew, à rire des pitreries des autres. C'était tellement simple entre nous. Passer du temps avec lui me stimulait et m'apaisait à la fois.

MON PORTABLE SONNA QUELQUES JOURS PLUS TARD ; c'était Drew, qui voulait savoir si j'étais libre ce soir-là.

— Je t'invite à dîner ? proposa-t-il.

— Ça marche, répondis-je d'un ton faussement dégagé.

— Je passe te chercher ?

Il m'emmena chez Madeo, on commanda une bouteille de vin et on parla de nos familles, de l'actualité, de science, de sport. On resta jusqu'à la fermeture du restaurant. Il paya l'addition et, quand on sortit, une limousine m'attendait pour me reconduire chez moi.

Je me tournai vers Drew pour le remercier de cette soirée géniale, et il se pencha vers moi et m'embrassa. C'était un baiser parfait.

Le Broyeur fit un appel de phares et klaxonna, gâchant cet instant de grâce.

— OK, salut, dis-je à regret en montant dans la voiture.

— C'est ton mec, gamine ? demanda le Broyeur.

J'éclatai de rire.

— Si tu n'avais pas tout gâché, peut-être.

Il eut un petit rire.

— Ne couche pas avec lui, demoiselle, il faut qu'il le mérite.

Ce n'était pas tous les jours qu'on recevait des conseils à minuit d'un criminel chauffeur de limousine, mais le Broyeur avait raison. Je rentrai sagement chez moi.

UNE SEMAINE PLUS TARD, j'étais invitée chez les parents de Drew. Conformément à ses instructions, je pris Sunset Boulevard jusqu'à Holmby Hills, puis je ralentis pour négocier un virage en épingle à gauche. Sur le bas-côté, une épicerie portoricaine vendait des plans avec les maisons des stars. La rue s'élargit et les immeubles disparurent pour laisser place à d'énormes murs envahis par le lierre. Je ne voyais que du vert, la couleur des arbres et des dollars.

J'arrivai à la porte, appuyai sur l'interphone et donnai mon nom — je m'étais habituée à ce processus. Le grand portail s'ouvrit. Je gravis la colline ; l'allée semblait ne jamais devoir s'arrêter. Je regardai autour de moi : le domaine devait faire plusieurs hectares, parce qu'il n'y avait aucune autre maison en vue. En haut de la colline, je découvris une énorme fontaine entourée de modèles plus petits. L'allée faisait une boucle et la maison elle-même, quand je l'atteignis enfin, était monstrueuse. Je restai dans ma voiture le temps d'inspirer profondément. J'avais déjà vu des villas magnifiques, mais ce n'était pas la même chose quand elles appartenaient aux parents de mon copain. Soudain, je doutais de moi.

Sors de la voiture, Molly. C'est juste la famille de Drew.

Je sortis d'un pas hésitant, me demandant par où entrer. Heureusement, à cet instant, Drew fit son apparition.

— Salut, dit-il.

— Salut, répondis-je en gardant mes distances.

— Tu veux entrer ou tu comptes rester là ?

Il me prit dans ses bras et je me sentis un peu mieux.

Je suivis Drew dans un immense hall en marbre auquel on accédait par des portes monumentales. Il devait y avoir quinze mètres de hauteur sous plafond. Les tableaux accrochés aux murs étaient à couper le souffle, et un parfum de fleurs fraîches flottait dans l'air. On traversa une salle à manger très solennelle dans laquelle trônait la plus grande table que j'aie jamais vue, pour atteindre la cuisine américaine, où la mère de Drew cuisinait. Jamie était une jolie blonde d'à peine un mètre soixante. Elle posa sa spatule et me tendit la main.

— Molly, me présentai-je.

— Je sais.

Elle avait un regard doux et sincère.

— Je suis tellement contente de te rencontrer, ajouta-t-elle.

Le reste de la famille fit son apparition. Le père de Drew, Frank, me serra la main d'un air affable. C'était un bel homme à la stature imposante ; lui et sa femme formaient un couple magnifique. Les trois petits frères de Drew, Travis, Casey et Gavin, étaient tous mignons et sympas.

— Je peux faire quelque chose ? proposai-je poliment.

— Oh non ! Mais assieds-toi et tiens-moi compagnie, répondit Jamie.

Je m'installai au comptoir de la cuisine pendant que Frank et les garçons allaient regarder le base-ball dans le salon. Je m'entendis tout de suite bien avec Jamie. Ça semblait tellement naturel de bavarder avec la mère de Drew que j'en oubliais presque le manoir de trois mille mètres carrés. Pendant qu'elle éminçait, découpait et remuait, elle me dit qu'en plus d'être la vice-présidente de l'équipe des Dodgers elle avait un diplôme de droit de l'université de Georgetown, un MBA du MIT, et un certificat d'une école de cuisine parisienne.

J'aidai Jamie à apporter les plats à table et elle appela les garçons, qui l'ignorèrent superbement, conformément à tous les clichés sur les mecs qui regardent le sport. Jamie, cinquante kilos toute mouillée, fonça dans le salon les ramener par la peau du cou. Ils la suivirent sagement et je la regardai, pleine d'admiration.

Le dîner était exquis, probablement l'un des meilleurs repas que j'aie faits à L.A. On parla sport, politique et affaires. Ils me posèrent des questions sur ma famille au Colorado et sur mon entreprise d'événementiel ; je répondis sans une hésitation, en me disant que je ne mentais pas vraiment. J'avais bien ma propre entreprise…

On rit beaucoup et je me sentis naturellement à l'aise. En regardant Drew plaisanter avec ses frères, je fus submergée par une vague d'émotion. Je savais que j'étais de plus en plus attachée à Drew, mais ce soir-là je touchai le jackpot. Leur train de vie, combiné à leurs relations étroites et à leur normalité… comment est-ce que j'aurais pu ne pas craquer ? Et puis, j'adorais les McCourt. Leur fortune mise à part, ils ressemblaient beaucoup à mes proches et étaient exactement le genre de famille que je voulais fonder un jour.

Le temps qu'on finisse de boire le brunello que Frank avait choisi à la cave, il était tard. Les garçons étaient déjà montés faire leurs devoirs, et Drew et Frank discutaient affaires dans le salon.

— Molly, me dit Jamie. Je suis tellement heureuse de voir Drew aussi épanoui ; tu lui plais vraiment.

Je souris et répondis tout bas :

— Il me plaît vraiment aussi.

La vérité, c'était que j'étais en train de tomber amoureuse, rapidement et profondément.

17

Assister à des matchs de base-ball avec la famille de Drew n'avait rien à voir avec ce que j'avais vécu enfant avec mes frères. Quand j'étais petite, nous regardions le match de loin, en jean et baskets, en nous gavant et en criant avec la foule. Avec les McCourt, j'étais bien habillée et civilisée. Il n'y avait pas de hot-dogs ni de bière. Ils étaient sur leur trente et un, près du banc de touche, et avaient toujours des invités importants. C'était une affaire sérieuse. Ils avaient investi beaucoup d'argent, de temps et de passion dans l'équipe, si bien que tous les matchs étaient des événements majeurs.

Ce soir-là, assise entre Drew et l'ancien manager des Dodgers, Tommy Lasorda, je regardais un match L.A.-San Diego. J'étais heureuse que Tommy soit là. Il détendait l'atmosphère et poussait la chansonnette entre deux points.

— Ça te plaît, Molly ? demanda Tommy.

— Beaucoup ! répondis-je avec enthousiasme.

Il hocha la tête et se tourna vers Frank.

J'avais peut-être fait passer mon poker du sous-sol au *penthouse*, mais l'empire sur lequel je régnais resterait toujours trop trouble pour que je l'évoque dans des dîners mondains. En tout cas, je ne pouvais pas en parler aux gens que je rencontrais pendant mes sorties avec les McCourt. Même Drew en savait peu sur mes parties. Il savait juste que, parfois, j'étais distraite et occupée quand j'aurais dû lui accorder toute mon attention.

*
* *

Le stade était en effervescence. Nous assistions à un de ces retournements de situation incroyables qui font retenir son souffle à tout un public. Mis à mal par les Padres, les Dodgers marquèrent soudain deux autres points. Nomar Garciaparra fut appelé comme batteur, et à l'instant même où il frappait un coup parfait, envoyant la balle haut dans les gradins pour un *home run* décisif, je sentis mon portable vibrer dans ma poche. C'était Tobey.

> Ben est en train de t'appeler. Je lui ai donné ton numéro, débrouille-toi pour qu'il joue.

Le stade entier s'était levé. Les McCourt me serraient dans leurs bras, extatiques. Mon portable se mit à sonner. *Il n'y a qu'à moi que ça arrive, ce genre de galères.* Comment est-ce que je pouvais m'éclipser à cet instant ?

Je me faufilai vers la sortie en lançant à Drew un regard d'excuse. Il n'avait pas l'air content, mais je n'avais pas le choix. Il fallait que je prenne cet appel.

Depuis que j'avais officiellement repris les rênes, à chaque fois que Tobey appelait, je répondais. Au début de mon règne, je trouvais son attention flatteuse. Mais, en m'acclimatant à mon nouveau rôle, j'avais compris que les discussions qui m'avaient un jour fait me sentir intelligente et exceptionnelle n'étaient pour lui que des calculs stratégiques. Comme sa ruse avec le mélangeur automatique, son « prêt généreux » qui lui avait probablement rapporté 40 000 dollars en deux ans.

Sa dernière lubie était de faire monter les enjeux. En l'occurrence, cela servait aussi mes intérêts, parce que mes pourboires consistaient en un pourcentage des gains — variable selon les joueurs, mais en général plus ils gagnaient, plus ils se montraient généreux. Dans les pokers que j'organisais, la cave était de 10 000 dollars, mais Tobey voulait la faire passer à 50 000. Comme je savais qu'en faisant ça on perdrait des joueurs clés, je voulais m'assurer d'avoir des remplaçants disponibles avant de changer. Je passai le mot et entendis parler de joueurs qui aimaient parier gros. Je courtisais Rick Salomon, ainsi qu'Arthur Grossman, le *fish* ultime. On m'avait aussi dit que Ben Affleck avait joué d'énormes sommes dans le temps. J'en avais parlé à Tobey plusieurs fois et il m'avait promis de le contacter.

Maintenant, Ben était en train de m'appeler, et il fallait que je réponde, même si c'étaient les dernières minutes de jeu et que les Dodgers disputaient un match crucial.

Je m'éloignai en courant, mais le bruit était toujours assourdissant. Je décrochai en priant pour qu'on n'entende pas le brouhaha à l'autre bout du fil.

— Allô ?

— Salut, Molly, dit une voix que j'avais entendue dans une douzaine de films. C'est Ben. Je te dérange ?

— Pas du tout, mentis-je.

— J'ai entendu que tu organisais des pokers sympas.

— Oui. Une bonne ambiance, très dynamique. Et le mieux, c'est que la plupart des joueurs ne connaissent pas vraiment les règles.

Ben éclata de rire.

— Ça me tente bien. C'est quoi, la cave ?

Je réfléchis. 50 000 était une somme tellement énorme, et je ne voulais pas le faire fuir. Les célébrités attiraient toujours les foules.

— J'organise plusieurs pokers, expliquai-je. La cave va de 10 à 50 K.

— Super. Je serais plutôt intéressé par le plus gros. Celui à 50 K.

Adossée au mur, en écoutant la foule rugir au loin, je vis le monde devenir flou.

Il était intéressé par le 50 K. Tobey avait raison. Le contexte changeait, et les enjeux devenaient de plus en plus élevés. Je sentis une poussée d'adrénaline. Depuis deux ans, je voyais le genre de sommes qu'un type pouvait perdre avec la cave de 10 000 : six chiffres, facile. Ces parties seraient cinq fois plus importantes. Je commençais à comprendre comment marchait ce monde, à développer un instinct. Parier de l'argent était addictif, et les joueurs voulaient sans cesse faire monter les enjeux. J'aurais pu être prudente, garder la cave de 10 000 dollars, mais c'était plus drôle de prendre des risques.

Je retournai m'asseoir. Les Dodgers avaient miraculeusement gagné le match.

— Où étais-tu ? demanda Drew.

— Excuse-moi, un appel pour le boulot.

— Ça n'aurait pas pu attendre ?

Même si Drew était au courant pour le poker, c'était difficile de lui expliquer comment ça marchait.

Je sentais sa déception, mais je regardai droit devant moi, espérant que ça allait lui passer. C'était la première d'une longue série d'occasions où je me sentirais déchirée entre ma vie privée et mon existence secrète.

18

Je partais avec Drew pour une virée improvisée à Las Vegas, et je lui avais promis que, pendant quelques jours, il aurait toute mon attention. Sauf qu'aller à Vegas sans faire un peu de prospection et réseauter me paraissait peu réaliste. Cette perspective entamait largement mon enthousiasme pour cette escapade romantique.

J'organisais désormais deux pokers par semaine, le mardi et le jeudi. J'aurais donc vendredi soir, samedi et dimanche pour profiter de Las Vegas, et il me resterait le lundi pour rentrer et vérifier que tout était prêt pour les parties de la semaine.

Drew devait arriver dans trente minutes. Je venais de finir de recouvrer les dettes et de payer les gains de la partie de la veille, et je faisais ma valise en quatrième vitesse avec l'aide de ma femme de ménage, qui allait s'occuper de ma chienne Lucy pendant le week-end.

Drew appela d'en bas juste au moment où je finissais de jeter dans mon sac Vuitton des robes, des bijoux et 20 000 dollars en cash pour jouer un peu dans les casinos.

— Tu es prête, chérie ?

— Deux secondes ! criai-je en cherchant mon passeport.

— Deux vraies secondes ou deux secondes fois dix minutes ? me taquina-t-il.

— Deux vraies secondes. Ne t'inquiète pas, je ne vais pas faire attendre Neil.

*
* *

LE PLAN ÉTAIT DE VOYAGER avec Neil Jenkins, un ami de Drew. Jeune, beau et très riche, c'était le genre de mec qui ne sortait qu'avec des anges de Victoria's Secret, des cover-girls de *Playboy* et des actrices. Le genre de mec qui possédait son propre avion. Je l'aimais beaucoup. Il était charmeur et savait s'amuser mieux que personne.

On retrouva Neil à un aéroport privé, où il attendait avec sa cour, qui comprenait trois des plus jolies filles que j'aie jamais vues. Elles se connaissaient toutes, et s'assirent sur un canapé au fond de l'avion en me regardant d'un air suspicieux. Je n'avais jamais compris pourquoi, par principe, les filles se détestaient. Je pris l'initiative.

— Salut. Moi c'est Molly et vous êtes les filles les plus canon que j'aie jamais vues. C'est hyper intimidant.

Elles se radoucirent immédiatement et, bien avant la fin de notre vol de quarante-cinq minutes, on riait et bavardait comme si on se connaissait depuis un million d'années. Deux voitures luxueuses aux vitres teintées nous attendaient à l'arrivée pour nous conduire à l'hôtel, où on emprunta l'entrée VIP. Notre chambre évoquait plutôt un palais, avec une vue sur la ville à couper le souffle.

Je contemplai le Strip avec Drew, admirant les hôtels illuminés comme dans un rêve en technicolor.

— Je suis content d'être ici avec toi, déclara-t-il.

— Moi aussi.

On avait besoin d'un week-end de ce genre. Je n'allais penser qu'à notre couple pendant quelques jours. Je n'étais pas là pour travailler. Je n'allais pas travailler. Je n'allais même pas penser au travail.

Même en étant à Las Vegas, le paradis des jeux d'argent…

*
* *

PENDANT QUE DREW ALLAIT RETROUVER NEIL en bas, je me préparai avec mes nouvelles copines dans l'immense salle de bains en marbre de leur villa, qui était encore plus grande que la mienne. Tiffany, Lauren et Penelope formaient un trio de choc. En entrant dans le casino, je sentis le pouvoir d'une telle concentration de beauté. Tous les hommes sans exception levèrent les yeux pour nous déshabiller du regard.

Je me dis immédiatement que ce serait une méthode de recrutement très efficace. Mes pensées s'emballèrent. J'aimais beaucoup ces filles, et on passait un très bon moment, mais je devais m'assurer qu'elles étaient dignes de confiance avant de les faire entrer dans mon monde.

On trouva Neil et Drew à la table de black-jack dans la salle aux gros enjeux. Les filles observaient dans un coin.

— Je peux jouer ? demandai-je à Drew et Neil.

— Bien sûr !

Neil appela le manager du casino.

— Blake, je te présente Molly. Elle organise les plus gros pokers de Los Angeles.

Blake se redressa et me serra solennellement la main. Il me donna sa carte de visite, ainsi qu'une carte de joueur qui enregistrerait mes parties pour que les casinos puissent me faire bénéficier de diverses gratuités en échange.

Je rejoignis Drew à la table de black-jack. C'était un joueur expérimenté et je le laissai me conseiller quand j'hésitais à tirer une carte ou à m'arrêter. En une heure et demie, j'avais transformé 5 000 dollars en 15 000.

— Je reviens tout de suite, annonçai-je.

Je montai en gamme, échangeant mes jetons noirs de cent dollars contre une pile plus petite de jetons orange de mille dollars, et allai parler au manager. Je savais qu'il accueillait régulièrement des gros joueurs comme Neil, et ses contacts pouvaient m'être très utiles.

Je savais aussi qu'on n'a rien sans rien et que je devais lui donner une raison de m'aider.

— On prend un verre, Blake ? proposai-je.

— Avec plaisir.

Je jetai un coup d'œil à Drew, qui jouait toujours aux cartes, tout heureux. Il avait à peine l'air de s'être rendu compte de ma disparition.

On s'assit au bar et je regardai le manager droit dans les yeux.

— Je crois qu'on peut s'aider l'un l'autre, commençai-je.

— Comment ? demanda-t-il en faisant signe au barman.

Après avoir passé commande, je continuai :

— Eh bien, j'ai toujours besoin de nouveaux joueurs pour mes pokers… et j'envisage d'organiser des week-ends à Vegas. Je pourrais vous amener dix gros joueurs.

— Ça, c'est intéressant, déclara Blake.

Les boissons arrivèrent et il leva son verre de Johnnie Walker Blue Label vers le mien.

— Je crois que tu es ma nouvelle meilleure amie.

QUAND LES GARÇONS SE LASSÈRENT DES TABLES, on partit écumer les boîtes. Je me blottis contre Drew sur une banquette pendant que les filles dansaient sur la piste avec Neil, captant le regard de tous les hommes présents, y compris Rick Salomon, l'un des joueurs que j'avais dans le collimateur depuis un moment. Rick était le vidéographe, réalisateur et co-acteur principal de la célèbre vidéo porno de Paris Hilton, qu'il avait vendue 7 millions à Vivid, d'après les rumeurs. Il avait aussi la réputation de jouer d'énormes sommes. On s'était croisés quelques fois et, même si je n'avais jamais parlé de mes pokers, il savait qui j'étais et était sur ses gardes (complètement parano, en fait, comme je le compris plus tard). Je sentais qu'il valait mieux attendre qu'il m'approche.

Les filles descendaient des shots et dansaient de façon suggestive — non seulement entre elles, mais aussi avec les filles décoratives, mais tout à fait réelles, qui ne portaient que des gardénias — dans une petite baignoire sur la scène. Je regardai discrètement Rick se rincer l'œil.

— Hé, ça se passe bien, tes pokers ? me demanda-t-il sans quitter des yeux mes nouvelles copines et leur numéro de charme.

Je lui jetai un regard qui signifiait clairement que c'était génial, mais ne répondis rien. Je voulais qu'il apprécie ma discrétion.

— Qui joue ?

— C'est confidentiel. Mais je suis sûre que tu connais la plupart d'entre eux.

Je n'avais aucun doute là-dessus : il jouait, et c'était le poker le plus célèbre de Los Angeles.

— Elles seront là ? demanda-t-il en désignant mes nouvelles amies.

— Oui, mentis-je.

— Je t'appellerai en rentrant à L.A. Je viendrai probablement la semaine prochaine.

Il m'adressa un signe de tête et s'éloigna. Je souris intérieurement en constatant ce qui se passait même quand j'essayais de ne pas travailler. J'avais triplé ma mise au black-jack et créé des liens avec le manager et mes nouvelles copines. Je savais que les types dans le genre de Rick Salomon feraient des proies faciles.

Je pris la main de Drew.

— Tu as fini de jouer au politicien ? demanda-t-il en riant.

— Oui !

Je l'embrassai et je me versai un verre de champagne,

soudain extatique, le genre de bonheur qui gonfle dans votre poitrine comme un ballon d'hélium. Je fermai les yeux et savourai pleinement cet instant.

19

Dès notre retour de Las Vegas, j'appelai Blake, le manager du casino.

— J'ai de l'or pour toi, annonça-t-il. Je vais te faire confiance pour m'amener les joueurs comme promis.

— Tu as ma parole.

— Il s'appelle Derek Frost. Il est jeune, riche et complètement dégénéré. Il n'est pas facile, mais il perd de 10 à 20 millions par an. Crois-moi, il te faut son numéro.

— Tu lui accordes quelle ligne de crédit ? Il rembourse bien ses dettes ?

— 3 millions. Il réclame des remises et des réductions, mais il paye toujours. Par contre, il est bizarre. C'est un de nos plus gros joueurs, mais il préfère voyager sur des avions de ligne, alors qu'on est prêt à lui envoyer tous les jets privés qu'il veut.

Je secouai la tête. Les joueurs avaient souvent un rapport à l'argent particulier. Au début, je ne comprenais pas. J'étais déroutée quand ils se plaignaient du prix de la chambre d'hôtel ou des restaurants où on commandait, tout en pariant sans problème des sommes à six chiffres sur un coup statistiquement mal engagé. Mais j'avais fini par comprendre que chaque centime parié représentait une occasion de gagner de l'argent et, même si les probabilités étaient contre eux, ils pensaient toujours avoir une chance de l'emporter.

*
* *

J'APPELAI DEREK FROST et on se donna rendez-vous dans un café local. À mon arrivée, l'endroit était vide, ce qui était bizarre à Los Angeles. Ici, personne ne travaillait dans un bureau, et les cafés étaient habituellement pleins à craquer pendant la journée.

Je m'installai dehors au soleil et parcourus mes mails en l'attendant. Au bout de quelques minutes, je levai les yeux et aperçus un grand brun séduisant vêtu — *merde* — d'un uniforme de policier, qui se dirigeait vers moi.

— Molly ? demanda-t-il.

Que se passait-il ? Blake m'avait-il tendu un piège ? Allais-je être arrêtée ? Je luttai contre la tentation de partir en courant.

— Oui, répondis-je, nerveuse. Derek ?

J'essayais de déterminer si donner rendez-vous à un policier pour tenter de l'attirer dans la « zone grise » judiciaire de mon poker pouvait constituer un délit.

— Ne vous inquiétez pas, dit-il. Je suis juste policier bénévole. Pendant mon temps libre.

— Mais vous êtes quand même flic, non ?

— Pas de panique, on ne s'occupe pas des jeux de cartes des petites filles.

— Je ne vous imaginais pas comme ça.

— C'est réciproque. Je pensais que tu serais plus vieille et moins jolie, dit-il en passant au tutoiement.

Je souris, toujours aussi déstabilisée et pensant qu'il fallait que je parle à mon avocat.

— Écoute, si je voulais te piéger, je ne viendrais pas en uniforme, si ?

Il n'avait pas tort.

— De toute façon, poursuivit-il, ce n'est pas illégal, le poker.

C'est dans ce genre de cas que je me rendais compte que j'étais très limite. Quand on a une activité complètement légale, on n'a pas le cœur qui s'arrête de battre si un client potentiel arrive en uniforme de police.

On entra dans le café, et j'en appris un peu plus sur Derek. Il détestait Hollywood et les « gens faux », et adorait jouer de l'argent. Il voulait absolument participer à la prochaine partie avec une cave de 50 000.

— Les nouveaux joueurs doivent régler, annonçai-je. Je ne peux pas faire crédit le premier soir. Donc il faudra apporter tout ce que tu voudras jouer, en cash.

— Et les jetons de casino ?

— Je prends ceux du Bellagio et de Wynn.

C'étaient les seuls que les autres acceptaient en paiement, probablement parce que Wynn était un homme d'affaires prudent avec des casinos bien établis. Ses actions étaient stables et il suivait son business de près.

— Pas de problème, dit-il.

— Oh ! et Derek ? Si je peux me permettre, je te suggère de venir en civil.

Il éclata de rire.

— Ça marche.

Avec Ben, Derek et Rick, j'avais plus qu'assez de joueurs pour des parties à gros enjeux, et j'entrepris d'en organiser une pour le mardi suivant au Beverly Hills Hotel. Je demandai le bungalow numéro 1 parce qu'il était à l'écart du reste de l'hôtel, richement meublé et doté d'une entrée circulaire qui serait utile pour séparer le poker et les livraisons de repas et de *room service*.

Davantage de célébrités et des enjeux plus importants voulaient dire que le respect du secret devenait de plus en plus crucial. La paranoïa montait.

Il y avait beaucoup de variables pour une partie pareille,

et j'étais à la fois nerveuse et excitée. Comment Rick s'entendrait-il avec les joueurs plus civilisés ? Combien Derek allait-il apporter ? Est-ce que ça plairait à Ben ? Je décidai d'utiliser son nom pour attirer Arthur Grossman.

Je m'étais renseignée sur Arthur, célèbre pour son goût pour les femmes et sa fortune aux origines mystérieuses. Je savais qu'Arthur avait largement assez de milliards pour couvrir son *buy-in*. Je savais aussi qu'il adorait les célébrités et que Ben Affleck constituerait l'appât parfait.

Je lui écrivis :

> Salut, Arthur, j'organise un poker pour Ben et on serait ravis que tu viennes.

Ce n'était pas un mensonge complet : j'organisais un poker, Ben serait là, et un grand nombre de joueurs seraient certainement ravis qu'Arthur vienne. Changer la formulation ne faisait que rendre la proposition plus alléchante.

Puis j'appelai Tobey.

— Yo, répondit-il.

— Salut, tu devrais appeler Arthur. Je lui ai dit que Ben jouait. J'ai aussi un nouveau, Derek, et Rick a dit qu'il serait là. Si Arthur vient, ça fera une belle brochette.

— Dacodac, je vais lui passer un coup de fil.

Je ris. Un génie du mal avec un faible pour des expressions comme « dacodac » et « quelle poisse » était un génie du mal que je pouvais apprécier.

Tobey me rappela vingt minutes plus tard.

— Il vient, annonça-t-il.

— Bien joué, Hannibal.

Je m'étais mise à l'appeler Hannibal Lecter depuis une partie récente. Ce soir-là, je l'avais vu persuader un joueur de se coucher avec une main gagnante. « Je te jure sur la vie de ma mère que je te bats, avait-il dit d'un ton convaincant et sincère. Je ne te mentirais pas, mec. »

Son adversaire s'était troublé. Je l'avais regardé contempler les cartes qu'il tenait, bien conscient qu'il avait le meilleur jeu possible, mais déstabilisé par le petit numéro de Tobey. Celui-ci était incroyablement convaincant, et tellement sérieux que le type avait fini par céder, à contrecœur.

Pour couronner le tout, Tobey lui avait ensuite montré son bluff d'un air jubilant. À mon humble avis, il se comportait très mal.

— À mardi.

Le bruit courait que j'organisais une partie à gros enjeux, et plusieurs joueurs professionnels m'avaient quasiment suppliée de les laisser participer. Certains m'avaient proposé du cash, purement et simplement, et d'autres un « intéressement », ce qui voulait dire que s'ils gagnaient j'aurais un pourcentage, et s'ils perdaient je ne risquais rien. Je savais que laisser des pros participer signerait l'arrêt de mort de mes pokers. Ils rafleraient tout et, si mes soirées étaient aussi exceptionnelles, c'était en partie dû à l'alchimie entre les joueurs et au fait qu'aucun d'entre eux ne gagnait sa vie grâce au poker.

La liste définitive de joueurs pour le grand soir comprenait Tobey ; Ben ; mes nouveaux *fish*, Derek Frost, Rick Salomon, et, je l'espérais, Arthur Grossman. Il y aurait aussi Bob Safai ; Houston Curtis ; et quelques petits nouveaux — Bosko, un sexagénaire élégant aux manières de gentleman ; Baxter, un génie de la finance qui adorait les jeux d'argent ; et Gabe Kaplan, star en son temps de la série *Welcome Back, Kotter*. À l'exception de Tobey et Houston, ils aimaient tous jouer le tout pour le tout, miser leur tapis et parier aveuglément. La cave initiale était de 50 000 dollars, ce qui voulait dire qu'il y aurait un demi-million sur la table avant que les premières cartes ne soient distribuées. Ça promettait d'être une soirée mémorable.

DIEGO ME RETROUVA À L'HÔTEL avec la table. Le groom avait déplacé les meubles conformément à mes instructions.

J'avais désormais un lien particulier avec Diego. Nous étions de vrais associés dans cet univers étrange et merveilleux.

J'avais sélectionné ma tenue avec soin : une robe noire juste assez moulante pour être sexy, mais pas suffisamment pour devenir vulgaire. Des Louboutin assorties, des perles Chanel, et une veste légère, détail important parce que je préférais qu'il ne fasse pas trop chaud. Des températures fraîches empêchaient de s'endormir, et il n'y a rien de pire qu'une partie avec des joueurs fatigués et léthargiques. Je voulais de l'action, de l'ambiance, des débats passionnés.

L'alchimie à une table est cruciale. Pour commencer, il faut un mélange de personnalités subtilement dosé. Si l'équilibre n'est pas respecté et que les enjeux sont trop importants pour certains joueurs, la partie est terminée. De trop petits enjeux, et tout le monde s'ennuie. La cave de 50 000 avait attiré ces hommes, donc je savais qu'ils pouvaient se le permettre ; je savais aussi qu'il y aurait assez d'argent sur la table pour faire baver même les plus riches.

Je remis du rouge à lèvres et patientai. J'avais invité mes nouvelles copines de Las Vegas, Tiffany et Lauren, pour servir à boire et faire potiches. Elles étaient à couper le souffle. Je savais que, ce soir, les joueurs auraient beaucoup de raisons de rester — sur la table et en dehors.

Le premier à arriver fut Derek Frost, habillé normalement, heureusement.

— Sympa, lança-t-il en contemplant la pièce et en apercevant Tiffany et Lauren.

On bavarda avec lui en attendant les autres. Tiffany était une vraie pro. Elle le fixait de ses yeux turquoise, paraissait suspendue à ses lèvres, riait à ses blagues, et lui donnait l'impression qu'il était le seul homme de l'univers. C'était spectaculaire. Et efficace.

Peut-être parce qu'il était désarmé par Tiffany, ou peut-être parce que c'est ce que disent tous les envieux, Derek Frost, le type qui m'avait rebattu les oreilles pendant une heure en m'expliquant qu'il détestait Hollywood, eut l'air très excité quand Tobey arriva avec Houston. Je les présentai, et Tobey joua à la perfection le rôle de la star charmante et marrante.

Baxter arriva ensuite. C'était un trader qui avait très bien réussi, un génie des maths à l'air un peu écervelé. J'avais entendu qu'il avait été exclu de plusieurs casinos plus jeune pour avoir compté les cartes et que c'était une vraie brute quand il jouait, comme la plupart des traders, selon mon expérience. Il avait la manie de toujours vider ses poches en arrivant, révélant une quantité d'objets impressionnante : des tees de golf, des stylos, des reçus, du baume à lèvres. Il me tendit son chèque en blanc signé et je l'épinglai à mon tableau. Tous les joueurs avaient fait pareil : ils m'avaient donné un chèque en blanc signé pour couvrir leur cave et leurs pertes si la chance ne leur souriait pas. Pour l'instant, le holding Molly Bloom Inc. était officiellement riche.

Baxter se joignit aux autres et je fis signe à Derek.

Il prit son sac à dos, me suivit dans la chambre et ouvrit le sac dès que je fermai la porte. Il savait ce que je voulais : il avait apporté 250 000 dollars en cash et 500 000 de plus en jetons Bellagio. Comme je le lui avais expliqué au café, je ne pouvais pas lui faire crédit, donc, avec 750 000 dollars, il apportait l'équivalent de quinze caves.

Même si la somme qu'il me tendait me semblait vertigineuse, je souris comme si je faisais ça tous les jours. Je ne voulais pas que Derek commence à avoir des doutes et à se dire qu'il venait de donner trois quarts de million à une quasi-inconnue.

— Super, je vais mettre ça au coffre.

— Ne t'enfuis pas avec.

— Promis, monsieur l'agent, répondis-je avec un clin d'œil.

On rejoignit les autres juste à temps pour voir arriver Bosko et Gabe Kaplan. Ils me saluèrent fraîchement ; ils étaient de la vieille école et je savais qu'il me faudrait du temps pour gagner leur respect. Je m'en fichais. Mon poker parlait de lui-même.

Bob arriva ensuite et Baxter demanda si nous pouvions commencer.

— Prêts ? demandai-je par-dessus les plaisanteries excitées.

Évidemment.

Ils tirèrent leur place au sort, et la partie commença.

À la toute première main, Bob, Bosko, Baxter et Derek misèrent leur tapis. Je préparai les jetons et le tableau des caves. Ce fut Bob qui remporta la main, à sa grande joie et à celle de Diego, que Bob punissait quand il perdait.

Ils rachetèrent des jetons en riant et en plaisantant.

— Je prendrai 200, annonça Baxter.

Je regardai si quelqu'un avait une objection. Baxter voulait être sûr d'avoir assez pour faire tomber Bob.

— En fait, corrigea-t-il, disons 500.

Je lui jetai un coup d'œil et il confirma d'un hochement de tête. Je comptai 500 000 dollars en jetons et les lui tendis.

— Moi aussi, déclara Derek.

Je croisai le regard de Tobey et lui fis signe que j'avais la somme en cash. Il leva les sourcils, l'air impressionné.

Je comptai les jetons de Derek.

— Redonne-moi 300, réclama Bob.

Un vrai concours de testostérone, pensai-je en dénombrant les jetons. La deuxième main n'avait même pas encore été distribuée. Je parcourus la table du regard pour voir si quelqu'un d'autre voulait jouer au plus riche. En l'absence de candidats, le jeu continua.

Au bout d'un moment, Bosko et Gabe se levèrent et sortirent fumer un cigare.

J'étais allée chercher à boire dans la cuisine quand j'entendis les voix des deux hommes résonner dans le patio.

— Mais qui organise la partie ? demandait Gabe.

Il avait l'air inquiet. Il avait beaucoup d'argent sur la table.

— La fille, répondit Bosko.

— La fille ? Qu'est-ce qu'elle en sait ? Qui s'occupe de l'argent ? Qui fait crédit ? Comment est-ce qu'on sait que ce Derek a les moyens ?

— Il faut qu'on en parle à Tobey, déclara Bosko. On ne peut pas faire confiance à cette fille pour ça.

Ma bulle de bonheur éclata. J'avais envie de leur rentrer dans le lard, de leur dire que j'étais intelligente, capable, et que je gérais ces pokers dans les moindres détails, à un niveau qui leur donnerait le vertige.

Mais je n'en fis rien. Je ne pouvais pas les laisser voir qu'ils m'avaient blessée. Ce n'était pas le moment de faire dans la sensiblerie. Ils n'avaient pas besoin de m'apprécier, mais il fallait qu'ils me fassent confiance. J'envoyai un message à Tobey en lui demandant de les calmer et de les ramener à table.

À cet instant, je reçus un texto de Ben.

Je suis là.

Un frisson d'euphorie me parcourut — et, à cet instant, je me rendis compte du chemin que j'avais parcouru. À l'époque où j'étais encore une fille normale, j'aurais été excitée à l'idée de rencontrer l'un des acteurs les plus beaux et influents au monde. Recevoir Ben Affleck était énorme, certes, mais si je jubilais c'était surtout parce qu'il jouait à ma table, participait à mon poker.

J'ACCUEILLIS BEN À LA PORTE. Il était grand, doté d'un physique avantageux et d'un charisme serein.

Il eut l'air surpris quand je me présentai.

— Tu es tellement jeune, dit-il.

— Pas tant que ça, répliquai-je avec un clin d'œil.

J'avais vingt-sept ans, mais j'avais toujours fait moins. Je pris son manteau et lui montrai la feuille des caves. Il ouvrit de grands yeux et regarda sa montre.

— Déjà 2 millions sur la table ?

— Eh oui.

— OK, donne-moi 50 000.

J'avais appris à analyser la psychologie d'un joueur en fonction des jetons qu'il demandait. Vouloir plus ou moins que les autres fournissait une indication claire sur le style de jeu et l'ego. Alors que certains tenaient à avoir la pile la plus haute possible, le choix de Ben m'indiqua que c'était un stratège qui préférait limiter ses pertes, surtout quand il jouait avec des inconnus.

Rick Salomon arriva ensuite. Il était vulgaire et un peu salace, mais aussi sexy, dans le genre homme des bois.

Je le pris à part pour lui montrer le tableau.

— Waouh, ils se lâchent, hein ? s'exclama-t-il en me regardant. Tu veux baiser ?

Je lui rendis son regard en priant pour ne pas être rouge tomate.

— Non merci, répondis-je d'un ton aussi détaché que s'il m'avait proposé un Tic Tac.

Il éclata de rire.

— Donne-moi 200 000.

La vache. J'ai un poker ÉNORME.

Rick s'assit et je le vis remarquer Ben et le reconnaître.
Pitié, qu'il ne dise rien de gênant, pensai-je. Rick ne
réfléchissait pas avant de parler.

— Hé, mec, le cul de Jennifer Lopez, il était bien ou
plein de cellulite ?

Un silence de mort s'abattit.

Ben regarda Rick.

— Non, il était bien, dit-il en misant son tapis.

Tout le monde éclata de rire et la glace fut brisée.
C'étaient peut-être des géants qui jouaient des fortunes,
mais au bout du compte les mecs sont tous pareils — et
les inconnus deviennent vite des amis proches à une table
de poker.

Après ce moment gênant, et une fois que Tobey eut
assuré à Bosko et Gabe que je savais ce que je faisais, la
partie vola de ses propres ailes. C'était l'une de ces soirées
parfaites où la conversation était animée, les prises de
risque énormes, et où tous mes joueurs habituellement
jamais contents avaient l'air de penser qu'ils préféraient
être là plutôt que n'importe où ailleurs. Mes pourboires
de cette nuit-là reflétèrent l'énorme succès de la partie.
Je crois que j'empochai pas loin de 50 000 dollars. Après
le départ du dernier joueur, je rangeai tout avec Diego,
puis je m'assis dans le patio pour regarder le soleil se lever.
J'avais découvert une niche incroyable, et appris à garantir
son succès et sa légalité. Je n'enfreindrais la loi que si je me
mettais à faire payer l'entrée ou à prendre un pourcentage.
Je n'en avais pas besoin : tant que je triais les participants
sur le volet et que je ne prenais que les célébrités, les
milliardaires et les proies faciles, les joueurs me verseraient
des pourboires généreux pour être réinvités, pour faire
partie de ce club exclusif. J'avais trouvé un vide juridique ;
personne d'autre ne faisait comme moi. Il y avait des parties
entre amis, des pokers avec un droit d'entrée, et d'autres

dans des casinos, mais personne n'avait réussi à créer un environnement tellement séduisant et potentiellement lucratif que les pourboires laissés par les joueurs étaient leur police d'assurance pour être réinvités. Je payais mes impôts, je respectais les règles, mais je m'étais débrouillée pour exploiter ces règles à mon avantage.

QUATRIÈME PARTIE

COOLER

Los Angeles, 2008-2009

Cooler (nom) :

Situation dans laquelle une grosse main qui justifie normalement de miser son tapis est battue par une main de plus forte valeur encore.

20

Il n'y avait pas que mes pokers qui se passaient bien. Mon été avec Drew avait été un vrai conte de fées. Ses parents avaient acheté une maison sur Carbon Beach, la plage la plus chère de Malibu, surnommée « la plage des milliardaires », peuplée de célébrités et de magnats des affaires. Ils avaient aussi acquis la maison voisine, qu'ils comptaient raser pour agrandir la leur, mais qu'ils avaient prêtée à Drew pour l'été. Nous passions nos week-ends dans cette petite cabane de plage charmante qui valait des millions.

Malgré leur fortune et leur statut social, les McCourt tenaient à passer du temps en famille. Drew et moi allions régulièrement dîner chez eux le dimanche ou assister à des matchs de base-ball. J'adorais regarder jouer les Dodgers, et je trouvais à la fois stimulant et romantique de voir les parents de Drew, Jamie et Frank, réaliser leur vieux rêve de posséder un club de sport. En juillet, Drew m'emmena passer quelques semaines dans leur résidence secondaire de Cape Cod et me montra la maison de Boston où il avait grandi. J'aurais voulu que cet été dure éternellement, mais septembre approchait à grands pas.

Par une fin d'après-midi de la dernière semaine d'août, je me promenais sur la plage avec Drew. Lucy courait devant en aboyant après les vagues et en se roulant dans toutes les ordures qu'elle trouvait.

— Qu'est-ce qu'on fait pour ton anniversaire ? demandai-je.

Il tombait la deuxième semaine de septembre.

— On pourrait aller à New York, proposa Drew. Voir la finale de l'US Open, se faire des bons restaurants, assister au match entre les Dodgers et les Mets.

Je souris. Dans mon nouveau monde, les vacances d'été ne se terminaient jamais vraiment. Il faisait toujours beau et chaud, et il y avait toujours quelque chose de nouveau et d'exaltant à organiser.

— On pourrait y aller avec mes parents, dans leur avion.

Je me demandai si je m'habituerais un jour à mon nouvel univers. J'espérais bien que non. J'aurais voulu ne jamais perdre cette conscience grisante d'être en vie, d'avoir de la chance, de mener une existence excitante.

Alors qu'on se promenait main dans la main, on croisa Rick Salomon, qui avait loué une maison sur la plage pour l'été. Décidément, le porno rapportait.

Comme Shannen Doherty, l'ex de Drew, était aussi l'ex-femme de Rick, j'eus un peu peur qu'ils soient gênés, mais visiblement ils s'en fichaient.

— Hé, tu crois que tu pourrais organiser un poker ce soir ? me demanda Rick.

— Pas de problème, répondis-je immédiatement.

— Tu devrais participer, McCourt, proposa Rick.

— Une autre fois, répondit Drew.

Je savais qu'il ne le ferait jamais, et c'était l'une des choses qui me plaisaient chez lui. Il n'étalait pas sa richesse et semblait avoir une conscience très saine de la valeur de l'argent, malgré la fortune de sa famille.

— Je vais me renseigner et je te rappelle, promis-je.

Pendant qu'on rentrait, je me tournai vers Drew.

— Ça ne te dérange pas, si ?

Je savais qu'on avait fait des projets, mais Drew comprendrait. C'était du boulot.

Il affirma que non, mais je sentis une certaine tension.

Je ne l'empêcherais jamais de réaliser ses ambitions. Mais une petite voix me susurrait que j'aurais dû lui en parler avant de prévoir de passer la soirée à une table de poker plutôt qu'à la maison en sa compagnie.

J'organisai la partie en une heure. Il y avait beaucoup plus de spectateurs que d'habitude, surtout des filles en bikinis riquiqui. Le rappeur Nelly fit une apparition. Il était très poli, et sa cour s'assit sur les canapés sans faire de bruit. Comme c'était le dernier week-end de l'été, il y avait beaucoup de fêtes sur la plage et un certain nombre de gens passèrent. Ce n'était pas comme ça que j'organisais les choses habituellement, mais c'était le poker de Rick. Juste au moment où je redonnais des jetons à Nelly, Neils Kantor arriva. Issu d'une famille très riche célèbre pour son importante collection d'art moderne, il avait un sens des affaires développé dissimulé sous une exubérance enfantine. Il me fit signe de le suivre dehors, l'air enthousiaste. Je demandai à Diego de surveiller la partie pour moi.

Neils me prit le bras d'un geste théâtral.

— Tu vas me remercier, déclara-t-il, les yeux pétillants et la voix animée, en me tirant vers la plage humide. Brad est un vieux copain, il a un énorme fonds d'investissement, et il gagne hyper bien. Je connais plein de gens qui lui ont confié des millions. Et il joue beaucoup. Je l'ai croisé sur la plage et je l'ai amené.

Neils était tout content, comme un chiot qui a rapporté la balle. Il me tirait toujours par le bras quand il s'arrêta devant un bel homme vêtu d'une tenue de plage.

— Je te présente Bradley Ruderman, annonça-t-il, l'air fier de lui.

Je bavardai poliment avec Brad et l'invitai à entrer. Malheureusement, la recommandation de Neils ne pouvait pas me servir de garantie. Je ne voulais pas non plus demander à Neils de se porter garant et de payer les dettes de Brad si celui-ci faisait défaut. Je ne faisais confiance qu'à mes joueurs pour ça, et Neils n'en faisait pas partie. Ça partait d'une bonne intention, mais il m'avait mise dans une position difficile, voire gênante. J'expliquai tout cela à Brad, qui regardait la partie avec une expression de vrai dégénéré, que j'avais appris à reconnaître.

— J'adorerais te laisser jouer, mais il faudrait que tu apportes du cash ou qu'un joueur se porte garant.

— Arthur, ça t'irait ? demanda-t-il.

Arthur leva les yeux et hocha la tête. C'était tout ce dont j'avais besoin. Je donnai des jetons à Brad.

Brad était le pire joueur de poker que j'aie jamais vu. On aurait dit que c'était la première fois qu'il jouait. Il perdit cave après cave, jusqu'à ce que presque tout le monde ait un solde positif qu'il finançait. Les joueurs me jetaient des regards incrédules tout en continuant à le dévorer tout cru. Je passais mon temps à envoyer des textos à Arthur pour confirmer chaque recave et expliquer la situation, mais celui-ci semblait imperturbable. Il écrivit :

Il a les moyens.

À la fin de la soirée, Brad avait perdu pas loin d'un million avec une cave initiale de 10 000 dollars. Pourtant, il avait l'air ravi.

— Si ça ne te dérange pas, je vais passer prendre un chèque. J'habite juste à côté, proposa-t-il poliment.

— Bien sûr.

Il sortit quasiment en courant. J'étais sûre qu'il ne reviendrait pas mais, dix minutes plus tard, il me tendit un chèque pour la somme complète.

— Merci beaucoup ! dit-il en m'embrassant sur la joue. Tu crois que je pourrais jouer à la prochaine partie ? demanda-t-il d'un ton plein d'espoir.

— Bien sûr, je t'appellerai, répondis-je en tentant de dissimuler mon désarroi.

Quelque chose clochait : c'était trop beau pour être vrai. Le chèque n'allait jamais passer. Sauf que je me trompais. Et c'est ainsi que commença l'ère de Bad Brad.

En arrivant à l'aéroport privé où nous devions retrouver leurs parents, Drew, Travis et moi étions encore à moitié bourrés. Nous avions fêté l'anniversaire de Drew en avance et, avec nos copains, nous ne faisions jamais la fête à moitié. Cachée derrière mes lunettes de soleil et mon chewing-gum, je m'efforçai de ne pas perdre l'équilibre en montant l'escalier étroit qui menait à l'élégant G-5. Drew et Travis étaient en bien plus piteux état. On s'installa tous les deux sur le canapé du fond en se retenant de glousser. Ses deux petits frères furent forcés de s'asseoir à l'avant avec leurs parents, qui étaient, comme d'habitude, concentrés sur le boulot.

J'étais allée à New York quelques fois — une excursion pendant un camp d'été pour voir la statue de la Liberté et l'Empire State Building, une nuit dans le Queens sur le budget limité de l'équipe de ski en allant au centre d'entraînement olympique de Lake Placid, et une escale avant mon voyage en Grèce. J'étais tout excitée à l'idée de voir la ville pour de bon. Je pris un café dans l'espoir de dessoûler : je ne voulais pas perdre une seconde de cette expérience. On atterrit à l'aéroport privé de Teterboro, dans le New Jersey, où de grosses voitures noires nous attendaient. J'admirai par la fenêtre la verticalité foudroyante du centre de Manhattan jusqu'à ce qu'on s'arrête devant le Four Seasons, où des portiers en uniforme se précipitèrent pour ouvrir les portières, récupérer nos bagages et nous conduire dans un hall opulent. L'argent fonctionnait comme un filtre qui élimine les inconforts de la vie, ne laissant que le meilleur.

En voyant le vestibule en marbre, je me sentis enivrée. Je n'avais jamais vu une élégance pareille. On nous conduisit à la réception, où le gérant attendait les McCourt pour les accueillir en personne.

Je partageais avec Drew une suite entière au quarantième étage, qui semblait suspendue dans le ciel. New York rayonnait d'une beauté terrifiante, que j'avais hâte d'explorer.

Ce soir-là, on dîna tous chez Milos pour un repas en famille avec Tommy Lasorda, puis j'allai en boîte avec Drew et l'un de ses petits frères. Drew connaissait les promoteurs, si bien qu'on nous accueillit comme des VIP. On rentra beaucoup trop tard et, après une courte sieste, on se leva tôt pour un marathon d'événements sportifs. D'abord, le match entre les Mets et les Dodgers, où, assis dans la loge, on fit passer nos gueules de bois avec des bloody mary en regardant la foule se déchaîner. Puis direction les Flushing Meadows pour la finale de l'US Open. Assis sur le court, nous étions tellement près que je voyais la sueur dégouliner sur le visage d'Andy Roddick. Après s'être changés rapidement au Four Seasons, on alla dîner au Il Mulino, puis on retrouva d'autres amis dans une autre boîte. J'étais à la fois dépassée et fascinée par la grandeur et le rythme effréné de la ville.

Le soir de l'anniversaire de Drew, je fis livrer un gâteau et du champagne dans la chambre. Il souffla ses bougies en m'assurant qu'il avait fait un vœu, puis je m'assis sur ses genoux en lui tendant une coupe. J'avais envie de lui dire que je l'aimais et qu'il était mon meilleur ami. J'aurais voulu parler de notre avenir, lui demander ce qu'il attendait de la vie, mais il était trop renfermé et secret pour avoir ce genre de discussions. Notre relation était fondée sur une certaine distance. Nous n'avions pas parlé d'amour mais, ce soir-là, je sentis que les mots étaient inutiles.

21

Je rentrai de New York pleine d'énergie et inspirée. Avant toute chose, je devais m'acquitter de ma dette envers Blake, du casino de Las Vegas, et remplir ma part du contrat puisqu'il m'avait présenté Derek. Il fallait que j'emmène mes joueurs chez lui pour un week-end.

Ensuite, j'allais devoir organiser un tournoi. Mes joueurs en avaient parlé plusieurs fois. Ça semblait être un bon moyen de recruter des nouveaux.

Après plusieurs conversations avec Blake, je me rendis compte qu'organiser un poker à Las Vegas allait être un peu compliqué. Pour commencer, je devais trouver un week-end où au moins huit des joueurs étaient disponibles. Parmi eux, certains devraient jouer à autre chose — au black-jack, à la roulette ou au baccara. C'était la condition de Blake. Le casino ne gagne bien que quand les clients jouent contre la maison. Au poker, ils jouent les uns contre les autres et la maison ne prélève que le *rake*, qui ne lui rapporte pas grand-chose.

Ensuite, il fallait que j'établisse des lignes de crédit pour tous les participants afin que le casino accepte d'envoyer l'avion. Ils voulaient tous négocier des gratuités et des avantages en nature, ainsi que des réductions sur leurs pertes potentielles, avant de consentir à une ligne de crédit. Jouer les intermédiaires pour tout cela représentait une grosse charge de travail. Un vrai cauchemar.

Puis je devais m'assurer qu'un certain nombre de jolies

filles accepteraient de nous accompagner. La plupart de mes copines avaient des expériences en mannequinat et avaient l'habitude d'être payées pour leur présence. Je tentai de leur expliquer que les pourboires qu'elles recevraient excéderaient leur tarif à la journée mais, malgré cela, elles exigeaient des garanties. Puis je dus expliquer à chaque joueur pourquoi il ne pouvait pas avoir la plus grande villa et pourquoi certains allaient devoir (horreur!) partager l'une des demeures de cinq cents mètres carrés avec trois chambres. Enfin, je devais organiser la partie elle-même, faire livrer une table, transporter les jetons et le mélangeur automatique et coordonner les dîners et les sorties en boîte.

Le tournoi fut encore plus compliqué à organiser.

Les tournois sont très différents des *cash-games*, surtout parce qu'il y a un nombre limité de jetons. Le *buy-in* devait être de 50 000 dollars avec un *add-on*, c'est-à-dire une possibilité de recaver. J'espérais avoir quatre tables de huit joueurs, soit 3,2 millions à partager entre les gagnants, avec des tables de cash en plus pour les joueurs qui se faisaient éliminer.

Pour mon premier tournoi, j'avais besoin d'un espace confidentiel et haut de gamme, mais assez visible pour que d'autres clients riches puissent voir ce qui se passait. Je n'allais pas négliger les occasions de recruter, que ce soit en remplissant les tables ou en exhibant les célébrités et les grosses fortunes que j'avais recrutées.

Je fis aussi un crochet par le Commerce Casino près de L.A. et je promis à quelques croupiers de les dédommager généreusement s'ils m'envoyaient des joueurs pour le tournoi.

Comme je l'espérais, les rumeurs sur le tournoi, le week-end à Vegas avec des belles filles, et Brad Ruderman, qui continuait à perdre des sommes à six ou sept chiffres à chaque partie, se répandirent vite et bien. Je ne fus pas surprise que Jamie Gold me contacte, mais je lui fis quand même un petit numéro de séduction. Je lui donnai rendez-vous dans un des bungalows au bord de la piscine du Four Seasons, en prenant soin de m'entourer de quelques filles canon.

Je m'étais renseignée sur Jamie, qui venait de gagner le Main Event du World Series of Poker avec les gains les plus élevés de l'histoire du tournoi — 12 millions. Normalement, je n'aurais même pas envisagé de laisser un champion du World Series participer à mes pokers, mais Jamie était une anomalie.

J'avais passé la nuit précédant notre rendez-vous à regarder la vidéo du tournoi. De toute évidence, Jamie n'était pas un pro ; simplement, il avait de la chance et prenait des risques. Je l'avais vu à mes propres parties : un joueur avec une telle baraka ne pouvait pas perdre, même s'il jouait très mal ses cartes.

Il y avait trois choses qui me plaisaient chez lui : son compte en banque fraîchement approvisionné, son style de jeu audacieux, et son ego probablement surdimensionné assorti d'un besoin fiévreux de prouver qu'il était capable de reproduire sa performance. Un rien du tout nouveau riche à une table de célébrités ? Il exploiterait le filon tant que son compte en banque le lui permettrait.

JAMIE ÉTAIT MAIGRE, PÂLE et chaussé d'épaisses lunettes. Je le regardai contourner la piscine, cachée derrière mes lunettes de soleil, sans réagir jusqu'à ce qu'il se plante devant moi et bloque la lumière.

— Molly ? demanda-t-il.

— Jamie ! Salut ! Je t'ai tout de suite reconnu, je t'ai vu à la télé, affirmai-je, flattant son ego.

Je n'aurais jamais dit ça à une vraie célébrité, mais je

savais que ça lui donnerait envie d'être à la hauteur de l'image qu'il croyait que j'avais de lui.

Je lui présentai mes amies, qu'il dévora des yeux.

— Assieds-toi, suggérai-je en mettant un paréo et en faisant signe au serveur de lui apporter une coupe de champagne.

Après l'avoir complimenté pour sa performance au World Series, je commençai à lui expliquer le fonctionnement de mes pokers.

— La cave est de 50 000. Mais les enjeux grossissent assez vite. En fait, il n'y a pas de limite aux blindes.

— Pas de problème. Plus c'est gros, mieux c'est, affirma Jamie.

Je souris.

— En général, je n'autorise pas les pros.

— Oh ! je ne suis pas un pro. J'ai une agence artistique, et je suis producteur...

Il monologua sur sa carrière supposée, qui n'était probablement pas si profitable que ça, puisque j'avais entendu qu'il avait emprunté les 10 000 dollars pour participer au World Series.

— Eh bien, beaucoup de tes collègues participent à mes pokers, dis-je avant d'énumérer mes joueurs célèbres ou connus. Je ne suis pas sûre d'avoir une place cette semaine, mais je me débrouillerai. Je ne peux pas faire crédit la première fois, donc si tu pouvais apporter du liquide...

— Aucun problème, affirma Jamie d'un ton enthousiaste.

Comme si c'était un signal, les filles se levèrent pour aller aux toilettes. Je regardai Jamie les suivre des yeux.

On bavardait en riant quand Derek Frost apparut, l'air sombre. Il me tendit un énorme chèque pour couvrir ses pertes de la semaine dernière.

— Je ne gagne jamais, grommela-t-il. Si ma chance ne tourne pas cette semaine, j'arrête et je ne vais pas à Vegas.

Mon escapade à Las Vegas était le week-end suivant, et si Derek se défilait, ça aurait un impact dramatique sur mes plans. Mon contact de Vegas voulait Derek. J'avais besoin qu'il y aille.

Je présentai les deux hommes, mais Derek savait déjà qui était Jamie. Ils commencèrent à parler boutique jusqu'au retour des filles ; les yeux de Derek brillèrent en les voyant et il eut l'air d'oublier le gros chèque, Jamie Gold et sa poisse.

Tobey appela à ce moment-là et je m'éclipsai pour répondre.

— J'ai donné ton numéro à Kenneth Redding, dit-il. Il vient à Los Angeles et il veut jouer.

— C'est qui ?

— Une grosse pointure. Parfait pour nos parties. Il dirige un énorme *hedge fund* à New York, et il joue dans le poker de New York.

— Le poker de New York ?

— Un truc monstrueux. Et ils jouent à plusieurs variantes.

Donc pas seulement au Texas Hold'em, le style de poker de mes parties, mais aussi au stud, par exemple.

— Combien ?

— La cave est de 250 000.

Je levai les sourcils. C'était cinq fois plus que chez moi.

— J'attends son appel, conclus-je.

J'étais en effervescence. Et si je pouvais étendre mon influence ? Organiser des parties régulières à New York ? Il fallait absolument que j'impressionne ce Kenneth.

BEAUCOUP DE RUMEURS COURAIENT sur la partie de cette semaine-là. Kenneth avait la réputation de jouer gros, et Jamie et Derek s'inscrivirent rapidement. Les autres participants avaient été choisis avec soin, et les seuls à ne pas prendre beaucoup de risques étaient, comme d'habitude, Tobey et Houston.

J'eus même un coup de fil de Joe Fucinello, un vieux de la vieille qui avait joué avec Larry Flynt et Doyle Brunson, un vétéran du poker dont la carrière s'étalait sur un demi-siècle. Apparemment, Flynt aimait tellement les cartes qu'il avait organisé un poker juste après une opération, depuis son lit d'hôpital, alors qu'il était encore sous intraveineuse. Son infirmière personnelle jouait les cartes à sa place.

— Salut, Molly, grommela Joe. J'ai entendu que Kenneth jouait, tu as une place ce soir ?

— Non, je suis vraiment désolée.

La partie ne commençait que dans deux heures.

Joe se mit à hurler.

— Eh ben, t'as intérêt à en trouver une, putain. Tu te prends pour qui ? Tu vas me refuser une place ? Tu ne sais pas qui je suis.

Malgré sa petite taille, Joe était flippant. Il fréquentait des cercles chics, mais il avait des manières de voyou et, à ce qu'on disait, un passé tumultueux. C'était aussi un atout pour une table. Je réfléchis à toute vitesse.

— Du calme, Joe. Passe et on tournera s'il le faut.

— D'accord, dit-il en baissant immédiatement d'un ton. Au Four Seasons ?

— Oui, chambre 1204, à 19 heures.

— À tout à l'heure, conclut-il, l'air presque penaud.

J'ÉTAIS TOUJOURS UN PEU STRESSÉE quand un nouveau joueur débutait, et ce soir j'en avais trois : Jamie Gold, Kenneth Redding et Joe Fucinello. Comme je m'y attendais, Jamie Gold semblait décidé à prouver qu'il avait sa place dans le club des milliardaires, en prenant des risques comme s'il avait le même compte en banque illimité que ses opposants.

Joe Fucinello, Derek Frost et Kenneth Redding jouaient de la même façon. Ils passaient leur temps à s'affronter en *all-in*. À 22 heures, Derek et Jamie avaient déjà perdu un demi-million chacun. Je n'avais jamais vu une partie où les joueurs prenaient autant de risques. L'atmosphère était galvanisée par mes nouvelles recrues, et je me rendis compte que les enjeux ne seraient jamais assez élevés pour eux. Ils continueraient à surenchérir pour ressentir de l'adrénaline, qu'ils gagnent ou qu'ils perdent. Tout ce qu'ils voulaient, c'était se sentir en vie.

Mon téléphone sonna. Comme si la soirée n'était pas assez extraordinaire, c'était un ami accompagné d'A-Rod qui cherchait une partie. Je les invitai sans rien dire à personne, pensant que les autres trouveraient cool qu'un joueur de base-ball aussi célèbre se pointe comme si de rien n'était.

J'avais raison. Quand Alex Rodriguez, alias A-Rod, apparut, grand, beau et très poli, les autres eurent des étoiles plein les yeux. Quel que soit leur âge, leur genre ou leur compte en banque, les hommes idolâtrent les sportifs professionnels. En le reconnaissant, ils se transformèrent en petits garçons tout excités. Et quand A-Rod admira le poker glamour et luxueux que j'organisais, avec plusieurs millions de dollars en jetons sur la table, les autres commencèrent à faire les coqs.

— Si je gagne plus de 300 000 à ce tour, annonça soudain Derek, je donnerai 5 000 à Bird et 20 000 à Polar Bear.

Bird, l'une de mes masseuses, était une mère célibataire en difficulté, et Polar Bear, le second croupier qu'avait amené Diego. Maintenant que les parties duraient de plus en plus longtemps, les joueurs voulaient changer de

210 | MOLLY BLOOM

croupier parce qu'ils pensaient que Diego leur portait la poisse.

Polar Bear n'avait pas un sou, sans parler de 20 000 dollars, et ses yeux brillèrent. Malheureusement, Derek se fit massacrer par Kenneth.

Kenneth gagnait, Joe avait perdu un million et Jamie bientôt 850 000. Tobey demandait une liste de tous les desserts vegan de la ville. J'étais survoltée, submergée, et j'adorais ça.

Alex Rodriguez observait et passait un très bon moment.

— Tu es géniale, et ton poker aussi, affirma-t-il en partant. Tu devrais venir à Miami !

— Appelle-moi, suggérai-je.

J'aurais voulu me consacrer davantage à cette star du base-ball incroyablement célèbre, qui constituerait un atout considérable, mais mon poker avait parlé de lui-même.

Et j'étais distraite par Derek, qui adorait se plaindre. Il m'envoyait des textos pour se lamenter de sa poisse terrible en expliquant qu'il ne lui arrivait jamais rien de bien, qu'un nuage noir planait au-dessus de sa tête en permanence. Sauf que sa boîte lui versait à peu près 20 millions par an. Il adorait se lancer dans des diatribes passionnées d'une heure sur telle ou telle injustice, à tel point que je commençais à penser qu'il aimait perdre.

À la fin de la soirée, Kenneth avait gagné une énorme somme, ce qui n'était pas bon pour mon poker. Depuis que j'avais commencé à faire les comptes, je m'étais rendu compte que j'avais créé un équilibre presque parfait. Malgré les sommes énormes qui changeaient de main, l'argent circulait globalement au cours de l'année. La plupart des joueurs équilibraient leurs gains et leurs pertes ou presque. Les exceptions étaient Tobey, Houston, Diego et moi, les gros gagnants. Et Brad, le perdant.

Mais là, Kenneth prenait 1,4 million à mes joueurs et

les rapportait à New York. Le seul point positif était que je lui avais fait bonne impression et qu'il adorait mon poker. Je me promis de rester en contact avec lui ; j'étais intriguée par ce poker mythique de New York, et je voulais en savoir plus.

En attendant, la partie en cours m'appelait. Joe me hurlait à nouveau dessus, cette fois-ci parce que j'avais invité Kenneth. Je décidai de ne pas lui rappeler que je ne l'avais pas invité, lui, et qu'il n'avait qu'à pas s'imposer agressivement. Quand on sait qu'on va prendre un million de dollars à un perdant, on laisse son ego à la porte.

Je ne voulais pas demander à Derek s'il avait toujours l'intention de venir à Vegas, ça aurait été idiot et indélicat. En fait, je savais que je ne pouvais pas lui en parler du tout : c'était à lui de me tenir au courant. En matière de jeu comme d'amour, les hommes détestent qu'on leur coure après. Le problème étant que tout le week-end était organisé autour de Derek, que le casino voulait absolument voir passer. Pour Blake, Derek était le *fish* ultime, et il fallait que je le lui amène. L'avion, la villa… tous les avantages que j'avais négociés dépendaient de la présence de Derek.

SI ON PARTAIT BIEN À VEGAS, je n'avais que quelques jours pour organiser un milliard de trucs. Je ne dormais pas, boostée par l'adrénaline et la rage. J'avais juste besoin que tout soit facile une minute, parce que, soudain, rien ne l'était.

J'allai à la banque, me dirigeai vers le bureau de ma banquière et posai une pile de cash en dépôt comme d'habitude. Je lui souris. Elle ne me rendit pas mon sourire.

— Vous avez eu nos lettres ? demanda-t-elle, l'air gêné.

— Non, je n'ai pas eu le temps de lire mon courrier. Pourquoi ?

— Je suis vraiment désolée, Molly, mais on ne peut pas vous garder, annonça-t-elle avec son accent british.

— Pourquoi ? Qu'est-ce que vous voulez dire ? bégayai-je.

— Ce sont vos affaires, expliqua-t-elle sèchement.

— Je travaille dans l'événementiel, je paye mes impôts, j'ai une société anonyme. Qu'est-ce qui pourrait bien poser problème ? demandai-je, le cœur au bord des lèvres.

Elle ne dit rien, puis avoua dans un murmure :

— Ils sont au courant pour le poker.

À cet instant, le directeur de la banque fit son apparition, et mon angoisse grandit.

— Miss Bloom, pourrais-je vous dire un mot ?

— Je suis un peu pressée, prétendis-je, voulant m'enfuir le plus vite possible.

Je m'attendais à moitié à ce qu'une équipe de policiers surentraînés débarque dans la banque.

— Je n'en ai pas pour longtemps, répondit-il, signifiant fermement que je n'avais pas le choix.

Je le suivis dans son bureau.

— Je suis *vraiment* désolé, Miss Bloom, mais nous *devons* fermer vos comptes et vous *devez* vider votre coffre, annonça-t-il en détachant bien ses mots.

— Je ne comprends pas.

— Nous ne voulons pas être mêlés à ce genre d'*affaires*. Merde, j'organisais des pokers, pas des passes.

— Je vais fermer votre compte et vous faire un chèque. Veuillez vider votre coffre. *Tout de suite.*

En quelques minutes, j'étais passée du choc à la frayeur puis à l'humiliation.

J'obéis, je descendis et je vidai le liquide de mon coffre dans mon sac. J'essayai de pousser les piles au fond de mon sac pour les dissimuler, mais il y avait beaucoup d'argent et je n'arrivais pas à le fermer. Je drapai ma veste par-dessus et remontai au rez-de-chaussée, où j'eus l'impression que toute la banque me dévisageait.

Le directeur me tendit un chèque et me raccompagna à la porte.

— Nous ne vous reverrons *plus*, Miss Bloom, c'est *compris* ?

Je hochai la tête et me précipitai vers ma voiture.

L'INCIDENT À LA BANQUE M'AVAIT FAIT PEUR, mais quand j'en parlai à mon avocat, il n'eut pas l'air inquiet. Cependant, j'étais bien consciente que mes affaires étaient suffisamment limites pour que je sois interdite dans une banque.

J'étais taraudée par l'idée que Derek Frost risquait de ne pas venir à Las Vegas. Je le laissai tranquille, mais j'envoyai les filles lui dire à quel point elles avaient hâte de « passer du temps avec lui » ce week-end. Moi, en revanche, il fallait vraiment que je fasse comme si ça n'avait pas d'importance qu'il vienne ou non. S'il se sentait désiré, il me compliquerait la tâche. Parce que, soyons honnêtes, si les casinos de Las Vegas tiennent à ce point à la présence d'un joueur, c'est qu'ils s'attendent à ce qu'il perde beaucoup.

Mon instinct me disait que Derek viendrait, et sinon j'avais neuf autres gros joueurs avec moi et il faudrait bien que Blake, le manager du casino, s'en contente. Je savais qu'il ne m'avait donné les coordonnées de Derek que pour que je fasse le boulot à sa place et l'emmène jouer au casino. Je commençais à comprendre ce genre de calculs.

Blake appela pendant que je faisais ma valise pour me dire que l'avion nous attendait dans un hangar privé de l'aéroport de Los Angeles.

Mon portier m'informa que la voiture était en bas.

Je me mordis la lèvre. Toujours pas de Derek.

Je sautai dans la voiture, où les filles attendaient. Même peu apprêtées, on sentait qu'elles étaient de vraies déesses.

— Vegaaaaas ! couinèrent-elles en me serrant dans leurs bras.

— Quelqu'un a des nouvelles de Derek ? demandai-je. Malheureusement non.

Une fois sur le tarmac, on embarqua dans l'avion, où un Derek détendu nous attendait.

Je le saluai avec enthousiasme, le serrant contre moi un peu trop longtemps.

— Y a intérêt à ce que je gagne ce week-end, grommela-t-il pendant que je mettais ma ceinture. Ou j'arrête, sérieusement.

J'acquiesçai sagement. Ils pouvaient jurer que c'était fini autant de fois qu'ils voulaient, ces types revenaient toujours.

LE WEEK-END À VEGAS FUT PARFAIT. La villa était splendide : on aurait dit un temple romain. Les filles s'amusèrent comme des folles, et les joueurs encore plus. La partie se passa bien, mon groupe joua beaucoup contre le casino, et personne, pas même Derek Frost, ne perdit trop.

Je dus littéralement les arracher aux tables pour prendre l'avion qui nous ramenait à Los Angeles.

Malgré tout, je continuai à stresser jusqu'à la dernière seconde. Même dans l'avion, je ne parvins pas à me détendre. Vegas avait été un succès retentissant, mais maintenant je devais m'inquiéter pour le tournoi. En contemplant le groupe heureux qui sommeillait autour de moi sur les sièges en cuir, je pensai à tout le travail en coulisses nécessaire pour que leur plaisir ait l'air de ne demander aucun effort. Pendant que tout le monde faisait la sieste, je regardai par la fenêtre et calculai tout ce que j'allais devoir faire pendant les jours suivants.

Il y avait un poker le mardi, un tournoi le mercredi,

et un autre poker le jeudi. J'avais beaucoup de détails logistiques à gérer, et pas assez de temps pour tout faire. Peu importait. Le reste de ma vie allait devoir attendre. Y compris mon copain, qui commençait à en avoir assez de passer après mon job. Ma famille, qui ne comprenait pas pourquoi je ne les rappelais jamais. Reardon et ses copains, qui me regardaient me transformer. Et ma chienne, qui serait fidèle envers et contre tout.

22

C'était la première fois que j'organisais un tournoi, mais je pouvais compter sur Diego, dont l'expérience s'avéra très précieuse. Il y avait tellement de choses à ne pas oublier, et il fallait que tout soit réglé pour que la soirée soit un succès. Tous mes joueurs semblaient excités ; Houston Curtis répondit à l'appel, alors que c'était l'anniversaire de sa femme et qu'il préparait la fête depuis un moment.

Les joueurs comptaient leurs gains en mains et en jetons, moi en joueurs. De ce côté-là, ce fut un succès retentissant : même Arthur Grossman se montra. Il déshabilla les filles du regard et me demanda dans un murmure qui c'était.

— Oh ! des copines, expliquai-je.

Il continua à les lorgner quelques minutes avant d'aller bavarder avec Tobey.

Arthur fut rapidement éjecté du tournoi et, dès qu'il s'assit au *cash-game*, je vis certains joueurs se dépêcher de perdre tous leurs jetons pour pouvoir le rejoindre. Ils comprenaient que le vrai pactole serait de battre Arthur à une partie *no-limit*, pas de gagner un tournoi avec une quantité de jetons déterminée. Arthur m'appela entre deux mains.

— Je vais commencer à jouer toutes les semaines, me dit-il. Tiens-moi au courant des dates.

— Pas de problème, répondis-je, comme s'il ne s'était rien passé de particulier.

Arthur était venu de temps en temps. Désormais, je l'aurais à la table semaine après semaine. C'était la recrue rêvée : un compte en banque illimité, un ego démesuré et, pour autant que je pouvais en juger, un talent très limité.

QUELQUES HEURES APRÈS LE DÉBUT DU TOURNOI, le seul à ne pas passer un bon moment était Tobey. Je l'avais laissé organiser le tournoi en fonction de son style de jeu, et il avait tiré sur la corde autant que possible, mais parfois on ne peut pas gagner, même en étant très bon. Parfois, on n'a pas de chance. Tobey enchaînait les pertes, ce qui, pour lui, voulait dire qu'il avait perdu deux mains. À son air maussade, je devinai qu'il allait bientôt se plaindre.

Il s'était mis à me critiquer sur tout, surtout sur mes gains. À mesure que mon influence, et mes pourboires, grandissaient, ses récriminations suivaient.

Ça ne me disait rien qui vaille. Tobey avait du pouvoir et c'était un fin stratège. Une petite voix me soufflait que, s'il n'était pas content, j'allais avoir des ennuis, mais j'essayai de rester concentrée. Les parties se passaient bien. Non, exceptionnellement bien. Elles devenaient légendaires, et je me dis que, tant que je les gardais à ce niveau, mon rôle était assuré, malgré les lamentations de Tobey. Pour empirer la situation, Houston Curtis perdait aussi. La fête qu'il avait prévue pour l'anniversaire de sa femme commençait à 21 heures.

21 heures sonnèrent, puis 22.

— Houston, lui chuchotai-je à l'oreille. Il faut que tu y ailles. Tu as la fête.

— Pas maintenant, Molly, répondit-il sans quitter les cartes des yeux.

Au petit matin, au bout de dix heures de jeu, Tobey et Houston avaient perdu chacun un demi-million. J'espérais que Houston arrêterait les dégâts et rentrerait chez lui ; il avait déjà raté l'anniversaire de sa femme et il avait clairement gagné assez au cours des deux dernières années pour compenser une perte de 500 000 dollars. Mais les deux joueurs qui ne perdaient jamais s'accrochaient et aucun des deux ne semblait vouloir abandonner de sitôt.

Rick Salomon et Andrew Sasson étaient là aussi, se délectant du spectacle improbable de Tobey et Houston qui avaient perdu un million à 5 heures du matin. Andrew était un Britannique fougueux qui avait débuté comme videur dans des boîtes de nuit, utilisé ses connaissances, ses contacts et son pouvoir de persuasion pour créer son propre club à Vegas, et négociait à présent la vente de son entreprise pour 80 millions de dollars. Je l'aimais bien, même s'il était acariâtre et maussade. Il respectait ma combativité en affaires et me témoignait presque toujours du respect et de la gentillesse. En plus, il ne craignait d'insulter ou de froisser personne, même les célébrités, ce qui était rafraîchissant dans cette ville.

J'aimais bien Rick aussi. Il était répugnant et digne de son surnom, « l'obsédé », mais aussi honnête et juste.

Rick et Andrew savouraient le moment, se moquant de Houston et de Tobey. Celui-ci souriait, mais je voyais à son regard qu'il était mécontent.

— *All-in*, déclara-t-il soudain.

— Je suis, dit Houston.

Je le regardai. Il avait le regard fou et semblait déchaîné, sa discipline habituelle oubliée. Je savais qu'il ne pouvait pas vraiment se permettre de parier avec ces types… mais, d'habitude, c'était un bon joueur de poker, ce qui impliquait de l'habileté, de la psychologie et des statistiques, très loin des paris aveugles.

Diego retourna les cartes.

Tobey le battait à plates coutures depuis le début. Houston avait tout misé avec des brêles.

Je me sentis soudain en alerte. Houston était l'un des seuls joueurs à ne pas avoir un compte en banque illimité. Je ne m'étais pas inquiétée parce que, au début, Tobey l'avait financé en échange d'une partie de ses gains, et Houston gagnait très régulièrement. Mais, après avoir empoché quelques millions, il avait racheté sa dette à Tobey. Il avait suffisamment pour jouer tout seul et voulait remporter tous ses gains, pas juste une portion.

Tobey avait gagné plein d'argent sur le dos de Houston au cours des dernières années. On pouvait raisonnablement supposer qu'il n'avait pas été ravi que Houston se libère de son emprise.

Maintenant, Tobey était revenu à zéro, et Houston devait un million.

Andrew et Rick ricanaient comme des hyènes. Les autres joueurs en voulaient beaucoup à Houston de s'être enrichi sur leur dos.

Tobey se leva, un grand sourire aux lèvres.

— Eh bien, merci, mon pote, dit-il en tapant dans le dos d'un Houston anéanti.

— Tu t'en vas ? demanda Houston, l'air incrédule. Je viens de te remettre à zéro et tu t'en vas ?

— Ouais, répondit Tobey sans un regret dans la voix. Mais merci.

Il sourit et déposa ses jetons devant moi.

— Ouf, dit-il avec un regard signifiant que je devrais être aussi soulagée que lui.

Je lui rendis son sourire.

— Joli, le complimentai-je, même si, à la fin, Houston lui avait tendu la victoire sur un plateau.

Je me détestais d'être aussi déloyale. En mon for intérieur, j'avais soutenu Houston. Mais je savais que, si Tobey était contrarié, je risquais de perdre mon boulot.

— Merci, répondit-il en souriant comme si on était associés.

— Sérieusement ? Tu t'en vas ? répéta Houston d'un ton plaintif.

— Je suis fatigué, prétendit Tobey, l'air ravi.

Il avait les yeux grands ouverts et je ne le crus pas une seconde, mais il était en droit de partir. Alors qu'il s'arrêtait généralement au bout de quatre heures et demie, il avait joué dix heures. Je savais qu'il ne voulait pas risquer sa victoire, et même si, à mon avis, ce n'était pas bien de se lever immédiatement après ce tour, rien ne l'en empêchait.

Tobey sortit d'un pas dansant, la mine réjouie.

HOUSTON ÉTAIT À COURT DE JETONS, et Rick et Andrew s'amusaient comme des petits fous.

Houston vint me voir.

— Donne-moi 500 K, demanda-t-il.

— Viens par là.

Je lui fis signe de me suivre dans un coin.

Ce n'était pas une décision facile à prendre. Houston avait perdu un million ce soir-là, mais il avait pris des millions à ces hommes au cours des dernières années. Rick et Andrew m'en voudraient si je ne lui faisais pas crédit, puisque les millions de Houston venaient de leurs poches. Le Houston que j'avais appris à connaître était certainement capable de battre ces types et de revenir à zéro, mais je ne faisais pas confiance au Houston de ce soir.

— Houston, arrête. Tu joues mal. Tu es complètement à côté de la plaque. Je ne t'ai jamais vu jouer aussi mal. Tu as parié un demi-million sur une main pourrie !

— Je sais, c'était idiot. J'avais cru voir un *tell*. D'habitude, je ne me trompe pas. J'ai les moyens, Mol ! Je t'ai toujours donné 20 %. Tu sais que j'ai les moyens.

Chaque cellule de mon corps me disait de ne pas le

faire, mais je ne savais pas comment dire non. D'après les livres de comptes, il avait gagné largement assez pour couvrir une dette.

— 500 K et c'est tout, cédai-je.

Après tout, je m'étais fait bien engueuler d'avoir laissé Houston jouer alors qu'il gagnait tout le temps. Je savais qu'il continuerait à venir s'il perdait ; je savais aussi que c'était injuste pour les autres de ne pas leur donner l'occasion de récupérer une partie de l'argent qu'il leur avait pris.

— OK. Je peux y arriver. Franchement, ces mecs ne me font pas peur.

— Très bien. Ne fais pas l'idiot, c'est tout ce que je te demande.

Je sortis avec Houston et lui tendis 500 000 dollars en jetons. J'avais vingt messages d'un Tobey « fatigué » et quelques-uns de Bob Safai, qui était parti vers 2 heures du matin, mais demandait s'il pouvait revenir. Je savais qu'ils sentaient le sang et voulaient participer à la curée.

Rick et Andrew applaudirent quand Houston se rassit.

J'échangeai un regard avec Diego. Tout ça puait.

Il ne fallut pas longtemps à Houston pour perdre son tas. Il n'avait pas changé de façon de jouer et je me rendis compte que, s'il avait eu 10 millions sur la table, il aurait tout perdu.

Il vint me voir, défait, abattu, et me demanda d'autres jetons.

— Pas ce soir, Houston. Rentre chez toi. Rentre voir ta femme.

Il avait complètement manqué son anniversaire. Je le regardai sortir, le cœur serré. J'étais rongée par la culpabilité. J'avais cru pouvoir garder les bons côtés des jeux d'argent et échapper aux aspects sombres, mais j'avais eu tort.

* *
*

AU COURS DES SEMAINES SUIVANTES, Houston me
confia qu'il avait emprunté à Tobey de quoi rembourser
ses dettes, à des conditions effroyables. Il m'expliqua leur
accord : Tobey prendrait 50 % des gains de Houston et
n'assumerait aucune de ses pertes. Aucun joueur de poker
ne peut supporter ça, mais Houston accepta. Il aurait pu
obtenir de bien meilleures conditions. Il y avait plein de
gens qui l'auraient financé avec un meilleur deal… même
dans la rue, il aurait trouvé mieux. Mais je crois qu'il avait
compris, comme moi, que pour ne pas se faire éjecter du
jeu il fallait rester dans les petits papiers de Tobey. Si ce
que Houston m'avait dit était vrai, il était devenu la chose
de Tobey, et ils devaient le savoir tous les deux. Houston
avait l'air stressé en permanence. Il supportait 100 % de
ses pertes et ne réalisait que 50 % de ses gains, et c'était
le seul à la table à rembourser l'achat de sa maison.

— Je vais gagner 10 millions avec le poker cette année !
s'exclama un jour Tobey, sans savoir que Houston m'avait
mise au courant de leur deal.

Pendant quelque temps, Tobey sembla oublier de m'en
vouloir pour mes gains croissants. Il me poussa à organiser
plus de pokers et se comporta à nouveau comme mon
meilleur ami.

Pour l'instant, mon poste était assuré, mais Houston
était en chute libre et j'étais sûre que ça finirait mal.

23

Nous étions à une autre partie de folie et je regardais Guy Laliberté convaincre un autre joueur de se coucher avec une main gagnante. Guy pariait d'énormes sommes et avait un style de jeu agressif et impitoyable. Il avait débuté en se produisant dans des spectacles de rue décousus, gagnant son pain grâce à des tours de passe-passe, jusqu'au jour où il avait eu l'idée de créer un spectacle à thème, devenu sa petite entreprise : le Cirque du Soleil — soit un milliard de dollars de bénéfices par an.

L'autre joueur était un type sympa de la côte Est, qui avait fait fortune grâce à des opérations boursières. Un vrai gentleman, qui n'avait pas l'air à sa place au milieu des bouffonneries de mon poker californien.

Tobey perdait à nouveau, donc évidemment il s'était remis à me dénigrer. Il avait perdu 250 000, n'avait plus que 50 000 et essayait de remonter la pente. Jamie Gold jouait encore une fois comme si c'était le dernier jour de sa vie, et Tobey savait que Jamie représentait sa meilleure chance de s'en sortir.

Jamie et Tobey avaient tout misé et je ne savais pas qui j'espérais voir gagner. Jamie avait presque perdu ses gains du World Series et, une fois que ce serait fait, je ne pourrais plus le laisser jouer. J'aimais bien Jamie, qui était gentil et généreux. Tobey était le plus avare de tous et c'était lui qui gagnait le plus souvent et supportait le moins bien de perdre, mais s'il n'était pas content, je risquais de perdre mon boulot. Je retins mon souffle et regardai Diego retourner les cartes. Tobey l'emporta.

Comme on pouvait s'y attendre, il se leva immédiatement après la main qui l'avait sauvé.

— C'est bon, j'arrête.

Il vint vers moi et posa ses jetons sur mes notes.

— Pfou, tu as eu de la chance que je gagne cette main, dit-il en plissant les yeux et de son ton habituel « je rigole à moitié/je suis à moitié sérieux/devine lequel c'est ».

Je hochai la tête.

— Il faut que tu vires Jamie, tu sais.

— Je sais, répondis-je en comptant les jetons.

Il tenait un jeton de mille dollars dans sa main. Il le fit sauter quelques fois.

— C'est pour toi, déclara-t-il en me le tendant.

— Merci, Tobey, dis-je en ouvrant la main.

Il reprit le jeton au dernier moment.

— Si…, commença-t-il. Si tu fais quelque chose pour gagner ces 1 000 dollars.

Il parlait assez fort pour que certains joueurs lèvent les yeux vers nous.

Je ris en essayant de dissimuler ma nervosité.

— Qu'est-ce que je veux que tu fasses ? réfléchit-il à haute voix.

Toute la table nous regardait.

— Je sais ! Monte sur ce bureau et imite un cri d'otarie.

Je le regardai. Il avait le visage rayonnant, comme si c'était Noël.

— Aboie comme une otarie qui veut un poisson.

Je ris à nouveau, pour gagner du temps, dans l'espoir qu'il se lasserait et partirait.

— Ce n'est pas une blague. Quel est le problème ? Tu

es trop riche, maintenant ? Tu ne veux pas aboyer pour 1 000 dollars ? Waouh… tu dois vraiment être riche.

J'étais écarlate. Il n'y avait pas un bruit.

— Allez, dit-il en tenant le jeton au-dessus de ma tête. ABOIE.

— Non, répondis-je tout bas.

— NON ?

— Tobey, je ne vais pas faire l'otarie. Garde ton jeton.

J'avais les joues brûlantes. Je savais qu'il serait furieux, surtout parce qu'il avait maintenant tout un public, et que je ne rentrais pas dans son petit jeu. J'étais gênée, mais aussi en colère. Et, après tous les accommodements que j'avais consentis pour lui, choquée. Je lui soumettais les moindres détails de chaque partie, je changeais les enjeux pour lui, j'organisais les tournois en fonction de ses préférences, j'avais mémorisé tous les ingrédients de tous les plats vegan de la ville pour lui. Il avait gagné des millions de dollars à ma table et j'avais satisfait tous ses désirs au passage — et maintenant il voulait m'humilier.

Il continua à insister en criant de plus en plus fort. Les autres commençaient à avoir l'air mal à l'aise.

— Non, répétai-je, le poussant mentalement à laisser tomber.

Il me jeta un regard glacial, lâcha le jeton et essaya d'en rire, mais de toute évidence il était furieux.

Après son départ, les autres étaient en effervescence.

— Qu'est-ce que c'était, ce délire ?

— Tellement bizarre.

— Je suis content que t'aies refusé, Molly.

Je savais que ce n'était pas un simple caprice d'enfant. Tobey m'avait mise au défi pour montrer qu'il était le mâle dominant. Il aurait été plus stratégique de me soumettre, mais j'avais aussi besoin de garder le respect des autres joueurs.

*
* *

POUR LA PREMIÈRE FOIS DEPUIS QUE MES POKERS AVAIENT COMMENCÉ, je me rendis compte qu'ils pourraient s'arrêter. Tobey venait probablement de s'en apercevoir aussi. Il avait tout prévu, sauf la crise économique et l'argent que Diego et moi empochions, et nos gains semblaient le ronger.

Il commença à évoquer le sujet encore plus souvent, sans même essayer de cacher son insatisfaction.

— Je pense qu'il faut revoir la structure du jeu, déclara-t-il un soir.

— Comment ça ?

— Eh bien, tu gagnes trop et on met trop longtemps à être payé.

Je levai les sourcils. Dans quel autre univers pouvait-on se pointer, jouer à un jeu, gagner un MILLION DE DOLLARS et recevoir le chèque dans la semaine ? Si mon poker était encore en activité, c'était uniquement parce que j'avais cherché partout de nouvelles recrues et entretenu mon réseau pour que Tobey prenne leur argent. Et, maintenant, il avait le culot de suggérer que je réduise mon propre salaire.

Je lui souris.

— Je vais voir ce que je peux faire, murmurai-je.

— Merci.

C'ÉTAIT LA FIN DE L'ÉTÉ et Hillary et Obama se disputaient l'investiture démocrate. J'avais envie que Hillary gagne, mais je n'y croyais pas. Tobey était un partisan farouche et passionné d'Obama et avait parié pas mal d'argent sur son candidat. Ces hommes adoraient les à-côtés. Je les avais même vus parier une somme non négligeable sur Kobayashi, le mangeur de hot-dogs japonais. Ça me donna une idée.

— Je parie sur Hillary, déclarai-je un soir, pendant une partie.

J'étais à peu près sûre que Hillary allait perdre, mais je me disais que, si je laissais Tobey me battre, je pourrais reprendre l'avantage. Je savais qu'il avait du pouvoir. C'était une star hollywoodienne qui savait tirer parti de sa célébrité et, étant donné qu'il ne jouait que dans les films de réalisateurs qui acceptaient ses exigences démesurées, il avait beaucoup de temps à perdre. Et une personnalité très obsessionnelle. C'était la dernière personne au monde à qui j'avais envie de lancer un défi.

Si je laissais Tobey me battre, j'espérais qu'il supporterait mieux mes pourboires. Surtout si c'était une « défaite » publique.

Tobey leva la tête, les yeux brillants.

— Vraaaaiment ? Combien ?

— Je suis sûre que Hillary va gagner, mentis-je.

— Donc tu es confiante ?

— Très.

J'avais appris à bluffer auprès des meilleurs (ou des pires, selon le point de vue).

— On n'a qu'à parier 10 000, alors.

— D'accord, acceptai-je, imperturbable.

Diego me regardait comme si j'étais folle.

— Qu'est-ce que tu fiches ? dit-il à mi-voix.

Je sauve nos emplois, pensai-je, en faisant un grand sourire comme si j'avais l'avantage tout en réprimant mon malaise de parier 10 000 dollars sur une cause perdue.

— Tu vas vraiment prendre son argent ? demanda Bob en regardant Tobey d'un air écœuré.

— Tu peux parier là-dessus ! s'exclama Tobey.

DREW ET MOI AVIONS PRÉVU DES VACANCES à Aspen pour le Nouvel An. Je fus distraite pendant tout le séjour par les actualités qui jetaient une ombre menaçante sur ma bonne fortune. Les gens ne parlaient plus que de l'économie qui battait de l'aile. J'essayais de faire la sourde oreille, mais c'était difficile d'échapper aux discours pessimistes.

Entre la désillusion de Tobey et la menace d'une crise économique, je n'arrivais pas à dissiper mon malaise. Ce jour-là, je me versai un verre de scotch et tentai de me détendre.

— Parle-nous de ton poker, Molly. Qui gagne le plus ?

Je détournai les yeux de l'horizon, regardai le type qui m'avait posé la question, un certain Paul, et lui souris. Ce n'était plus un secret que j'organisais le plus gros poker de la ville, et même si je restais discrète sur les aspects importants, ces derniers temps je m'étais mise à faire mon show quand l'occasion s'en présentait.

Je m'habillais comme une femme et ressemblais à une femme, mais je parlais couramment le langage des hommes. Ils étaient intrigués par mes activités, mon train de vie et le groupe de filles que j'employais. Je conduisais une Bentley, payais ma part quand on prenait un jet privé et offrais des tournées en boîte. J'avais engagé une assistante pour s'occuper de mes corvées, ainsi qu'un chef cuisinier, et je ne m'occupais plus des menus détails et des tâches ménagères. Ni de mes amis les plus proches. Ça faisait une éternité que je n'avais pas parlé à Blair, ni à personne d'autre de ma vie passée. Je ne les appelais jamais et, un par un, ils avaient arrêté de me contacter. Ma famille savait que j'organisais des pokers et que je gagnais (et dépensais) beaucoup d'argent, mais j'essayais d'éviter le sujet autant que possible. Ils condamnaient mes choix. J'avais décidé que je n'avais pas besoin de leur approbation.

Certaines filles ont des étoiles et des cœurs plein les yeux. Moi, c'étaient des dollars. Je gérais l'argent et le recrutement des nouveaux joueurs. J'étais perpétuellement à l'affût de nouveaux deals, de nouvelles opportunités. J'étais les forces vives de mon poker et vice versa. Et, en raison de mon rôle de plus en plus important, j'avais récemment diminué la part de Diego de 50 à 25 %. Après tout, c'était moi qui prenais tous les risques en faisant la banque, qui trouvais les joueurs et veillais à leur satisfaction. Diego n'était qu'un croupier qui se pointait, faisait son boulot et s'en allait. Pour moi, c'était vingt-quatre heures sur vingt-quatre, sept jours sur sept. Malgré tout, j'étais rongée par la culpabilité.

Naturellement, Diego l'avait pris assez mal.

— La seule chose qui puisse tout gâcher, c'est l'appât du gain, déclara-t-il, tout en acceptant son sort.

Ses mots résonnèrent dans ma tête, et mon sentiment de culpabilité se renforça.

Grandis, Molly, me dis-je. *Tu n'es plus au lycée, ce n'est pas un concours de popularité. C'est ça, d'être une femme d'affaires. C'est juste du business.* Une expression très utile pour justifier de sacrifier la compassion à la cupidité. Je l'avais beaucoup employée ces derniers temps.

Mais, en mon for intérieur, j'avais l'impression de perdre mon âme.

Je descendis un autre verre de scotch. Je n'avais pas la tête à l'introspection, je ne voulais pas penser à qui j'étais ni à ce que j'étais devenue. Je voulais profiter de la vie que j'avais fait tant d'efforts pour construire.

Tout le monde but et je régalai mon public captif avec des anecdotes de poker. Du coin de l'œil, je vis que Drew désapprouvait que je me donne en spectacle, mais je fis comme si je n'avais rien remarqué.

IL ÉTAIT DÉSORMAIS IMPOSSIBLE de séparer ma vie privée et le poker. Je dormais avec mes deux BlackBerry posés sur ma poitrine ; un pour le poker et l'autre pour tout le reste. Souvent, je sortais du lit de Drew au milieu de la nuit pour gérer un problème ou aller recouvrer une dette. Les joueurs avaient la priorité. Mon couple en souffrait… mais, si un joueur appelle à 4 heures du matin pour dire qu'il a du cash ou un chèque, il faut se lever et y aller, parce qu'à 4 h 15 l'argent pourrait s'être évaporé. C'était comme ça.

Qu'elles me semblaient lointaines, les soirées où Drew et moi partagions une bouteille de vin, restions au petit restaurant italien jusqu'à la fermeture, et ne tombions jamais à court de sujets de conversation ou de plaisanteries. Lui aussi avait des problèmes qui le stressaient ; même s'il ne m'en parlait jamais, je percevais un changement. Il semblait malheureux, insatisfait. Je sentis une distance s'installer entre nous.

Quand nous avions enfin fini notre travail de la semaine, au lieu de profiter d'être ensemble ou de nous accorder un repos bien mérité, nous retrouvions des amis pour dîner dans des restaurants à la mode avant de sortir en boîte, où nous nous perdions tous les deux dans les décibels et les torrents d'alcool. Ma vie tournait désormais autour de mes affaires et des fêtes. Drew se mit à sortir davantage sans moi, surtout les soirs où je travaillais. Puis il commença à prévoir des « vacances entre mecs ». Je savais ce qui se passait pendant ces vacances. Je passais ma vie dans des salles de poker et j'avais appris des choses qu'aucune femme n'a envie de savoir. Je lui faisais confiance, mais je regrettais l'époque où il avait envie que je l'accompagne.

C'était la première semaine de juin, et Drew et moi avions prévu de passer à nouveau l'été dans sa maison au bord de la mer à Malibu. J'espérais retrouver notre complicité passée.

Il était sorti la veille. Nous étions censés aller dîner avec ses parents ce soir-là. Il était en retard et je me sentais de plus en plus nerveuse. J'allai faire une longue promenade sur la plage ; le soleil se couchait et le paysage était magnifique. À mon retour, Drew n'était toujours pas là.

Je commençais à m'inquiéter, mais je tombais directement sur sa messagerie à chaque fois que j'appelais.

Juste à ce moment-là, je reçus un appel d'un numéro inconnu.

— Mollll, bredouilla Drew.

— Où es-tu ?

Il répondit quelque chose de pas clair. J'entendais des rires à l'arrière-plan.

— Je vais rester en ville, cria-t-il par-dessus le brouhaha. Viens.

Nous savions tous les deux qu'il ne le pensait pas.

— C'est beau ici, tentai-je, même si je savais que c'était un combat perdu d'avance. Et on doit dîner avec ta famille. Tu veux que je passe te chercher ?

J'entendis un mouvement et il raccrocha.

Des larmes de frustration me montèrent aux yeux. Mais l'irritation se transforma vite en douleur, parce que, même si je ne voulais pas l'admettre, je savais depuis un moment que mon couple était fini. Je ne pouvais plus faire semblant. Les deux dernières années et demie défilèrent devant mes yeux. Drew était mon premier amour. Je repensai au début, quand notre amour était simple et innocent. Quand je pensais que c'était peut-être l'homme de ma vie.

Je sortis sur la plage et je m'assis au bord de l'eau. Je savais ce que j'avais à faire. C'était ce dont nous avions besoin tous les deux. Il avait envie d'être célibataire pour profiter de sa jeunesse, et mon boulot ne me permettait pas vraiment d'être en couple. J'enlaçai mes genoux et luttai contre une vague de panique à l'idée de le perdre pour toujours. Je n'arrivais pas à imaginer ma vie sans lui.

Drew était plus que mon copain — il était devenu mon meilleur ami et ma famille.

DREW RENTRA ENFIN À LA MAISON le lendemain en fin d'après-midi, alors que je prenais le soleil sur la plage. Je ne lui demandai même pas où il était passé. Je ravalai mes sanglots.

Il commença à s'excuser.

Je lui pris la main.

— Ne t'inquiète pas, ça ne marche plus, c'est tout. Tu as besoin de vivre ta jeunesse et il faut que je me concentre sur mon boulot.

Drew tourna la tête et, pendant un instant, je crus voir les larmes lui monter aux yeux. Il me prit dans ses bras et je pleurai contre son torse. Il me serra contre lui, mais je savais qu'il était d'accord. On resta assis comme ça un long moment.

Je mis mes mains devant mes yeux et je sanglotai. Je ne savais pas comment partir ; j'avais l'impression qu'à la seconde où je passerais la porte plus rien ne serait jamais pareil. Je ne l'embrasserais plus jamais, je ne me réveillerais plus jamais à ses côtés. Après tout ce que nous avions partagé, notre vie ensemble allait simplement prendre fin.

Je rentrai faire ma valise, secouée par les sanglots, le suppliant silencieusement de m'arrêter, de me demander de rester. Mais il se contenta d'attendre dans le salon.

Je m'arrêtai devant lui avec ma valise et, à son regard et à sa posture, je vis qu'il était déjà loin. Il ne se leva même pas pour me dire au revoir.

— Je t'aime, je t'aimerai toujours, dis-je en m'étranglant.

Et je sortis de sa vie.

Chez moi, dans mon appartement vide et silencieux, je me mis au lit et serrai Lucy contre moi. On était samedi soir et tous mes amis étaient sortis. Ça faisait tellement longtemps que je n'avais pas été seule chez moi un week-end.

Pour diriger mon poker, j'avais appris à être forte, courageuse, et à refouler mes émotions. J'avais appris à analyser les joueurs et à appliquer ma propre stratégie.

Mais cette nuit-là j'avais perdu mon armure ; je n'étais qu'une fille seule dans une grande ville, le cœur brisé.

Quitter Drew fut la décision la plus mature et la plus difficile de ma vie d'adulte. Il n'y eut pas d'histoires, pas de drame, rien pour m'aider à tourner la page. Il était simplement temps de se séparer.

24

Je me réfugiai dans le travail. Plus rien d'autre que mon poker n'avait d'importance, mais je sentais une ombre planer. Diego n'était plus mon allié. Tobey semblait obsédé par l'argent que je gagnais. L'économie échappait officiellement à tout contrôle, et je savais que ceux de mes joueurs dont les revenus provenaient de Wall Street ou de l'immobilier étaient affectés.

La tension monta jusqu'à ce que je reçoive un coup de téléphone du bureau d'Arthur. C'était son assistante.

— Salut, Molly, c'est Virginia. Arthur voudrait savoir si ça te dérange que la partie ait lieu chez lui ce mardi.

Ce n'était pas vraiment une question.

— Bien sûr, pas de problème, à quelle heure est-ce que je dois venir pour tout installer ?

— Oh non, ne t'inquiète pas. Arthur a dit que tu n'avais pas besoin de travailler. Il te payera, c'est tout.

Un silence embarrassé suivit.

— Ce sera comme des congés payés, affirma-t-elle avec un rire gêné.

— D'accord, répondis-je d'un ton joyeux pour dissimuler ce que je ressentais vraiment : un frisson de pure panique.

C'était une très, très mauvaise nouvelle. Peut-être qu'Arthur était sincère et qu'il voulait simplement recevoir les autres chez lui pour une fois. Il venait de finir la construction d'un palace qui lui avait coûté 85 millions, peut-être qu'il voulait simplement frimer. J'avais organisé de nombreuses parties chez des particuliers. Mais il ne voulait pas que je sois là, et ça, c'était très mauvais signe. Il comptait utiliser mes employés, mes feuilles de comptes, ma table, mon mélangeur automatique et mon croupier.

C'était mon poker, sans moi.

LE MARDI SOIR, je sortis avec des copines, mais chaque seconde était une torture. Mon poker était en train de se jouer, et je n'étais pas là. Inutile d'essayer de m'amuser : je n'avais pas la tête à ça, si bien que je rentrai chez moi et attendis la sentence.

Enfin, à 2 heures du matin, mon téléphone sonna. C'était Tobey.

— Tu es foutue, annonça-t-il avec jubilation.

— Qu'est-ce que ça veut dire, exactement ? demandai-je en essayant de ravaler mes larmes.

— Arthur veut organiser les pokers chez lui à partir de maintenant, expliqua-t-il d'une voix un peu radoucie en entendant mon émotion.

De toute évidence, j'étais exclue.

— Toutes les semaines ? demandai-je pour évaluer l'étendue des dégâts.

— Ouais.

Je gardai le silence un instant, essayant de ravaler la boule dans ma gorge et de ne pas pleurer.

— Merci de m'avoir prévenue.

Je tentai d'avoir l'air nonchalante, mais les mots s'étranglèrent dans ma gorge et les larmes jaillissaient de plus en plus vite.

— Je vais essayer de lui parler, promit-il, l'air gêné.

— Merci, répondis-je en reniflant, voulant y croire.

— Je suis désolé, ajouta-t-il, comme s'il venait soudain de se rendre compte que j'étais un être humain ressentant des émotions.

Je raccrochai et je me forçai à me concentrer sur la recherche d'une solution. J'allais appeler Arthur et prendre rendez-vous. Je lui expliquerais toute la situation. Ç'avait l'air d'être un type raisonnable, on devait pouvoir trouver un compromis. J'essayai de dormir, mais mon cerveau était en ébullition.

J'affronterais le problème franchement, me dis-je, et j'en appellerais à sa compassion. Je lui expliquerais ce que ces pokers signifiaient pour moi, tout ce que j'avais risqué et sacrifié, et la quantité de travail que j'abattais régulièrement en coulisses. C'était un homme d'affaires, un self-made-man, un entrepreneur, il comprendrait sûrement.

Sa secrétaire répondit à mon appel. Elle nota mon nom et, quand elle me reprit, son ton était glacial.

J'attendis toute la journée et Arthur ne rappela pas. Je lui envoyai un e-mail, pas de réponse. J'écrivis à son assistante, rien.

Pendant ce temps, une bonne partie des joueurs m'appelèrent pour s'excuser et se justifier.

— Mol, si Arthur n'était pas un énorme *fish*…

— Je veux dire, il va *donner* 20 millions cette année.

— Quel abruti.

J'avais beau faire très bien mon boulot, le poker est un jeu d'argent et je ne faisais pas le poids face à un type qui perdait des millions à la table.

La partie eut lieu chez Arthur cette semaine-là, ainsi que la suivante, et un mois s'écoula de cette façon. Tous les mardis j'envoyais mon message d'invitation, et tous les mardis j'essuyais des refus désolés. Je luttais contre le désir de rester au lit toute la journée à pleurer. Il me fallait un plan. Je ne pouvais pas attendre passivement que la marée tourne — je devais la faire tourner moi-même. Plusieurs possibilités s'offraient à moi.

Je pouvais débarquer chez Arthur et le supplier de me donner un boulot dans le cadre des nouvelles parties. J'avais entendu que son comptable tenait les comptes et que le dernier top model ou la dernière actrice qu'il draguait servait les boissons. Tout ça me donnait la nausée.

Je pouvais aussi essayer de créer un nouveau poker à L.A. Ou je pouvais aller ailleurs.

L.A. était peuplé de fantômes. Drew, le poker, les amis que j'avais échangés contre ma nouvelle vie. Mais, en partant, je ne me contenterais pas de renoncer à des pokers : ces parties avaient été mon identité, la preuve que j'excellais dans un domaine. J'avais construit mon avenir autour de Reardon, de Drew et des Dodgers de Los Angeles ; maintenant, même les fondations s'écroulaient sur elles-mêmes. Parfois, un conte de fées à la noix sur des cochons qui construisent des maisons est plus intemporel qu'un monde tangible, vivant, ardent, qui semblait éternel et indestructible.

L'UNE DES PIRES ERREURS que puisse faire un joueur de poker est de ne pas savoir quand se coucher. J'avais passé des milliers d'heures à regarder des joueurs s'acharner et s'attarder les soirs où ils avaient tellement la poisse qu'ils ne pouvaient pas gagner une seule main. Je savais que la plupart des principes du poker s'appliquaient à la vraie vie et, même si ça me crevait le cœur, il était temps d'abandonner.

Je me lamentai pendant un soir ou deux, puis je me mis en colère — et la rage est plus satisfaisante, plus puissante que la tristesse. Je voyais Los Angeles clairement, à présent… c'était le genre de villes où on venait prouver sa valeur, focalisé sur la recherche de son propre génie. Soit on grimpait au sommet avant de lutter pour ne pas chuter, en se méfiant de son entourage tout en acceptant ses flatteries, soit on se laissait dévorer et recracher par les vainqueurs, qui se nourrissaient de la faiblesse des autres. Cette ville n'était pas faite pour la durée. Chaque flamme, si puissante soit-elle, était destinée à s'éteindre pour laisser place à un nouveau talent. Je n'allais pas me laisser faire.

Depuis mon week-end avec les McCourt, je rêvais de New York. Il était temps d'y aller.

CINQUIÈME PARTIE

Un jeton et un siège

New York, 2009-mai 2010

Un jeton et un siège (groupe nominal) :

Expression signifiant que, tant qu'on a ne serait-ce qu'un jeton et un siège à une table d'un tournoi de poker, on peut toujours gagner.

25

J e choisis donc New York. Je pensai à l'importance de cette ville. À son poker mythique, cinq fois plus gros que le mien. Ma seule chance d'infiltrer ce milieu était Kenneth Redding, le magnat de Wall Street qui avait envoyé même Tobey au tapis à la table de jeu. J'avais fait attention à récolter rapidement son million et demi et à le lui transférer avant même que son G-5 ait décollé. Plus tard, quand il avait raflé un million de plus, je l'avais payé rapidement — même si j'avais dû en avancer une partie personnellement.

Je décrochai mon téléphone et je l'appelai. Il répondit tout de suite.

— Mollyyyyy, roucoula-t-il. Comment tu vas ? T'es avec tes copines, en train de courir sur une plage en bikini ?

Berk.

— Évidemment. En fait, on est à la piscine et on parlait de toi.

— De moi ? J'adore. Alors, qu'est-ce que je peux faire pour toi ?

— On commence à en avoir marre de L.A., Kenneth. On a besoin d'un changement de décor.

J'ALLAI À NEW YORK pour tâter le terrain, accompagnée de Tiffany, le top model dont j'avais fait la connaissance pendant mes vacances à Las Vegas avec Drew, désormais l'une de mes amies les plus proches. C'était une vraie dure à cuire — mais tellement belle que personne ne pouvait le soupçonner.

D'après Kenneth, le gros poker de New York n'avait pas lieu très souvent parce qu'il était trop compliqué à organiser. Quand je suggérai d'endosser le « fardeau » de l'organisation, il me répondit que personnellement il serait ravi, mais que les autres joueurs risquaient de refuser. Je lui demandai si je pouvais venir à une partie et les rencontrer pour essayer de les convaincre. Kenneth accepta.

Je décidai de descendre à nouveau au Four Seasons. Bien sûr, quand je franchis les portes de l'hôtel, je fus submergée par les souvenirs de Drew. Je me souvenais d'avoir contemplé les gratte-ciel de Manhattan, amoureuse pour la première fois de ma vie. Pour me distraire, j'allai explorer la ville avec Tiffany, testant les boîtes, les restaurants et les bars les plus en vue. En apparence, nous n'étions que des filles aimant faire la fête, mais en réalité nous étions à l'affût de contacts, d'informations et de réseaux à exploiter.

Tout le monde adorait l'idée d'un poker « organisé par deux bombes », et en deux jours à peine on avait rassemblé assez de noms pour commencer.

La partie devait avoir lieu pendant ma dernière soirée à New York, et j'y allai seule. Cette fois, je m'habillai en P-DG plutôt qu'en clubbeuse. Je mis un blazer par-dessus ma robe noire, et mes lunettes, espérant qu'elles me vieilliraient et me donneraient l'air d'une intello branchée. Je voulais être prise au sérieux.

Je restai un moment dans le taxi après être arrivée devant l'hôtel particulier sur Park Avenue où habitait l'une des plus grosses pointures de Wall Street et où avait lieu la partie. Je savais que ce serait intimidant. J'allais rencontrer des piliers du monde de la finance, qui jouaient des sommes légendaires depuis quinze ans. Mes clients de L.A. avaient réalisé ou interprété des films, mais c'étaient ces hommes-là qui avaient signé les chèques, et quand ils prenaient une décision, tout le marché financier suivait.

UN EMPLOYÉ VÊTU D'UN COSTUME IMPECCABLE me fit traverser un hall magnifique et emprunter un petit escalier de service qui menait à un minuscule sous-sol inachevé. Ce n'était pas du tout ce à quoi je m'étais attendue. Ces hommes comptaient parmi les plus grosses fortunes mondiales, et ils jouaient le poker avec les plus gros enjeux dont j'avais jamais entendu parler ; c'étaient des gentlemen distingués en costumes sur mesure. Pourtant, ils jouaient sur une table de fortune avec des jetons bon marché et des chaises dépareillées.

Kenneth me présenta les joueurs. Il m'avait déjà briefée. Ils me saluèrent poliment, mais d'un air distant, et je m'installai dans un coin pour les observer.

Je savais déjà beaucoup de choses sur Kenneth. C'était l'un des hommes les plus influents de Wall Street, qui avait connu une réussite sans précédent et mis en place un réseau inouï. Il m'avait appelée un soir pour me demander une réservation pour trois : lui, Steve Jobs et Bill Gates. Malgré tout, il voulait impressionner les autres joueurs et faire en sorte que les pokers se déroulent sans accroc. Il savait que j'y veillerais.

Easton Brandt, notre hôte, était un self-made-man qui possédait un énorme fonds spéculatif dont les actifs valaient des milliards. Il était assis à côté de Keith Finkle, qui avait acquis une réputation de légende à l'époque où on bâtissait et brisait des carrières dans les salles de marché. Keith avait gagné des sommes invraisemblables et, grâce à ses talents de négociateur, créé son propre fonds et fait de nombreux investissements dans l'immobilier. Helly

Nahmad était assis à sa gauche. Ce célèbre play-boy sortait avec des top models et faisait partie de la bande de Leonardo DiCaprio. La famille de Helly possédait la plus importante collection au monde d'art classique, estimée à au moins trois milliards.

La cinquième chaise était occupée par Illya. D'après la rumeur, le père d'Illya, Vadim, gérait les paris de ses amis oligarques en Russie, ce qui faisait de lui le premier book-maker au monde. Le fils prodigue, Illya, avait débarqué à New York quelques années auparavant avec un million en cash dans un sac à dos en prétendant que sa famille avait fait fortune dans l'acier. Après avoir tout perdu au poker, il était reparti avec des enjeux plus modestes, avait rempli son compte en banque et, au bout de quelques mois, s'était imposé comme le maître du jeu. Près de lui, Igor, un petit Russe passionné que Vadim finançait, d'après ce qu'on disait. Et, enfin, les jumeaux. Ces deux frères qui se ressemblaient comme deux gouttes d'eau passaient leur temps à se harceler mutuellement, et ce n'était pas bon enfant. Quand l'un d'eux perdait un gros pot ou avait une mauvaise main, l'autre semblait sincèrement ravi.

J'observais tranquillement dans mon coin. Kenneth disputait une main de 4 millions avec Illya. J'additionnai silencieusement les enjeux dans ma tête.

Mon Dieu.

Je regardai si quelqu'un s'occupait de la partie. Il y avait un gentleman anglais âgé qui semblait être maître d'hôtel, un vieux monsieur aux cheveux blancs qui distribuait les cartes, et un gamin aux yeux sombres d'une vingtaine d'années à peine, vêtu d'un pantalon trop bas et d'une casquette enfoncée sur le front. Il avait l'air très concentré et semblait responsable des nouvelles caves.

Je retins mon souffle quand le croupier révéla la *river*, la dernière carte. Kenneth perdit. Je m'attendais à ce qu'il explose, veuille virer le croupier ou me bannisse à vie ; dans mes pokers de L.A., j'étais habituée à ce genre de scènes. Au lieu de quoi il poussa ses jetons vers Illya d'un air nonchalant, interrompant à peine sa conversation avec Easton Brandt.

Je le fixai, incrédule. Ici, on se comportait en gentleman et, au moins en surface, les hommes civilisés à cette table semblaient sereins devant la crise économique qui faisait perdre la tête au reste du monde.

Après avoir suffisamment observé, j'allai retrouver Tiffany, qui buvait un verre avec quelques-uns des joueurs potentiels que nous avions rencontrés pendant la semaine.

Mon cerveau était en ébullition. J'avais assisté au plus gros poker privé du monde. Ça faisait quinze ans que des rumeurs sur ces parties secrètes couraient dans le monde de la finance, et je savais désormais à quoi m'en tenir : ce poker avait peut-être la réputation d'une société secrète d'université de l'Ivy League, à la Skull & Bones, mais l'ambiance m'évoquait plutôt une soirée jeux entre étudiants, même si les jetons représentaient des millions. Je savais que je pouvais impressionner ces hommes avec mon sens de l'esthétique et du service, mais si j'avais retenu une chose de ma vie à L.A., c'était que les gains comptaient plus que le décor. Il fallait que j'apporte une vraie valeur ajoutée : de nouveaux joueurs faciles à plumer, des gens intéressants ou difficiles d'accès, comme des célébrités ou des sportifs professionnels. En ajoutant à cela des comptes rigoureux, des recouvrements de dettes et paiements des gains en temps record, des jolies filles et un cadre agréable, j'obtenais une formule qui pouvait marcher.

26

Kenneth m'appela le lendemain pour m'annoncer que les autres avaient accepté de me laisser une chance.

C'était tout ce dont j'avais besoin.

— Amène bien les filles — oh, et débarrasse-toi d'Eugene. C'est le frère d'Illya, mais on n'a pas besoin de lui, déclara Kenneth d'un ton pincé.

— OK.

Je me sentis un peu coupable pour Eugene, le gamin avec la casquette enfoncée qui s'occupait des caves. Ç'avait l'air d'être un type sympa, perdu dans l'ombre de son grand frère et voulant juste faire partie de son monde.

Mais, si c'était ce que voulaient Kenneth et ses amis, je m'en occuperais.

Et puis, j'avais d'autres soucis. J'allais organiser ma première partie à New York. C'était ma seule et unique chance de faire mes preuves. Je rentrai à Los Angeles pour tout préparer.

D'abord, je demandai au gérant du Four Seasons de L.A. d'appeler son confrère new-yorkais pour qu'il prépare la plus belle chambre dont il disposait. Puis je pris contact avec les assistantes de chacun des joueurs pour savoir quels aliments, boissons et cigares prévoir. Ensuite, je me mis en quête de filles à engager et, surtout, d'au moins deux nouveaux joueurs : célébrités ou *fish* ayant le goût du risque.

Par miracle, je parvins à tout mettre en place. J'invitai Guy Laliberté, qui accepta volontiers. Il aimait tellement le poker qu'il restait gai même quand il perdait. Je conviai également A-Rod. Rien de tel qu'un sportif de légende pour transformer un groupe d'hommes d'affaires coriaces en fillettes aux yeux brillants.

APRÈS AVOIR ATTERRI À JFK, j'allai directement à l'hôtel avec les filles.

Tout le monde s'extasia devant la suite de quatre cents mètres carrés, époustouflante. Les baies vitrées qui couraient du sol au plafond offraient une vue à trois cent soixante degrés sur Manhattan. Les pièces étaient plus impressionnantes les unes que les autres. Un piano demi-queue élégant trônait au milieu du salon et des lustres étincelaient au plafond de six mètres de haut.

J'avais à peine posé mes sacs que mon téléphone sonna. C'était un professionnel local que j'avais rencontré à L.A. Il avait tenu à venir se présenter plusieurs fois, rêvant de participer à mes parties. Je n'aurais jamais accepté et l'avais toujours éconduit poliment.

— Salut, répondis-je.

— Tu ne vas pas pouvoir organiser de pokers à New York, me dit-il, devinant mes intentions. Tu devrais rentrer chez toi. New York, ce n'est pas pareil.

Était-ce une menace ? Ce n'était sûrement pas un conseil d'ami. Je décidai d'ignorer l'avertissement implicite puisque, pour autant que je pouvais en juger, ce type n'était qu'un opportuniste inoffensif.

— C'est Eddie qui commande, ici, ajouta-t-il.

Je connaissais Eddie Ting de réputation. Il avait grandi dans le milieu du poker clandestin et débuté en jouant à des tables à un ou deux dollars avant d'économiser suffisamment, grâce à son talent, pour lancer ses propres parties. Je le voyais comme un homme d'affaires rusé qui ne pensait qu'au profit et tuerait père et mère pour réussir. Eddie avait dirigé quelques clubs de poker clandestins à tables multiples à l'époque où ils étaient très rentables et pullulaient. Il avait fini par devenir le roi du poker new-yorkais.

Quelques années après le lancement de mes parties à L.A., Eddie avait entendu parler des enjeux et de mes gains et voulu m'évincer. Il avait loué un appartement et tenté de s'introduire dans le milieu. Il avait échoué et, d'après ce qu'on m'avait dit, était rentré à New York, la queue entre les jambes. Clairement, Eddie n'était pas ravi de mon arrivée et, d'après Illya, il était furieux que j'aie l'occasion de reprendre le poker mythique qu'il essayait d'infiltrer depuis des années.

— Merci du conseil. J'espère que tu vas bien, répondis-je avant de raccrocher.

Je me promis de contacter Eddie et d'essayer de l'apaiser. Un ennemi était la dernière chose dont j'avais besoin.

Je mis un soin tout particulier à me préparer pour la partie, et les filles aussi. Nous étions conscientes de passer un entretien. Eugene arriva peu avant le début.

— Waouh, jolie chambre, lâcha-t-il d'un ton appréciateur en désignant la vue.

Il portait un jogging ample et un sweat qui disait Fuck you, pay me, et dégageait une forte odeur d'herbe et de tabac. Je ne savais pas s'il ignorait qu'il aurait dû faire un effort pour être présentable, ou s'il s'en fichait.

Je le saluai, puis je lui annonçai que je gérerais les jetons pendant la partie.

Il me jeta un regard noir.

— Je peux quand même regarder ? demanda-t-il d'un ton plat, sans flatteries ni admiration.

Je fronçai les sourcils. Je voulais que tout soit parfait et je savais déjà que sa présence irritait mon joueur clé, Kenneth.

— J'imagine. Mais ne te mets pas derrière les joueurs. Ça les distrait.

Il me fusilla du regard, mais hocha la tête.

Quand le premier joueur arriva, nous étions prêtes, avec la chambre d'hôtel la plus luxueuse de New York à l'arrière-plan. J'avais acheté une table neuve haut de gamme en feutre vert immaculé, avec un cadre en acajou et des emplacements sur mesure pour les verres, ainsi que, bien sûr, un trou pour le mélangeur automatique. Les joueurs défilèrent un par un. Ces hommes prenaient toujours le luxe pour acquis, sauf quand c'était à eux de s'organiser, pendant leurs parties de poker hebdomadaires. Les filles firent leur grand numéro de charme. Elles riaient aux blagues, s'extasiaient devant les anecdotes, et répondaient à tous les besoins, parfois avant même que les joueurs aient l'idée de demander. Il ne faut jamais sous-estimer le pouvoir qu'on détient sur un homme quand on le fait se sentir extraordinaire. J'avais donc fait des recherches et mémorisé les plus grandes réussites de chaque joueur, et au cours de la soirée je mis un point d'honneur à les mentionner.

Ils adoraient la table. Les jetons sur mesure dans un alliage qui faisait pile le bon poids. Ils savouraient les petits soins qu'on leur prodiguait. La pièce était en ébullition, à mille lieues de la première partie à laquelle j'avais assisté chez Easton Brandt. On aurait dit que rien ne pouvait aller de travers.

Guy arriva, charismatique comme toujours, régalant les autres avec son histoire d'ascension sociale fulgurante, et ils décidèrent de commencer.

La partie débuta agressivement : Kenneth misa tout à

la première main, et Bernie (une recrue récente), Igor et Illya suivirent. Je retins mon souffle et regardai le show.

La première main de la soirée se montait à un million de dollars.

Pendant ce temps, quelqu'un me demanda d'allumer la télé parce que Bush faisait un discours sur la crise économique. On était en septembre 2008 et, tout en redonnant 250 000 dollars chacun à Igor, Bernie et Kenneth, j'étais sensible à l'ironie de cette allocution à l'arrière-plan du plus gros poker que j'aie jamais organisé.

BERNIE ME DEMANDA s'il pouvait se recaver pour 50 000 dollars. J'avais cru comprendre que la cave minimale était de 250 000 dollars, donc je demandai si quelqu'un avait une objection. Comme toujours quand je laissais la table décider au lieu de trancher moi-même, un débat passionné et houleux suivit. A-Rod arriva au milieu de la dispute, et les joueurs devinrent tout sucre tout miel, oubliant presque instantanément leurs chamailleries minables. Je donnai ses jetons à Bernie et m'occupai d'A-Rod, qui avait décidé de rester un peu en retrait pour observer.

— Quelle partie ! s'exclama-t-il en regardant les piles de jetons.

Le dîner venait d'arriver et il fallait que je surveille le jeu. Je hochai la tête et acquiesçai :

— C'est assez dingue.

Heureusement, ma copine Katherine venait d'arriver, avec son accent du Sud et son mètre quatre-vingts moulé dans une combinaison en cuir. Les hommes étaient hypnotisés. Elle prit le relais auprès d'A-Rod et je retournai à la table.

Eugene me tapota l'épaule.

— Yo, dit-il, nonchalant. Tu n'as pas noté les 50 000 pour Bernie.

Je lui jetai un regard irrité et répondis, indignée :

— Mais si.

Il se roulait un joint et ne me regardait même pas.

— Nan, je t'assure.

Je me renfrognai.

— Ce n'est pas la première fois que j'organise un poker.

Il soutint mon regard furieux de ses grands yeux noirs en amande, l'air assuré.

— Comme tu veux.

Je pris la feuille et, d'un geste théâtral, je lui montrai la case près du nom de Bernie.

Elle était vide.

J'ouvris de grands yeux.

Eugene avait raison. Il savait très bien que si je réussissais ce soir il perdrait son travail, et le seul soir de la semaine où il pouvait parler à son frère distant.

— Merci, dis-je. C'était vraiment gentil.

Je passai le reste de la partie clouée à la table. Vers la fin, je pris le bras d'Eugene.

— Laisse-moi te payer le petit déjeuner, proposai-je. Je te dois bien ça.

Il haussa les épaules et sortit fumer son joint bien roulé.

— Le Parker Meridien sert le meilleur petit déj' de la ville, déclara-t-il à son retour.

— Où tu voudras.

JE GAGNAI 50 000 DOLLARS CETTE NUIT-LÀ, ce qui résoudrait un bon nombre de mes problèmes, mais surtout ça s'était très bien passé. Tout le monde avait l'air ravi.

J'étais la première surprise d'avoir réussi. Quand je sortis de l'hôtel, le soleil se levait. La ville dormait toujours. Je hélai un taxi et allai rejoindre Eugene au Parker Meridien, rayonnante. J'étais toujours aussi époustouflée par son honnêteté ; sans son aide, ma nuit aurait pris un tour radicalement différent.

Je commandai un café et il arriva quelques minutes après.

— Je voulais juste te remercier une fois de plus, commençai-je.

— Tu comptes me virer après m'avoir remercié ? demanda-t-il avec un sourire.

— Non, tu peux t'occuper des jetons aussi longtemps que tu voudras. Tu seras toujours le bienvenu à mes pokers.

On resta deux heures au restaurant. Sous sa façade punk, Eugene était plein d'esprit, intelligent et intéressant. On parla de nos familles, rapprochés par le fait d'avoir tous deux grandi dans l'ombre d'un frère. Non content d'être un génie du poker, ce qui était la qualité la plus appréciée dans sa famille, Illya était également un joueur de tennis de haut niveau.

Eugene me raconta une histoire qui me brisa le cœur et me montra sa place dans la hiérarchie familiale. L'été précédent, il avait rendu visite à son frère dans les Hamptons avec son nouveau chaton. Eugene et son animal avaient tous deux été piqués par une tique porteuse de la maladie de Lyme, et étaient restés alités ensemble jusqu'à ce que le chat meure. Pendant que sa famille voyageait et que son frère faisait la tournée des pokers à Las Vegas, Eugene était cloué au lit, seul et oublié. Même quand la moitié de son visage s'était retrouvée temporairement paralysée, personne n'avait pris de ses nouvelles. J'avais mal pour lui. Son père le jugeait émotif et donc incapable d'être un bon joueur, si bien qu'Eugene travaillait comme croupier dans un petit poker de Brooklyn et jouait ses gains dans des grosses parties.

— Viens travailler pour moi, proposai-je. Tu peux travailler comme croupier dans mes parties. Tu gagneras beaucoup plus.

— Kenneth ne voudra jamais.

— Je vais lancer d'autres pokers. Beaucoup d'autres.

— D'accord, dit Eugene.

Je perçus un sourire dans ses yeux sombres par-dessous sa casquette.

Kenneth m'appela le lendemain.

— Presque tout le monde a adoré la partie, mais il y en a encore quelques-uns qui hésitent. J'ai suggéré qu'on prolonge la période d'essai.

J'étais aux anges. Avec le temps, j'étais sûre de parvenir à identifier et amadouer mes opposants.

Un nouvel emploi du temps se mit en place. Toutes les semaines, les filles et moi partions pour New York le mardi matin, arrivions en fin d'après-midi, accueillions les joueurs, faisions une nuit blanche, et nous traînions à l'aéroport le lendemain. J'organisais aussi un petit poker à L.A., qui gagnait moins bien que celui que j'avais perdu, mais qui me permettait au moins de ne pas perdre le contact avec le milieu. Au fil des semaines, Eugene devint un ami proche et me rapporta des informations importantes. Il m'avertit que Keith Finkle était mon adversaire le plus virulent. Sachant quel obstacle je devais surmonter, je fus en mesure de planifier.

Pour asseoir mon statut à New York, il me fallait absolument de nouveaux joueurs imprudents avec de gros comptes en banque. Mon poker new-yorkais avait une cave monstrueuse et des blindes énormes, avec des enjeux inouïs. Toutes mes nouvelles recrues devaient donc être très riches et prêtes à apprendre.

Mais rien ne pouvait me détourner de mon objectif. Je devais faire mes preuves et je ne laisserais pas mes ennemis contempler mon échec.

*
* *

JE FIS JOUER MON RÉSEAU, j'enchaînai les rendez-vous avec tous les amis ou connaissances fortunées que j'avais jamais rencontrés, et je me mis à passer de plus en plus de temps à New York avec les filles. Je recrutai de nouveaux joueurs, fis venir des filles de L.A. et sortis tous les soirs, écumant les lancements de galeries, les galas de charité, les boîtes, les restaurants, les *happy hours*.

J'avais fait venir de L.A. une certaine Sunny pour jouer les croupiers. C'était une belle fille bohème, blonde aux yeux bleus. Malgré son physique de starlette ingénue, elle s'intéressait beaucoup plus aux tables de poker et à la scène DJ qu'au grand écran. Quand elle ne distribuait pas les cartes, elle jouait ou dansait. Elle disparaissait fréquemment des jours entiers et il fallait que quelqu'un l'arrache de force aux casinos glauques de L.A.

Lola était une déesse voluptueuse originaire de Long Island qui travaillait et jouait dans les parties locales. Avec sa beauté déconcertante et ses talents au poker, c'était une vraie arme secrète. Quand j'avais besoin d'une espionne pour infiltrer une partie, je finançais Lola. (C'est-à-dire que je lui donnais du cash pour qu'elle puisse jouer, et ses gains étaient répartis entre nous selon un pourcentage prédéterminé.) Je savais qu'elle m'amènerait de nouveaux joueurs, ainsi qu'un joli bénéfice.

Julia était une fille superbe d'origine asiatique, qui se trouvait être également un génie des maths. Caroline, fille d'un diplomate et d'une *it-girl*, parlait cinq langues. Blonde, les yeux bleus, un physique de jeune Américaine *healthy*, Kendall était aussi masseuse professionnelle. Rider avait un vrai don de détective et m'aidait à réunir des informations pour filtrer les joueurs potentiels. Tiffany m'avait accompagnée quand j'étais venue de L.A. Elle avait posé pour des magazines et maîtrisait à la perfection l'art de la séduction. Enfin, j'avais pris comme assistante « Little », un top model longiligne d'un mètre quatre-vingts qui excellait dans l'organisation et tous les aspects domestiques.

C'était une sacrée équipe, et je me sentais prête à conquérir la Grosse Pomme. Je pris un superbe appartement à Manhattan avec d'immenses baies vitrées, une belle vue et de la place pour toutes les filles.

Je contactai des promoteurs de boîtes de nuit, des filles qui servaient le champagne dans les clubs, des « gallerinas » (de jolies filles employées dans des galeries d'art) et des managers de casinos d'Atlantic City, et je leur promis des récompenses en liquide s'ils m'envoyaient des joueurs.

Nous devînmes vite célèbres en ville. Grâce à notre aura glamour déjà mythique, des rumeurs couraient sur nous. En moins d'un mois, nous avions repris le poker légendaire, qui tournait entre le Four Seasons et le Plaza, ainsi que deux parties plus modestes que j'organisais chez moi. Heureusement, mes seuls voisins d'étage étaient un joueur de basket-ball de la NBA souvent absent et un scénariste semi-célèbre qui, ironie du sort, adorait le poker et se joignit à la partie. Les portiers, par contre, furent très déroutés au début. Deux fois par semaine, neuf ou dix hommes et un groupe de belles filles venaient à 19 heures et restaient jusqu'au petit matin.

Finalement, après leur avoir donné assez de pourboires pour payer leur loyer, je leur expliquai de quoi il retournait. Ça nous fit bien rire.

POURTANT, UNE OMBRE PESAIT TOUJOURS SUR LE TABLEAU : Eddie Ting. Les rumeurs circulaient vite dans le milieu, et mes parties devenaient célèbres. Eddie avait été furieux que j'envisage de m'installer à New York… mais, maintenant que j'étais là et que j'organisais plusieurs pokers avec de nombreux participants, j'entendais davantage parler de lui et de ses opinions à mon sujet, grâce à mes multiples sources.

Eddie avait contacté Illya et lui avait demandé de m'empêcher de reprendre le poker mythique ; heureusement pour moi, son influence n'était pas aussi grande qu'il l'aurait voulu. Bien sûr, Eddie était contrarié. Il n'avait pas réussi à s'introduire dans les parties de L.A., et maintenant, son territoire était envahi par une fille qui ne jouait même pas au poker.

Un soir, quelqu'un me dit qu'Arthur Grossman était en ville. J'avais des espions et des informateurs dans toute la ville, des promoteurs de boîtes aux concierges d'hôtels en passant par les filles qui servaient le champagne dans les clubs. J'étais désormais bien implantée à New York et je gagnais deux, sinon trois fois plus qu'à L.A. Je tenais les rênes et tout le monde le savait ; personne n'aurait osé me manquer de respect ou exiger que j'aboie contre un pourboire. Mais j'avais encore des comptes à régler. Je voulais qu'Arthur me dise pourquoi il m'avait exclue, en me regardant dans les yeux. Je me doutais que je ne savais pas tout.

Je lui envoyai donc un message.

Salut, Arthur, j'ai entendu que tu étais en ville. Je sors avec les filles, on adorerait te voir.

Il répondit immédiatement. Les gens répondent tellement plus volontiers si on leur fait une proposition que si on leur demande quelque chose…

On se donna rendez-vous au Butter, un restaurant à deux pas de mon appartement qui était un repaire de célébrités. J'appelai le propriétaire, un ami, et réservai la meilleure table. Je me préparai avec les filles : on but du champagne, gloussa, se maquilla les unes les autres et essaya plusieurs tenues. Une soirée entre filles typique…

jusqu'à l'arrivée de notre messagère, Little, qui posa des piles de cash sur le lit. Elle était allée récolter les dettes de mon principal poker dans toute la ville.

On interrompit les préparatifs pour compter les piles et vérifier que le compte était bon.

— 250, annonça Tiffany en tendant sa pile.

— 340, ajouta Kendall.

On la regarda. Les maths n'étaient pas son fort.

— J'ai compté trois fois, insista-t-elle.

— 280, dit Julia en prenant la pile de Kendall pour vérifier.

— Et 400, complétai-je. Tu as fait du bon boulot, Little.

Je lui tendis quelques billets de cent et un verre de champagne en lui faisant un clin d'œil.

— Rattrape-nous.

Je déposai l'argent au coffre et mis la touche finale à mon maquillage.

CONTOURNANT LA QUEUE, nous envoyâmes des baisers au videur et nous laissâmes guider jusqu'à notre table, où Arthur nous attendait déjà avec sa cour. Il nous balaya du regard, notant ma troupe de jolies filles.

Je me montrai charmante, affectueuse, comme s'il ne s'était rien passé. On but, on dansa et j'attendis mon heure. L'une de ses assistantes finit par me prendre le bras, visiblement bourrée.

— Je suis tellement désolée pour ce qui s'est passé à L.A., me chuchota-t-elle à l'oreille.

Son haleine sentait l'alcool et me brûlait la joue, et j'avais envie de me dégager, mais c'était pour ça que j'étais venue.

— Tu dois être hyper blessée. Pourquoi est-ce qu'il voulait tellement te virer ? bredouilla-t-elle.

Je la regardai.

— Je ne savais pas qu'Arthur me détestait autant.

— Non, pas Arthur, corrigea-t-elle. Pas Arthur. Tobey. Tout ça, c'était la faute de Tobey. Je les ai entendus parler. Arthur était inquiet pour toi.

Je m'affalai contre mon dossier, prise de vertige. Je savais que Tobey ne supportait pas que je gagne autant, mais je ne m'étais pas rendu compte de la violence de son animosité. Si ce que me disait l'assistante d'Arthur était vrai, il avait utilisé sa célébrité pour séduire Arthur et l'argent de ce dernier pour appâter les autres joueurs, puis il avait fait semblant d'être mon ami pour m'assener le coup final.

Je me sentis amère, mais j'admirai aussi son intelligence. J'aurais dû le comprendre plus tôt.

Je ne dis pas un mot du poker à Arthur, me contentant de siroter mon scotch en faisant semblant de m'amuser.

À la fin de la soirée, Arthur me prit le bras.

— Viens à L.A., proposa-t-il. Organise une partie chez moi.

Et, d'un coup, je me rendis compte que je pouvais récupérer L.A. Est-ce que j'en avais envie ? Une chose était sûre : je voulais regarder Tobey dans les yeux, en position de force. J'acceptai donc.

— Merci, Arthur, j'adorerais.

J'AVAIS FANTASMÉ SUR CET INSTANT tant de fois depuis que j'avais perdu mon poker… la façon dont ils s'approcheraient, la queue entre les jambes, et me supplieraient de revenir. Ce n'était pas tout à fait aussi dramatique, mais ça suffisait à me faire me sentir mieux — j'avoue que j'avais hâte de voir l'expression de Tobey quand je débarquerais au poker qu'il m'avait volé.

Mais, avant de rentrer à L.A., j'avais un petit problème à régler. L'un des nouveaux joueurs que j'avais recrutés, un certain Will Fester, n'avait toujours pas payé ses dettes de jeu, qui s'élevaient à un demi-million. Trois semaines s'étaient écoulées, et ça ne sentait pas bon.

Jusque-là, je n'avais eu affaire qu'à un seul autre mauvais payeur, un sportif de haut niveau qui, comme je l'avais appris, mais trop tard, était lié à un gang.

À l'époque, un de mes joueurs, un producteur de hip-hop, avait proposé de s'en occuper pour moi. Il m'avait prise à part après une partie.

— Yo, Molly, je peux faire cracher son pognon à ce connard.

— Ah bon ? Comment ?

— Tu ne veux pas savoir.

J'avais refusé poliment.

Couvrir les 40 000 dollars était désagréable, mais beaucoup moins que d'être mêlée à de l'extorsion de fonds avec violence.

Cette fois-ci, un ami commun finit par proposer de contacter mon mauvais payeur new-yorkais. Cet ami était un homme très puissant dont l'entreprise familiale valait des milliards. Will travaillait dans le même secteur, et j'espérais qu'un coup de téléphone de sa part serait efficace, puisque mes messages vocaux étaient restés sans réponse.

Le lendemain, Will m'appela enfin.

— Salut, ma belle.

— Salut, Will, répondis-je, amicale.

C'était trop facile pour les joueurs de ne pas payer s'ils se vexaient ou s'énervaient.

— Désolé du retard, dit-il. J'ai eu un emploi du temps hyper chargé ces deux derniers mois. Tu peux me retrouver à Miami ? J'ai du cash là-bas et je ne veux pas que ma femme me voie transférer une somme pareille de mon compte.

— Bien sûr.

— Demain ?

— Donne-moi simplement le lieu et l'heure.

Je retins mon souffle jusqu'à ce qu'il me recontacte. Il fallait que ce type paye. L'avenir de mon poker new-yorkais en dépendait.

Heureusement, il m'envoya une adresse. Je commençai à réserver un vol en ligne et m'apprêtais à payer quand je me rendis compte de quelque chose : je ne pouvais pas rapporter un demi-million en cash de l'aéroport international de Miami, l'épicentre des trafics de drogue. Il était surveillé de plus près que tous les autres aéroports américains.

Il faudrait que j'affrète un avion pour le retour.

EUGENE PROPOSA DE M'ACCOMPAGNER, si bien que je réservai une chambre d'hôtel pour un week-end en amoureux. Eugene et moi étions vite tombés dans les bras l'un de l'autre. Notre liaison brûlait toutes les étapes, très loin de ma relation avec Drew, et j'en avais le vertige. Eugene connaissait mon univers, il avait grandi dedans. Je n'avais jamais besoin de m'excuser parce que j'étais coincée au boulot, ou de lui cacher une partie de mes activités. Notre amour était honnête et franc, et pendant un certain temps il me sembla parfait.

On atterrit à Miami et j'envoyai un message à Will. Pas de réponse. J'attendis une heure ou deux, sur des charbons ardents.

Est-ce qu'il m'aurait vraiment fait venir jusqu'ici pour me poser un lapin ?

Je devais de l'argent non seulement pour sa dette, mais aussi pour l'avion que j'avais affrété. Je fis les cent pas nerveusement.

— Tout va bien se passer, Zil, me dit Eugene.

Il me surnommait « Zilla ». C'était un tel soulagement

d'être avec quelqu'un qui comprenait tout ce que je traversais, un luxe inédit depuis que le poker était devenu ma vie.

Will finit par se pointer.

— Je suis vraiment désolé, Molly, j'ai traversé une mauvaise passe, à cause du marché et tout ça.

Je hochai la tête d'un air compatissant, même si mes sources dans les casinos m'avaient informée que Will pariait régulièrement d'énormes sommes à Atlantic City et à Las Vegas, malgré le « marché ».

Il me lança un sac contenant du cash, des jetons de casinos et un lingot d'or. Je comptai le tout. Il manquait toujours 100 000.

— Je te donnerai le reste à mon retour à New York, dit-il d'un air penaud.

J'avais envie de lui hurler dessus et de lui dire ce que je pensais de ses manières de dégénéré, mais il ne fallait pas que je me le mette à dos, au moins jusqu'à ce que j'aie récupéré le reste.

Il partit et je me tournai vers Eugene.

— Zil, il a payé la majeure partie de la dette. S'il comptait faire défaut, il n'aurait pas fait ça.

C'était logique. Eugene connaissait tellement mieux ce monde que je ne le pourrais jamais. Il avait grandi avec des joueurs — ça faisait presque partie de son ADN. J'avais été trop gâtée à L.A., où personne ne refusait de payer à cause des conséquences sociales de mes pokers. C'était presque les mêmes joueurs à chaque fois, et personne ne voulait être mis sur liste noire. J'avais une nouvelle équipe à New York et, clairement, de nouvelles règles à apprendre.

J'avais réservé une chambre au Setai, mon hôtel préféré sur South Beach. J'avais hâte d'aller dans de bons restaurants avec Eugene, de bronzer sur la plage et de me détendre avec lui. Mais mon petit vampire était engagé dans un match de poker en ligne passionné, donc on commanda en *room service*. Il passa la nuit à jouer et ne vint se coucher qu'à 7 heures du matin.

— De toute façon, je déteste le soleil, Zil, annonça-t-il d'une voix endormie pendant que je me levais pour passer la journée à la plage.

Le deuxième soir, je finançai Eugene pour une partie locale. C'était censé être le plus gros poker de Miami, avec plein de *fish*. Eugene rentra une heure avant notre vol de 8 heures du matin avec une pile de cash et des contacts précieux.

C'était très différent des week-ends en amoureux avec mes petits amis précédents mais, en embarquant sur notre G-5 avec un demi-million en cash et lingots d'or, je nous trouvai très sexy, un peu comme Bonnie et Clyde, le bain de sang en moins.

Eugene me fixa de ses yeux noirs pendant qu'on s'attachait.

— Je t'aime tellement, dit-il.

Et je l'aimais aussi, plus que j'avais jamais aimé. Nous utilisions notre amour et notre obsession pour les paris pour remplir le vide de notre vie, pour nous isoler de la réalité que nous fuyions tous les deux si désespérément.

LES SIRÈNES DE LAS VEGAS ME RAPPELAIENT. Illya était absent depuis un moment et j'avais besoin qu'il rentre à New York pour mon poker. Sa phobie de l'avion était bien connue : il était « coincé » des mois dans certains endroits parce qu'il avait trop peur de reprendre un vol. Je décidai donc de faire d'une pierre deux coups. J'allais organiser un voyage à Las Vegas, récupérer Illya et amener mes joueurs de New York à L.A. pour la partie que je prévoyais avec Arthur.

Je distribuai les invitations, réservai les jets privés et les hôtels à Las Vegas et à L.A., et planifiai un calendrier social bien rempli. J'emmenai Eugene, bien sûr. Aux yeux de tous les autres, il n'était que mon employé. Nous cachions notre liaison avec brio. Je réussis à tout arranger et on embarqua dans le jet pour Las Vegas. Fidèle à sa réputation, mon équipe passa chaque seconde du voyage à parier. Ils organisèrent un backgammon monstrueux, un poker chinois et une partie sans recave à 500 000 dollars entre le Russe Igor et le « Grand Boudini », John Hanson, un mentor et collaborateur d'Illya. John, qui avait été l'un des plus jeunes champions d'échecs de l'histoire, était un vrai ordinateur humain. Lui et Illya passaient leur temps à débattre passionnément de statistiques et de probabilités, de poker chinois, de Texas Hold'em et de stud.

Avant l'atterrissage à Las Vegas, il y avait déjà des millions en jeu.

LE RYTHME QUI S'ÉTAIT MIS EN PLACE DANS L'AVION se maintint à l'hôtel. Je n'avais même pas défait mes bagages dans notre immense villa de luxe que les hommes se lançaient dans une partie à un million de dollars de Cee-Lo, un jeu de dés. Certains faisaient des paris spor-tifs. D'autres préféraient les cartes et misaient d'énormes sommes sur le noir ou le rouge.

Je leur courais après avec mon bloc-notes, tentant de garder une trace des transactions de chacun. Toutes les quelques heures, quelqu'un m'appelait pour que je calcule ses gains ou pertes nets.

— J'en suis à combien ?

— J'en suis à combien ?

C'était la folie. Ils jouèrent au poker un certain temps, puis Phil Ivey, que certains surnommaient le Tiger Woods du poker, l'un des plus gros joueurs du monde, me demanda si, moi, je me sentais en veine. Il voulait jouer au craps.

On quitta la pièce et on alla aux tables, où je regardai Ivey perdre 3 millions en une demi-heure.

C'était le premier jour, et la facture s'élevait déjà à plus de 5 millions.

On sortit en boîte cette nuit-là. Beaucoup des New-Yorkais, malgré leur richesse, n'étaient pas habitués aux endroits où je pouvais les faire entrer. Ces rois de la finance passaient leurs journées en costume au milieu d'autres types en costume. Je regardai leurs expressions, leur langage corporel, et la valeur intrinsèque de la décadence me parut évidente. Le train de vie avait toujours fait partie du package que je vendais. Peu importait le client, s'il avait de quoi jouer et payer, je pouvais lui donner accès aux fêtes les plus exclusives, aux plus jolies filles, aux célébrités et aux milliardaires les plus en vue... et mon équipe de New York était beaucoup plus facile à impressionner que celle de L.A. Eugene se glissait dans ma chambre la nuit et me chuchotait non seulement des mots doux, mais aussi des informations et des observations. Avec lui à mes côtés, tout devenait supportable.

Le lendemain, ils firent un golf à 100 000 dollars le trou, un poker avec une cave d'un million, un autre Cee-Lo à un million et un black-jack à 30 000 dollars la main.

Quand on partit à L.A., les gains et les pertes faisaient huit chiffres, facile. Personne n'avait dormi ; tout le monde était complètement hystérique. Des parties de backgammon et de poker chinois monstrueuses battaient leur plein avant même que les pilotes ne ferment les portes. Je devais lutter pour garder les yeux ouverts, mais je ne pouvais pas rater des gains ou des pertes.

En les observant, je ne pus m'empêcher de me demander si ça ne commençait pas à partir dangereusement en vrille. Ces types se shootaient aux paris comme si c'était une drogue. Ça ne leur suffisait jamais. Les gains se multipliaient, mais ne couvraient jamais les pertes, ce qui ne faisait que renforcer leurs pulsions. Mais ils pouvaient se le permettre, et c'est ainsi qu'ils trouvaient leur plaisir. Ça ne faisait de mal à personne. En tout cas, c'est ce que je me répétais.

27

M algré l'économie sinistrée, la résistance de mes concurrents new-yorkais comme Eddie Ting, et l'impression que j'avais été forcée de quitter L.A. pour sauver la face après avoir tout perdu, en réalité j'avais gagné. Et ma victoire était spectaculaire. Mes parties à New York étaient plus importantes, plus agréables et plus rentables que celles de Los Angeles. Cependant, j'avais désormais un point de vue très différent et je n'oubliais jamais ce que j'avais traversé. Je ne m'autoriserais pas à devenir complaisante ; j'étais toujours en quête du prochain pigeon.

Eugene était devenu une partie intégrante de ce processus. Je fis de lui mon associé et je le finançai constamment pour qu'il puisse participer à des parties qui permettraient d'engranger des contacts. Ma garantie valait de l'or et lui permettait de jouer n'importe où en ville. Nous cachions toujours la dimension romantique de notre relation. Cet arrangement me rapportait d'énormes bénéfices en termes de business, mais les sirènes de la nuit me volèrent Eugene. Pour la première fois de sa vie, il avait carte blanche pour jouer partout, et je compris pourquoi son père avait donné à Illya plutôt qu'à lui le sac à dos de cash pour infiltrer New York. Eugene était un addict. Il jouait parfois deux jours de suite, et était vite devenu l'un des plus gros *fish* de New York. Et malheureusement, quand il restait à une table trop longtemps et qu'il perdait, il devenait émotif et la situation basculait. Toutes ses connaissances stratégiques durement acquises s'évaporaient. Même s'il recrutait des joueurs lucratifs et me rapportait des informations importantes, sa dette prenait aussi des proportions considérables. Je ne le voyais quasiment plus.

Mes amis riches me donnèrent plein de super tuyaux ; l'un, en particulier, me mena à Glen Reynolds. D'après ce qu'on disait, Glen était jeune, riche et imprudent. Un ami commun nous mit en contact et on échangea par téléphone et e-mail. Je l'invitai à quelques parties. Vu toutes les questions qu'il posait, il était clairement intéressé, mais il ne vint pas tout de suite. Glen avait l'habitude de m'appeler le lendemain d'une partie pour me demander les derniers potins et les résultats. Je cédais volontiers… J'appâtais le poisson.

Glen finit par se montrer à 21 heures un vendredi soir où j'organisais un poker expérimental avec de plus petits enjeux et une cave de seulement 5 000 dollars.

J'avais fait venir toutes les filles, sur leur trente et un et un verre à la main pour détendre l'atmosphère. J'espérais qu'en baissant les enjeux et en créant une ambiance festive je pourrais mettre en place un poker plus marrant et moins sérieux que l'autre. Eugene avait amené certains des plus gros *fish* qu'il avait rencontrés et j'avais rempli la table avec le reste de mes recrues.

Glen me jeta un regard en entrant et, avec son accent de Long Island et toute la ferveur agressive d'un trader, il s'exclama :

— Qu'est-ce que tu fous à organiser des pokers ? Tu devrais être pieds nus et enceinte, à faire du yoga ou du shopping.

Son commentaire me surprit, mais ma réaction aussi. Même si j'étais offusquée, j'avais des papillons dans le ventre. C'était la première fois depuis un moment qu'un homme me parlait comme à une femme. Sans être vraiment beau, il avait un certain charme insultant.

Du coin de l'œil, je vis qu'Eugene nous regardait.

Glen commanda une vodka-Red Bull, la descendit en deux secondes et demanda à Tiffany de veiller à ce que son verre reste plein. Puis il lui tendit un jeton de cent dollars.

Il était exactement ce dont j'avais besoin.

Au début de la soirée, mes espoirs semblèrent comblés : l'ambiance était amicale et sociable. Mais, après avoir bu quelques cocktails, Glen commença à faire monter les enjeux. Bientôt, il devait 100 000 dollars, les requins sentirent l'odeur du sang et ça sonna le glas de mon poker amical.

LES GENS SE MÉTAMORPHOSENT quand ils voient une occasion de gagner de l'argent. Ils sont envahis par une avidité teintée de désespoir, surtout à une table de poker ; leur regard change, leur humanité disparaît et ils deviennent des prédateurs sanguinaires aux yeux morts.

La première fois que j'avais vraiment observé ce phénomène, c'était à L.A., quand Ned Berkley, le *bad boy* qui avait hérité de l'entreprise familiale, était venu jouer. Il était évident que Ned ne connaissait pas exactement les règles du poker. Les autres le sentirent immédiatement, passèrent en mode avide et se transformèrent en meute vorace, et à la fin de la nuit Ned avait perdu une petite fortune.

Mais la meute n'en avait pas fini avec lui. Ils étaient ivres de cupidité. Ils lui demandèrent à quoi il aimait jouer.

— Au black-jack, répondit-il, ne voulant pas décevoir ses nouveaux amis célèbres.

Comme on pouvait s'y attendre, il jouait aussi très mal au black-jack. Les autres firent le casino à tour de rôle. Je les voyais distribuer des cartes aussi vite que possible, en hochant la tête et en se chuchotant à l'oreille.

Leur avidité était tellement transparente que je vis Ned comprendre ce qui se passait. Son expression s'altéra et je grimaçai. Il essaya d'arrêter, mais ils le poussèrent à continuer. Il accepta, perdit sans rechigner et paya, mais je savais qu'il ne reviendrait jamais.

GLEN S'APPROCHA, une autre vodka-Red Bull à la main, et me réclama 100 000 dollars de plus.

— Viens me parler, d'abord.

On alla dans ma chambre, où il s'installa confortablement sur mon lit.

— Joli, lança-t-il en désignant les grandes baies vitrées.

— Merci. Bon, d'habitude, je ne fais pas crédit aux joueurs qui viennent pour la première fois. S'il y a un problème, c'est pour ma pomme, comme tu le sais. Tu n'es pas en train de perdre un peu le contrôle ?

Je n'étais pas très inquiète. Un, mon ami m'avait recommandé ce type ; deux, il avait clairement un ego énorme, et ses pairs jouaient à la table. Trois, un contact de Vegas m'avait dit qu'il avait gagné un million le mois dernier.

Mais… il était bourré et il se faisait massacrer.

— Je les ai, affirma-t-il. Tu n'as aucune raison de t'inquiéter.

Puis il ajouta :

— Parle-moi de toi… Je suis fasciné.

Je souris, mais ne répondis pas.

— OK, bon, si tu ne veux pas me dire, j'imagine que je vais y retourner.

On se regarda, et l'électricité entre nous était indéniable.

Je me levai, sentant qu'il me suivait de près. Eugene nous regarda fixement sortir de ma chambre. Je lui adressai un sourire rassurant.

Il était 3 heures du matin et les joueurs les plus raisonnables se levaient.

Keith Finkle, un type d'un fonds spéculatif qui jouait dans mon poker principal, proposa un stud. Glen accepta avec enthousiasme.

Oh non, pensai-je. Ça prenait une mauvaise tournure. Le Texas Hold'em était une chose, mais le stud était un jeu beaucoup plus risqué, avec de plus gros enjeux, et Keith était le meilleur joueur que je connaisse, de loin.

Pendant ce temps, je recevais des appels d'autres joueurs (Illya, le frère d'Eugene, et Helly Nahmad), qui avaient entendu que Glen était surexcité et pissait des dollars. Je confirmai.

Helly et Illya venaient plus fréquemment ces derniers temps, même à mes parties plus modestes. J'avais entendu qu'ils avaient monté un groupe de paris sportifs, qui, à ce qu'on disait, incluait John Hanson, le brillant champion d'échecs, un jeune du MIT qui avait développé un algorithme pour choisir les équipes gagnantes, et un développeur de génie pour superviser l'ensemble.

Ils arrivèrent tous les deux et payèrent une cave de 100 000 ; Keith aussi ajouta des jetons.

Soudain, ma petite partie de Texas Hold'em à 5 000 dollars était devenue un stud avec une cave de 100 000.

Quand le soleil se leva, je m'empressai, avec l'aide des filles, de fermer les volets et de commander le petit déjeuner et du café pour tout le monde… sauf Glen, qui en était à sa millième vodka-Red Bull.

Mes employés et moi étions épuisés, mais la partie marchait très bien et les filles raflaient de gros pourboires. Glen devait 400 000 dollars. On commanda le déjeuner, encore des cigarettes et de la vodka. On alluma la chaîne sport pour les hommes ; j'avais plusieurs télés dans mon salon justement pour ça. Mais je m'apprêtais à couper les vivres à Glen parce que je ne pouvais pas me permettre de couvrir une somme pareille s'il décidait de ne pas payer.

La plupart des organisateurs de pokers fonctionnent selon un système de Ponzi. Ils font crédit sans avoir le capital : c'est pour cette raison que la plupart des pokers meurent. Je ne procédais pas comme ça — je ne faisais pas crédit sans avoir les fonds, et je couvrais toujours les pertes. Je ne pouvais pas me permettre de disparaître.

Heureusement, Glen se mit à gagner. Il sourit et me fit un clin d'œil, et encore une fois sa façon de me draguer m'affecta. Son imprudence avait quelque chose d'excitant. Je regardai Eugene et, même si je l'aimais toujours, je connaissais ses limites. Il ne pourrait jamais être un vrai petit ami si je quittais un jour ce monde.

GLEN ET KEITH SE DISPUTAIENT UNE ÉNORME MAIN, et Glen en sortit victorieux. Keith acheta 300 000 dollars. Glen comptait ses jetons.

— Je peux enlever 300 000 en jetons de la table ? demanda-t-il.

Je regardai Keith. C'était à la table d'autoriser ou non un joueur à mettre une partie de ses gains de côté, parce que, d'après les règles, c'était interdit. Dans une partie en *no-limit*, tout l'argent reste en jeu.

Je fis signe à Keith que c'était à lui de voir et, comme on pouvait s'y attendre, il refusa, donc ils continuèrent à jouer. Il était maintenant 16 heures Ils jouaient depuis pas loin de vingt-quatre heures. Je dis aux filles de rentrer chez elles et j'appelai de nouveaux croupiers. Glen perdit alors une main monstrueuse face à Illya. Bientôt, peut-être rattrapé par la fatigue ou le Red Bull, il perdit les pédales et gaspilla tous ses jetons.

Je le regardai recaver pour 50 000 dollars. Quand un

joueur qui perd se met à jouer petit dans une grosse partie, ça veut généralement dire qu'il va continuer à chuter.

Il perdit et se leva.

— J'arrête.

Il alla aux toilettes. Les autres m'entourèrent immédiatement.

— Il a de quoi payer ?

— Il va revenir ?

— Je peux être payé en premier ?

J'étais épuisée et irritée.

Glen revint et me fit signe qu'il voulait me parler en privé.

— Hé, j'ai 350 K en cash chez moi. Je les ai gagnés à Vegas le mois dernier.

Je hochai la tête, feignant la surprise.

— Je peux te les passer maintenant ou demain, poursuivit-il.

— Maintenant, c'est parfait.

Alors que je me préparais à partir, Eugene me prit le bras.

— Ça va ? Tu veux que je vienne ?

— Pas la peine. À tout de suite.

C'était une autre de mes règles : si on peut éviter, il ne faut jamais laisser un joueur aller se coucher sans avoir payé sa dette. On ne voudrait pas qu'il ait le temps de perdre l'argent, ou de trop ruminer et de décider de ne pas payer.

Helly mit galamment à ma disposition sa Rolls-Royce Phantom avec chauffeur, et je m'installai avec Glen à l'arrière de la voiture tape-à-l'œil, gênée. Nous étions tous les deux épuisés et son ego était blessé. Malgré tout, la tension sexuelle entre nous était palpable.

On prit l'ascenseur dans un étrange silence. Glen alla chercher l'argent dans son coffre-fort et me le tendit dans une enveloppe, que je glissai dans mon sac.

— Merci.

— Je t'appelle demain, promit-il en se penchant pour me prendre dans ses bras.

Surprise, je perdis l'équilibre et il me rattrapa, prolongeant l'étreinte plus longtemps que nécessaire. Je le regardai droit dans les yeux. J'avais l'impression qu'il allait m'embrasser.

— Tu dois être épuisé, fis-je, et le moment passa.

— Ouais, dit-il en continuant à me dévorer des yeux.

— Bonne nuit.

Le soleil brillait ; c'était le milieu de l'après-midi.

— Toi aussi, répondit-il.

Je comptai les billets en rentrant chez moi, et tout y était. À mon arrivée, les vautours attendaient.

— Tu as l'argent ?

— Tu l'as récupéré ?

— Oui, répondis-je. On s'en occupera demain. J'ai deux ou trois trucs à régler.

— Je peux avoir 100 000, juste ? demanda Helly.

— Je t'appelle demain, promis-je en allant dans ma chambre.

On frappa à la porte. J'allai ouvrir : c'était Helly, l'air penaud.

— Je peux avoir 10 000 ? Je dois payer mon bookmaker.

Je soupirai, lui tendis l'argent, refermai la porte fermement et m'allongeai pour me reposer. Eugene entra quelques instants plus tard et se lova près de moi. Pour la première fois depuis longtemps, on ne dormait pas en décalage, et je me souvins à quel point c'était agréable de ne pas être seule.

À MON RÉVEIL, J'AVAIS REÇU UN MESSAGE de Glen :

Je conteste les 150 000 restants. Tu aurais dû me laisser enlever 300 K de la table.

Je grognai et me cachai dans mon oreiller.

Il fallait payer les joueurs, et je m'étais portée garante. Si quelqu'un faisait défaut, j'allais devoir payer la différence de ma poche.

Je savais que Glen n'avait pas d'arguments valables — pas d'arguments du tout, en fait — mais, dans ce monde, ça n'avait pas d'importance. Il n'y avait pas de tribunaux, de juges, de contrats ou de police.

Quand on ne les payait pas, la plupart des organisateurs se comportaient comme des gangsters : ils vendaient la dette dans la rue ou engageaient des brutes pour faire peur aux mauvais payeurs — ou pire. Ce n'était même pas envisageable pour moi. J'opérais peut-être dans une zone grise, mais je n'avais pas perdu toute morale et je connaissais les limites légales (enfin, je le croyais), et l'intimidation et la violence étaient inacceptables des deux points de vue. Ma seule défense était ma compréhension de la psychologie et mon talent pour résoudre les problèmes. Une solution existait, je le savais ; il fallait juste que j'aie l'intelligence de la trouver.

Après avoir observé Glen plus de vingt-quatre heures, je savais plusieurs choses sur lui : il avait un ego surdimensionné, était sensible aux jolies filles et semblait vouloir les impressionner, adorait parier, se comportait en mâle dominant et avait de quoi payer. Forte de ces informations, je savais que je ne pouvais pas faire pression sur lui, le menacer ou m'énerver. Il fallait que je lui donne envie de payer sa dette.

Dans cette situation, mes deux atouts principaux étaient l'accès que je pouvais lui donner à de belles filles, des pokers cool et des gens importants… et ma féminité. Si je pouvais faire en sorte qu'il me voie comme une femme qu'il pourrait sauver en payant sa dette, j'aurais de bien meilleures chances de réussite.

Je pris mon téléphone et je l'appelai. Il répondit d'un ton bourru, se préparant à ne pas céder et à maintenir que ma décision avait été injuste.

— Saaalut, qu'est-ce que tu fais ce soir ? lui demandai-je d'un ton léger.

— Rien, répondit-il, toujours aussi raide.

— Viens au resto et en boîte avec les filles et moi.

Il attendit un moment. Il fallait qu'il dise oui. « Sociabiliser » avec lui était un aspect crucial de mon plan.

— Qui sera là ?

J'énumérai leurs noms.

— OK. À quelle heure ?

GLEN FUT PONCTUEL, et visiblement heureux d'être le seul homme, entouré de sept filles aux petits soins qui riaient à ses blagues. On ne mentionna pas sa dette ce soir-là.

Quand l'addition arriva, il insista pour payer, en bombant le torse. Je souris et je le remerciai avec effusion. En mon for intérieur, je ricanais. Il me devait toujours 150 000 dollars, donc il manquait 149 000 dollars pour que son geste soit vraiment chevaleresque.

On alla en boîte, où le promoteur nous réserva son accueil habituel et nous guida vers une des meilleures tables. L'alcool coulait à flots, les filles dansaient, Glen avait l'air ravi. Il vint s'asseoir près de moi sur la banquette. Je faisais des comptes (pour calculer les dettes) sur mon téléphone.

— Hé, comment ça se fait que tu restes assise dans ton coin au lieu de t'amuser comme tout le monde ? demanda-t-il.

Je lui fis un sourire courageux.

— Je suis juste un peu stressée, j'essaye de résoudre des problèmes.

— Tu es trop jolie pour avoir des problèmes.

— Je suis venue ici après avoir tout perdu à L.A. et

j'ai vraiment besoin que ça marche. Je dois faire mes preuves, et puis j'ai des bouches à nourrir, expliquai-je en désignant les filles.

— Je comprends, déclara-t-il en me regardant dans les yeux. On va trouver une solution. Viens t'amuser, maintenant. Tout ira bien, promis.

Bingo.

Deux semaines plus tard, Glen vint à mon gros poker avec un chèque de 150 000 dollars. Cette nuit-là, il gagna 300 000 dollars et je déchirai le chèque.

Il devint vite l'un de mes joueurs les plus rentables.

Je voyais rarement Eugene. Il passait ses journées et ses nuits à jouer, disparaissant pendant des jours avant de rentrer, ramper jusqu'au lit, dormir vingt-quatre heures et repartir. Il ne recrutait plus beaucoup et, même si ce n'était pas volontaire, il enrichissait mes concurrents.

28

Je décidai de louer une maison dans les Hamptons pour l'été. Il faisait trop chaud en ville, et de toute façon la plupart des joueurs passaient la belle saison là-bas. J'engageai un agent immobilier qui me trouva une grande villa avec un jardin tiré au cordeau, une piscine à débordement et un court de tennis fourni avec un prof pour l'été. La maison était tellement immense que les filles et moi avions notre propre aile. Pour des raisons stratégiques, je partageais la maison avec Illya et Keith, afin de rentabiliser le loyer exorbitant et de m'assurer qu'il y aurait de nombreuses parties sur place.

LE VENDREDI, je m'entassai avec les filles dans ma Bentley, direction l'est pour le premier week-end de l'été. Nous avions un calendrier social bien rempli de prévu — des défilés de mode, l'inauguration d'un nouveau restaurant et, bien sûr, le match de polo annuel de Bridgehampton, qui lançait officiellement la saison. On arriva en fin d'après-midi et les filles poussèrent des cris de joie en découvrant l'immense domaine. Tout le monde courut à l'étage pour choisir les chambres et se préparer.

Vêtue d'une robe blanche, je m'installai confortablement au bord de la grande piscine d'eau salée en sirotant du rosé. Mes soucis s'évanouirent et, pendant un instant, je me sentis sereine, habitée par cette impression de plénitude qui ne vient que quand tout va à nouveau bien.

Seule la crème de la haute société assistait au match de polo de Bridgehampton. Des it-girls aux tenues impeccables tenaient des flûtes de champagne entre leurs mains manucurées et se mêlaient sous les tentes blanches à des gentlemen distingués héritiers de vieilles fortunes, des superstars et des top models à la beauté époustouflante, pendant que de beaux cavaliers comme Nacho Figueras s'échauffaient sur le terrain verdoyant. Il aurait été facile de se laisser distraire par le glamour et la nouveauté de la situation, mais j'étais là pour une raison. Je savais que ce serait un terreau fertile pour recruter des joueurs. Je m'installai à une table avec les filles pour siroter du champagne tout en observant la scène. Nous étions de nouveaux visages et il ne fallut pas longtemps pour qu'un flot d'hommes converge vers notre table. Nous maîtrisions désormais à la perfection l'art de déterminer subtilement et rapidement si quelqu'un était un joueur potentiel.

Je faisais la conversation à un milliardaire d'un laboratoire pharmaceutique quand je levai les yeux et aperçus Glen, un bras autour des épaules d'une jolie blonde. À mon grand agacement, je sentis un éclair de jalousie. Eugene était mon âme sœur et je l'aimais à un point dont je ne me serais pas crue capable, mais il disparaissait davantage de jour en jour. Glen était arrogant et égocentrique. Il jeta un coup d'œil vers nous et croisa mon regard ; je souris et me détournai rapidement. Ce n'était pas plus mal. Sortir avec Glen Reynolds ne pouvait rien m'apporter de bon.

Ce soir-là, on organisa une fête chez nous, et je continuai sur ma lancée du match de polo, cherchant des atouts et des joueurs. Quand je me glissai enfin dans mon lit, j'étais épuisée, mais ravie du nombre de contacts que j'avais recueillis.

J'avais envie d'appeler Eugene et de lui dire à quel point tout se passait bien, donc je composai son numéro. Je tombai directement sur sa messagerie, comme d'habitude. Je pensai à lui, habillé en noir, errant de partie en partie sans dormir pendant des jours, avant de s'effondrer dans son appartement doré de la Trump Tower, seul. Mon cœur se serra. Je vérifiai une dernière fois que cet affreux Glen Reynolds ne m'avait pas envoyé de message. La réponse était non.

Quand Glen m'appela quelques jours plus tard pour m'inviter à dîner, je refusai poliment. Mais il n'était pas du genre à laisser tomber. Il me redemanda encore et encore, et je continuai à décliner.

Puis il décida de ruser : Glen savait que, pour gagner mon cœur, on avait intérêt à passer par le poker.

Une ou deux semaines plus tard, il me demanda si je voulais bien organiser une partie dans sa maison de ville, affirmant que ses copains de Wall Street avaient envie de jouer.

Je ne pouvais pas refuser. Glen avait proposé de me fournir de nouveaux joueurs. Je vins chez lui avec les filles, mes croupiers, ma table et mes chaises, mon mélangeur automatique, de quoi grignoter, et la ferme intention de rester strictement professionnelle.

— Salut, chérie, dit-il en ouvrant la porte d'entrée.

Il me décocha son plus beau sourire et me serra fort contre lui. Je lui tapotai l'épaule poliment et m'extirpai avec difficulté.

— Où est-ce que tu veux qu'on s'installe ? demandai-je, tentant de rester concentrée.

Il me guida vers le salon. Son appartement était sympa, mais c'était clairement une garçonnière. Au fur et à mesure que ses amis arrivèrent, il me les présenta. C'étaient tous des types de Wall Street jeunes, riches et surexcités.

Le poker partit rapidement en vrille. Ils débordaient d'énergie : ils passaient leurs journées à parier dans les salles de marché et prenaient bien les retournements de situation. Je commençai à recevoir des appels de joueurs qui voulaient participer.

J'envoyai à Glen un message à propos de la dernière place, lui disant que j'avais beaucoup de propositions intéressantes. Il me répondit :

J'attends encore quelqu'un.

La sonnette retentit. J'allai ouvrir la porte, m'attendant à un autre trader en costume chic, et tombai nez à nez avec Eddie Ting.

Je jetai un coup d'œil à Glen, qui hocha la tête.

— Salut, Molly, me dit Eddie d'un ton amical.

— Salut, répondis-je en essayant de cacher ma colère.

J'en voulais beaucoup à Glen. Comment pouvait-il me demander d'organiser un poker et négliger de mentionner qu'il avait invité mon ennemi mortel et principal concurrent ?

— Il faut que je te parle, chuchotai-je à l'oreille de Glen après avoir donné des jetons à Eddie.

On alla dans sa chambre.

— Qu'est-ce que tu fabriques ? Il va voler mes joueurs. C'est mon gagne-pain, mon entreprise, lui expliquai-je d'une voix furibonde.

— Je connais Eddie depuis des années ; il voulait jouer et faire ami-ami avec toi. Je te promets, dit-il en posant les mains sur mes épaules et en plantant son regard dans le mien, que personne ne va te voler quoi que ce soit. J'y veillerai.

Évidemment, maintenant, Eddie voulait faire ami-ami. J'avais les meilleurs pokers de New York. J'avais accès à des joueurs qu'il ne pouvait pas approcher. Je savais ce qu'il manigançait.

La partie se passa bien, mais je me montrai glaciale avec Glen, restant strictement professionnelle malgré ses tentatives de drague transparentes.

Il vint me retrouver dans la cuisine.

— Tu es fâchée à cause de la fille que j'ai amenée au match de polo ou à cause de cette histoire avec Eddie Ting ?

— Fâchée ? Qui est fâchée ? relevai-je d'un ton léger.

— Tu me fais peur.

— J'en doute, répliquai-je en lui resservant à boire. Tu n'as pas l'air du genre peureux.

— Tu accepterais que je t'emmène dans les Hamptons ce week-end ?

— Je ne pense pas que ce soit une bonne idée.

— Oh ! du calme, je n'essaye pas de coucher avec toi. Je veux te parler de quelque chose.

Devant mon expression sceptique, il ajouta :

— C'est du business.

Dis non, Molly, dis non, dis non.

Je me trouvais à l'un de ces moments où on a un choix clair entre une bonne et une mauvaise décision. Je savais exactement comment cette histoire allait finir. Je savais que ç'avait de bonnes chances de nuire à mon poker. Mais Eugene me manquait tellement que j'en souffrais physiquement, et l'attention de Glen était une distraction temporaire.

— OK, répondis-je, ignorant mon instinct. Mais il y a intérêt à ce que ce soit vraiment pour affaires.

Je savais très bien que ce n'était pas le cas.

JE SAVAIS AUSSI QUE JE DEVAIS rompre avec Eugene. Il était parti. Je l'aimais, mais il n'avait plus de place dans mon monde. Je voulais un vrai petit ami, pas un garçon qui vivait dans l'ombre. Je lui envoyai un message ; j'avais peur de ne pas y arriver si je le voyais. J'essayai d'être pragmatique et je lui dis que ça ne marchait pas. On ne se voyait jamais. Il devait vivre sa vie, il était jeune, et moi j'avais besoin de plus. On pouvait continuer à être associés, et meilleurs amis, toujours.

Il sonna chez moi sous une pluie battante. Je le trouvai planté sur le seuil, trempé jusqu'aux os, un océan de souffrance dans ses yeux noirs. Je le fis entrer, le pris dans mes bras et pleurai avec lui. J'avais l'impression qu'on m'arrachait le cœur. En voyant ses larmes, je me sentis plus triste que je ne l'avais jamais été.

— Pourquoi, Zilla ? demanda-t-il. Je t'aime tellement. Je ne te blesserais jamais comme ça.

Sa douleur m'anéantissait, mais je détournai la tête et ravalai un sanglot.

— Ça ne marche pas, c'est tout. On restera toujours amis et associés.

Il colla son visage baigné de larmes contre le mien, me prit le menton et m'embrassa passionnément. Je sentais ses larmes et ses lèvres, sa ferveur et son désespoir. Je me serrai contre lui ; je ne savais pas comment je pourrais survivre sans lui. Je me sentis soudain très vide.

Il me regarda dans les yeux… et il partit.

— Je t'aimerai toujours, Zil, toujours.

Je fermai les yeux et je l'écoutai s'en aller.

L'amour rend vulnérable. Je ne pouvais tout simplement pas me le permettre, dans le monde où je vivais. Je refoulai la souffrance et le vide au fond de mon esprit, et fis ma valise pour le week-end.

GLEN VINT ME CHERCHER DANS SA BMW NOIRE.

— Tu me plais, déclara-t-il en plantant son regard dans le mien.

— Tu ne me connais pas, répliquai-je. Une chose est sûre, je ne suis pas ton genre de femme.

— Quel est mon genre de femme ? demanda-t-il en riant.

— Pieds nus et enceinte, répliquai-je en faisant allusion à son commentaire le jour de notre rencontre.

— On peut y travailler, suggéra-t-il sans arrêter de rire.

— Tu ne supporteras jamais ma vie, mon boulot.

— Mais si. Ça me plaît. Je trouve ça cool que tu sois aussi ambitieuse.

Je savais qu'il ne serait pas de cet avis quand mon travail m'arracherait à son lit cinq nuits par semaine, ou quand il ne serait pas invité les nuits où je recrutais, ou pendant les virées que j'organisais. Autrefois, je n'aurais pas accordé un regard à Glen : je serais restée concentrée. Mais, quelque part au fond de moi, je commençais à vouloir davantage de la vie.

Au début, sortir avec Glen fut génial. On allait dans des restaurants de rêve, il m'emmenait au théâtre et à des galas de charité. J'aimais toujours Eugene. Je pensais souvent à lui et je me demandais quand mon cœur brisé commencerait à moins me faire souffrir, mais j'avais une relation adulte avec Glen, ce que j'appréciais. Les parties que j'organisais chez lui étaient rentables et divertissantes. Eddie venait toutes les semaines et faisait de gros efforts pour me plaire.

Au fond de moi, je savais qu'il ne fallait pas faire confiance à Eddie, mais je l'appréciais de plus en plus. Il était drôle, plein d'autodérision, et semblait avoir abandonné toute sa malveillance. Je baissai rapidement ma garde. À ma grande surprise, on devint amis, vraiment amis.

Notre cessez-le-feu se révéla avantageux. Nous avions un lien tacite né de nos expériences similaires : Eddie et moi organisions les plus gros jeux d'argent du monde et nous nous comprenions mieux que personne. Il venait à mes parties avec ses joueurs les plus lucratifs et je lui en envoyais aussi quelques-uns. Nous formions un front uni devant les gens qui nous devaient de l'argent, et nous nous aidions l'un l'autre à recouvrer les dettes. Si un type qui devait de l'argent à Eddie gagnait chez moi, je transférais les gains à Eddie plutôt que de payer le vainqueur, et il faisait pareil avec moi.

On commença aussi à sociabiliser et à organiser des dîners de couples avec sa femme et Glen.

La vie me souriait. Je m'amusais avec Glen, la plupart de mes parties se passaient très bien, et je ne me sentais pas immédiatement menacée par des ennemis, ouverts ou cachés. Malgré tout, des fissures commençaient à apparaître.

Je pensais toujours à Eugene. Il tombait de plus en plus loin dans l'abîme. Il jouait dans toutes les parties, même les plus glauques de Brooklyn et de Long Island, et contractait d'énormes dettes. Aux dernières nouvelles, il s'était fait arnaquer et avait payé un demi-million pour devenir associé dans un poker concurrent. J'essayais de le raisonner.

— Eugene, tu es l'atout. Non seulement tu amènes des joueurs, mais tu joues pendant des jours et tu animes tellement les parties que tout le monde reste et fait gagner des sommes phénoménales à l'organisateur, lui disais-je les rares fois où je le voyais, surtout pour des transactions financières.

Je savais que la porte de notre monde intime s'était refermée.

Je commençais aussi à avoir du mal à remplir mon plus gros poker. Je perdis quelques joueurs — l'un à cause d'un ultimatum de sa deuxième femme, une jeune beauté qu'il venait d'épouser, et un autre ruiné par ses investissements chez Madoff. Ce n'était pas la fin du monde de sauter quelques semaines, mais ça me rendait vulnérable aux attaques. Je refusais de lâcher ce poker. Il était trop lucratif, trop énorme.

— Kenneth est une vraie mine d'or, me dit un jour Eddie. C'est hyper impressionnant, ce que tu as construit ; tu peux toujours organiser une partie autour de Kenneth.

— Ça devient plus difficile qu'on ne le croirait, objectai-je. Je crois que même les dieux de Wall Street dégringolent un peu de leurs trônes d'airain.

— Ça te dirait qu'on s'associe ? proposa-t-il d'un air nonchalant. Je peux t'apporter de nouvelles recrues pour compenser tes pertes, et je jouerai aussi.

Il avait un énorme *fish* et toute une écurie de joueurs qu'il finançait depuis des années.

— Oui, ça pourrait marcher, laisse-moi y réfléchir…

— Cool, dit-il en me versant un *shot* de tequila. On ferait une équipe invincible.

J'étais très partagée. D'un côté, j'avais envie de faire confiance à Eddie, de croire que ce n'était pas une longue escroquerie pour me voler mon poker. En plus, ce serait très, très agréable que quelqu'un me décharge d'une partie de la pression financière pour couvrir les dettes des payeurs lents et du stress de remplir les tables. Je finançais les parties et je me portais garante. Si un joueur mettait plus d'une semaine à payer, je remplissais le chèque moi-même pour calmer les angoisses du vainqueur.

Eddie, comme presque tous les autres organisateurs, laissait participer un professionnel ou deux et prenait un pourcentage de leurs gains et de leurs pertes. Le fait que je ne joue pas me permettait d'être beaucoup plus juste et objective.

Tout en sachant que je faisais probablement une erreur, je décidai d'essayer avec Eddie. Il vint avec ses plus gros *fish* et quelques pros. Kenneth n'était pas content du tout. Cependant, Eddie mettait une ambiance de folie, faisant monter les enjeux. Je savais qu'il ne jouait pas comme ça d'habitude et que c'était l'occasion qu'il avait attendue. Il avait fait beaucoup de chemin depuis les parties à un ou deux dollars dans des trous à rats. Kenneth gagna et la partie fut un énorme succès. J'avais laissé Eddie s'entendre avec les croupiers pour prendre une commission. Je n'avais encore jamais fait ça, en bonne partie parce qu'il y avait très peu de risques et que les pourboires étaient énormes.

À la fin de la soirée, après le départ des joueurs, je fis les comptes avec Eddie. Entre la commission et nos « chevaux » (les types sur qui on prenait un pourcentage), on se fit 200 000 dollars chacun. C'était bien plus que ce que j'avais jamais gagné dans une partie jusque-là. J'étais électrisée par l'énorme profit, mais aussi rongée par la culpabilité, comme si j'avais triché ou volé mes amis. Je me sentais sale.

J'étais grisée par le succès. J'avais amadoué mes ennemis, charmé mes adversaires, et je gagnais de l'argent à ne savoir qu'en faire.

GLEN, QUI AVAIT JOUÉ DE TEMPS EN TEMPS avant notre rencontre, était devenu assidu. Il voulait que les parties chez lui aient lieu toutes les semaines.

— Ce sera ton poker, et je te laisserai tout contrôler, promit-il.

C'était problématique. Organiser les parties chez un joueur diminuait mon pouvoir. Mais j'acceptai : c'était mon petit ami.

Glen était toujours le plus gros perdant. Ça posait un autre problème, parce qu'une bonne partie de mon travail de recouvrement consistait désormais à soutirer de l'argent à mon copain pour payer ses pairs et mon salaire.

J'avais aussi d'autres parties à surveiller, et m'esquiver pendant les pokers chez Glen n'était pas facile. Un soir, en particulier, je dus aller surveiller une autre partie alors qu'il avait perdu 200 000 dollars.

Cette nuit-là, il y avait quelques électrons libres chez Glen. L'un d'eux était Deacon Right, un jeune héritier. Deacon jouait mal. Très mal.

Et il adorait déstabiliser Glen.

— Glen ? Ta copine s'en va ? releva-t-il.

Il se tourna vers moi.

— Tu quittes la partie de ton mec à minuit ? Mais où tu vas ?

Je grinçai des dents. D'abord, ce n'était pas la partie de « mon mec » : c'était moi qui avais invité la plupart des joueurs et qui me portais garante. Je prenais des risques pour en faire un poker génial — comme de laisser Deacon jouer, par exemple.

Deacon ne s'arrêta pas là.

— Ta copine s'en va alors que tu as perdu 200 000 balles ? insista-t-il.

Glen me jeta un regard mauvais. Il fallait que j'aille à l'autre partie pour vérifier les comptes, le tableur et les crédits. La semaine précédente, il y avait eu un problème de comptes, ce qui m'inquiétait d'autant plus que mon système me semblait infaillible.

Ma vie personnelle et ma vie professionnelle étaient à nouveau en conflit, et ça ne me plaisait pas du tout. Dans cette pièce, pendant ces parties, je n'étais pas la pom-pom girl de Glen ou sa copine, j'étais chef d'entreprise. Si je partais maintenant, je l'humilierais devant ses amis, et je ne voulais pas qu'il perde encore plus d'argent, mais j'avais des affaires à gérer.

Je me levai pour partir et il me fit signe d'attendre.

Il me rejoignit dans le hall.

— Il est minuit, souligna-t-il.

— Je dois aller surveiller l'autre partie.

Au bout d'une minute de dispute, je le coupai.

— J'y vais. Je repasserai tout à l'heure.

Dans l'escalier, je me retournai pour lui souhaiter bonne nuit. Il me claqua la porte au nez.

DÈS MON ARRIVÉE À L'AUTRE PARTIE, Willy Engelbert, un jeune New-Yorkais riche, courut vers moi avec ses jetons.

— Je suis encore revenu de loin, c'est dingue ! annonça-t-il d'une voix haletante.

— Bravo, répondis-je en l'examinant de près.

Quelque chose clochait. J'avais vu des milliers de gains et de pertes, et là, je sentais clairement qu'il y avait un problème.

— Tu peux me payer ? demanda-t-il du même ton essoufflé et fiévreux.

Par ailleurs, l'hôte devait une somme énorme et avait apparemment convaincu mon assistant de lui faire beaucoup plus crédit que je n'aurais voulu. Même s'il était riche et, en théorie, un associé, il était trop dégénéré pour qu'on lui fasse confiance.

Heureusement que j'avais décidé de passer. Cette partie était une foire d'empoigne. Il y avait des visages inconnus qui détonnaient un peu, et le croupier travaillait depuis trois heures sans pause, poussé par l'hôte. Je préférais que mes croupiers ne travaillent pas plus d'une heure d'affilée.

Il était temps de reprendre les rênes de la partie. Je parlai à l'hôte, qui me montra ses comptes en ligne et me transféra même de l'argent. J'essayai ensuite d'en apprendre davantage sur les nouveaux venus tout en vérifiant les comptes.

Glen me harcelait au téléphone.

— La partie est finie, tu es où, bordel ? C'est tellement

pas pro. J'ai besoin que tu fasses les comptes et que tu payes les gens.

Je courus dans la nuit froide et je pris un taxi jusque chez Glen pour pouvoir faire les comptes et signer des chèques aux gagnants et à mes employés. D'après mes calculs, Glen avait perdu 210 000 dollars, et il était furieux. Après avoir fait les chèques aux vainqueurs, il partit dans sa chambre en claquant la porte.

Je retournai discrètement à l'autre partie pour vérifier que tout se passait bien. Quand j'eus enfin l'impression que mon équipe contrôlait la situation, je rentrai chez Glen ; le soleil se levait.

Je me glissai au lit en espérant ne pas le réveiller.

— Je garde les pourboires de ce soir, et je veux un pourcentage rétroactif sur toutes les parties qu'on a faites, annonça-t-il en me tournant le dos.

Une flambée de colère me submergea. J'avais envie de lui hurler que c'était injuste, indigne et immoral — notamment parce que Glen était trader à Wall Street et que je n'avais que ça.

J'avais tout sacrifié pour construire mon business et pouvoir jouer selon mes propres règles et aimer quelqu'un pour de bon, pas parce que j'avais besoin de lui.

À cet instant, Glen devint mon ennemi. Donc, au lieu de discuter, je me calmai. Il fallait que j'élabore une stratégie.

— On en parlera plus tard, répondis-je, et je me retournai, faisant semblant de dormir jusqu'à ce qu'il parte travailler.

À MON RÉVEIL, un message de mon croupier, envoyé à 6 heures du matin, m'attendait.

Il manquait encore 10 000 dollars.

Je repensai immédiatement à Willy et à son attitude suspecte. Et, quand je regardai les comptes de plus près, je découvris que la partie de la veille n'était pas la seule qui clochait dans les dernières semaines.

Je contactai les organisateurs des autres pokers que Willy fréquentait, et ils confirmèrent tous qu'il avait été présent aux parties où les comptes ne tombaient pas rond.

Accuser quelqu'un de triche sans preuves concrètes poserait toutes sortes de problèmes. Willy se contenterait de nier en affirmant que c'était une coïncidence, et il dirait peut-être du mal de moi dans toute la ville. Il me fallait des preuves. Je devais le prendre la main dans le sac. Je fis donc discrètement installer des caméras en les plaçant de telle sorte qu'on ne voie pas les mains et les visages des autres joueurs, pour ne pas les compromettre.

Ça ne pouvait marcher que si quelqu'un ajoutait des jetons à la pile de Willy sans qu'il se cave, me dis-je. Il avait peut-être fait fabriquer des jetons sur mesure identiques aux miens, à moins qu'il ne pique dans mes réserves ou dans les jetons sur la table.

Effectivement, à la partie suivante, alors que Willy, qui jouait très mal, perdait encore, il se retrouva mystérieusement à gagner une petite somme. Puis il supplia presque qu'on le paye immédiatement.

Je regardai les vidéos de surveillance, et on voyait clairement qu'il rajoutait des jetons de sa poche sur la table pendant la partie.

J'appelai Willy et lui demandai de passer chez moi, lui disant que j'avais préparé tous ses chèques.

Il arriva vêtu d'un manteau hors de prix, les joues rosies par le froid.

— Salut ! dit-il en m'embrassant et en me serrant contre lui. Je veux juste te dire que tes pokers sont géniaux. Ce sont les meilleurs de New York et tout le monde le sait.

Je souris et le remerciai.

— Je veux te montrer quelque chose.

Il regarda la cassette et pâlit.

— Molly, tu ne peux pas imaginer la pression que je subis, dit-il, l'air paniqué. J'ai des ennuis avec des gens horribles et je ne peux pas demander de l'aide à ma famille ; ils me tueraient — ils pensent déjà que je suis un loser.

Il pleurait. Incroyable. Je lui tendis des mouchoirs.

— Je comprends, mentis-je.

Le pauvre petit riche préférait voler plutôt que d'affronter ses parents. C'était un voleur, un menteur et un lâche, mais j'avais besoin qu'il me voie comme quelqu'un qui lui faisait une faveur, pas un adversaire. Un homme désespéré et sans scrupules comme Willy fait un ennemi dangereux. Je me positionnai donc en alliée.

— Écoute, je ne montrerai cette cassette à personne, mais il faut que tu rembourses les parties où tu as triché, et tu ne peux plus jamais jouer. Je vais déchirer ces chèques et tu peux me payer le reste quand tu te seras remis. Tu joues avec des amis de ton père et des gens importants dont tu auras peut-être besoin plus tard.

Il accepta immédiatement, l'air reconnaissant, et s'excusa plusieurs fois.

Je savais que si je l'avais accusé sans preuves, il serait devenu odieux. J'étais aussi consciente que les autres organisateurs de jeux en ville auraient été moins diplomates.

— Paye tes dettes et la vidéo est à toi.

Il me serra contre lui avant de partir, l'air vaincu et humilié.

— Merci d'avoir géré ça de cette façon, dit-il tout bas. Tu es une fille bien.

AU BOUT DU COMPTE, Willy me paya tout ce qu'il me devait, et je lui donnai la cassette. Évidemment, j'en gardai une copie, mais je n'entendis plus parler de lui et n'eus jamais besoin de l'utiliser.

Ce fiasco me donna une bonne leçon : je ne pourrais plus laisser quelqu'un d'autre gérer mes parties. Je devais être présente.

L'UN DE MES JOUEURS RÉGULIERS appela juste après pour contester une somme de 250 000 dollars qu'il avait payée à Illya en décembre.

Ce joueur me devait actuellement à peu près un million et, en gros, il me disait qu'il ne payerait pas 250 000 dollars. J'appelai Illya, qui, bien sûr, soutint que l'autre avait tort.

Je fermai les yeux et j'appuyai ma tête contre le dossier du canapé, gagnée par un genre d'épuisement que je n'avais jamais ressenti auparavant. Je manquais de sommeil, j'étais vidée psychologiquement, et le poids des responsabilités que je supportais seule commençait à m'écraser physiquement. Cerise sur le gâteau, je devais aller parler à Glen.

Il répondit à la porte et j'attendis, me demandant de quelle humeur il était.

Il me serra fort contre lui.

— Je suis désolé, ma chérie, j'ai dérapé. Tu peux tout avoir, le poker, tout.

J'avais envie de le croire, sans y parvenir. Trop fatiguée pour me disputer, je m'autorisai à m'effondrer dans ses bras. La gentillesse d'Eugene, la pureté de son amour me manquaient.

Je m'étais convaincue que j'aidais Eugene, mais c'était moi que ça arrangeait et j'étais rongée par la culpabilité. Je ne l'avais pas aidé, je l'avais détruit.

Ce soir-là, j'allai au restaurant avec Glen et on but trop de vin tous les deux. Il me prit les mains comme s'il s'apprêtait à me demander en mariage.

— Combien ?

— Qu'est-ce que tu veux dire ?

— Combien tu voudrais pour arrêter le poker ? Je signerai le chèque. J'investirai dans tout ce que tu feras.

Il sortit son chéquier, le regard fou.

— Combien ? Je l'écris tout de suite !

— Pourquoi ? Pour que je t'appartienne ?

J'étais soudain furieuse. Glen avait tellement l'habitude d'utiliser son argent pour tout maîtriser. Et maintenant il essayait de me contrôler, moi.

— Laisse tomber, Glen. Je ne suis pas à vendre.

LA SITUATION AVEC GLEN NE FIT QU'EMPIRER. Il essayait de plus en plus de me contrôler, et je pris de la distance. Plus je m'éloignais, plus je sentais qu'il essayait de me dominer, avec le seul moyen en sa possession : le poker.

D'après mes archives, il ne m'avait jamais payé les 210 000 dollars qu'il avait perdus la nuit de notre première dispute. Il commença à refuser de payer ce qu'il devait quand il perdait à d'autres parties, disant que j'étais une mauvaise copine quand je lui réclamais les sommes.

Je finis par me réfugier dans un hôtel sous un faux nom pour lui écrire un mail d'adieu. Il fut anéanti. Il m'appela, harcela mes amis, mes assistantes. Il vint au Plaza et exigea qu'on lui dise dans quelle chambre j'étais. Il perdit complètement la tête.

Je ne fus pas surprise.

LE LENDEMAIN, j'envoyai un mail à Kenneth Redding à propos du gros poker. Il me répondit immédiatement.

> On joue chez Eddie ce soir. Je croyais que vous organisiez ensemble.

Mes oreilles bourdonnèrent. Merde. Merde. Merde.

Je compris tout de suite ce qui s'était passé. Glen avait dû aller voir Eddie et le forcer à choisir entre nous deux. Et Eddie, que j'avais pris pour mon ami, n'était en fait l'ami de personne. C'était un homme d'affaires, qui avait vu une occasion de récupérer ma part et de fidéliser ce *fish* de Glen.

Suffoquant de rage, je balançai un verre contre le mur. Il se brisa en mille morceaux.

LES SEMAINES SUIVANTES FURENT UN ENFER. Eddie contrôlait le gros poker, Glen organisait mes parties du lundi chez lui, et j'arrivais à peine à faire une partie par semaine. Ni Glen ni Eddie ne répondaient à mes appels. D'après mes archives, ils me devaient tous les deux beaucoup d'argent.

Si vous comptez me voler ou manquer à votre parole, ayez au moins le courage de me regarder en face.

Mon cerveau bouillonnait. Je refusais de baisser les bras et d'accepter mon sort. Je n'allais pas m'enfuir paniquée comme à Los Angeles. En plus, cette fois-ci, je n'avais nulle part où aller.

Je me mis à concocter des plans pour récupérer mes pokers. J'avais des informations qui pouvaient les détruire tous les deux. Évidemment. Je connaissais les secrets de tout le monde : j'organisais leurs nuits de débauche. Mais eux aussi pouvaient me détruire. Nous trempions tous dans des affaires pas nettes, d'une façon ou d'une autre, et certains d'entre nous commettaient de graves infractions. Je décidai donc que je valais mieux que ça.

J'avais d'autres contacts, d'autres pokers. Mais New York avait perdu le charme de la nouveauté.

SIXIÈME PARTIE

Cold deck

New York, juin 2010-2011

Cold deck (nom) :

Un paquet truqué intentionnellement (parce qu'il a été trié d'une certaine façon ou que l'adversaire a des cartes d'un autre paquet) afin que le joueur ne puisse pas gagner.

29

Avec le retour de l'été, le long hiver froid, littéral et métaphorique, céda la place à l'espoir et à l'hédonisme. Je louai un autre palace dans les Hamptons, et je me préparai avec les filles pour les fêtes, le polo et, bien sûr, le poker.

J'avais reconstruit mon cheptel et je gagnais à nouveau de l'argent, mais je n'en profitais pas beaucoup. J'étais fatiguée. Fatiguée d'être exploitée. Je me disais qu'à moins de m'abaisser à leur niveau je ne pouvais pas rivaliser avec des gens sans honneur. J'étais obligée d'être sur mes gardes en permanence et j'avais l'impression que tous les gens que je rencontrais essayaient de voler mes pokers, et que tous mes « amis » étaient des employés ou des joueurs. Je commençais à me lasser de ce fardeau et de ma solitude.

Je passai le mois de juillet à Ibiza et à Saint-Tropez, à faire ce que j'avais toujours fait : recruter, intriguer et jouer. Un soir, à Ibiza, je récupérai 50 000 dollars que diverses personnes me devaient : ils me tendirent simplement des liasses de billets. Mais ma passion et ma ferveur avaient disparu. Au lieu de danser sur la table avec les autres, je restai assise sur une banquette à regarder le tourbillon de filles à moitié nues, d'hommes en sueur, de drogues, d'alcool… un carnaval de faux-semblants.

Je quittai la boîte et regagnai l'hôtel toute seule. Le soleil se levait et mes amis ne rentreraient que dans plusieurs heures. Je n'arrivais pas à me débarrasser de mon impression de vide.

Même si je transportais désormais des liasses de billets dans mon sac à main avec désinvolture, il y avait des fois où je devais acheminer beaucoup plus que 50 000, et dans ces cas-là je prenais des précautions.

J'avais un chauffeur que j'employais spécifiquement pour ces fois-là, un certain Silas.

Je lui demandai de passer me prendre parce que je devais aller récupérer une grosse somme dans le centre-ville. Silas traitait les rues de New York comme le décor de son jeu vidéo personnel, et il était capable de me conduire de mon appartement de l'Upper West Side au Financial District en moins de dix minutes.

Je me glissai dans son Escalade aux vitres teintées et sortis mon ordinateur.

— Salut, Molly, dit-il.

— Salut, répondis-je sans quitter des yeux mes tableurs.

— Comment ça va ?

— Bien.

J'étais distraite par l'énorme différence entre ce qu'on me devait et ce que je devais. Je prenais de gros risques et l'angoisse de recouvrer mes dettes toutes les semaines commençait à me peser. D'habitude, Silas n'était pas aussi bavard, et c'était l'une des choses qui me plaisaient chez lui. Je ne lui avais jamais dit en quoi consistait mon travail et, même si j'étais sûre qu'il le savait, il ne m'avait jamais posé de questions.

— Écoute, continua Silas, avec son accent italien qui rendait les mots tellement liquides que j'avais du mal à comprendre. J'ai des amis qui vivent dans le New Jersey. Ils organisent des gros pokers de fonds spéculatifs... ils veulent te rencontrer.

Je levai les yeux. Le plus important dans mon travail

était de trouver de la chair fraîche pour mes pokers et, même si je trouvais Silas un peu gonflé de se mêler de mes affaires, j'avais reçu des tuyaux utiles de sources plus bizarres.

— OK. Donne mon numéro à ton ami, Silas. Merci.

Je lui souris dans le rétroviseur et je mis mes écouteurs pour pouvoir ruminer sur mes comptes sans interruption pendant les six minutes de trajet restantes.

J'avais complètement oublié cette conversation quand Silas me rappela, quelques heures plus tard.

— J'ai parlé à mes amis et ils veulent te rencontrer, déclara-t-il.

Je ne trouvais pas étrange que Silas joue les intermédiaires. Tout le monde voulait toujours une part du gâteau et, s'il facilitait un deal, il aurait une récompense.

— Dis à tes amis de me retrouver au Four Seasons, répondis-je. J'y serai vendredi.

J'avais déjà donné rendez-vous là-bas à un marchand d'art qui voulait lancer un petit poker hebdomadaire pour des négociants, des artistes et des galeristes, donc, même si ça ne donnait rien, je n'aurais pas perdu trop de temps.

J'ÉTAIS ASSISE DANS UN COIN à siroter un thé glacé quand les « amis » de Silas arrivèrent. Je les remarquai tout de suite. C'étaient deux armoires à glace qui attendaient près du bar en observant le lieu d'un air hésitant. Ils semblaient tout droit sortis de la production du *Parrain*, en costume brillant et chaînes dorées.

J'ouvris de grands yeux. Ce n'était absolument pas ce à quoi je m'étais attendue, et je n'aurais jamais accepté un rendez-vous pareil si j'avais su. Trop tard : ils m'avaient repérée et se dirigeaient vers moi. Je me levai pour les saluer, mais ils avaient quand même l'air de géants à côté de moi.

— Euh, c'est toi, Molly ? demanda l'un d'eux, la mine perplexe.

J'avais l'habitude. La plupart des nouveaux joueurs étaient surpris de découvrir une jeune femme de petite taille en tailleur Armani strict et collier de perles.

— C'est moi, salut, dis-je poliment, comme si tout allait bien.

Je fis signe au serveur, qui dévisagea mes compagnons d'un air hautain.

— Qu'est-ce que vous voulez boire ? demandai-je.

Ils s'assirent dans les fauteuils de cuir lisse, l'air très conscients de détonner.

— Ah, ouais… Je vais prendre, euh… un martini-pomme, déclara le plus costaud, qui s'était présenté comme Nicky.

Je dus me retenir de recracher mon thé glacé. La grosse brute voulait un martini-pomme ? Sérieusement ? J'avais envie de rire. Les costumes, le cocktail de filles. C'était trop drôle.

Le plus petit, Vinny, prit la parole.

— On veut discuter d'un partenariat, annonça-t-il d'un ton qui indiquait que c'était plus un ordre qu'une proposition. On veut t'aider à récupérer l'argent. Personne ne se foutra de toi. On a entendu que t'organises des pokers super, mais que tout le monde essaye de te baiser parce que t'es une meuf. Si t'es avec nous, plus personne ne se foutra jamais de ta gueule.

Même si c'était vrai, et que la proposition semblait tentante, je savais que ce n'était pas honnête.

Je pris une gorgée bien longue de thé glacé pour gagner du temps.

— J'apprécie la proposition, mais je n'ai pas vraiment besoin d'aide, répondis-je en les regardant droit dans les yeux, essayant d'être amicale mais ferme.

— Écoute, on n'est pas à Beverly Hills, ici, rétorqua

Vinny. C'est comme ça que ça marche : tu nous donnes un pourcentage et on te protège. C'est pas une proposition, c'est juste comme ça que ça marche.

— Ce n'est pas ce genre de poker, dis-je, tentant de les raisonner. Si je m'associe avec vous, je perdrai mes clients.

C'était vrai. Seule mon absence de liens avec la criminalité m'évitait d'avoir des ennuis. Les flics se fichaient du poker tant que ce n'était pas lié à de la violence, des drogues, de la prostitution, de l'usure. M'associer avec ces types ne me protégerait pas du tout — ça m'exposerait à de plus gros ennuis.

On continua à discuter un peu, en tournant en rond. Vinny commençait à s'énerver et Nicky lui jeta un regard noir.

— Écoutez, je vais y réfléchir. On n'a qu'à en reparler dans quelques jours.

Je me creusais la tête pour trouver une solution, une façon de leur être utile sans les impliquer dans mes affaires.

Je me levai pour leur serrer la main, de nouveau impressionnée par leur taille.

— Hé, suggérai-je, comme si je venais d'y penser. Ça n'a pas l'air facile, comme façon de gagner sa vie. Vous savez, je connais des gens. Si vous voulez vous reconvertir, je pourrais vous aider, vous présenter à des gens qui apprécieraient vos, euh, compétences uniques.

Je leur fis mon plus beau sourire et ils me regardèrent comme si j'étais un extraterrestre.

— On te recontactera, promit Vinny d'une voix sourde.

Nicky m'appela quelques jours plus tard.

— Tu crois vraiment que tu pourrais m'aider ? demandat-il d'une voix plaintive qui ne faisait pas du tout gros dur.

— De quoi est-ce que tu as besoin ?

— Je veux faire quelque chose de différent. Je ne sais pas quoi, juste quelque chose de différent.

Je me réjouis en silence.

— Pas de problème. On se fait un déjeuner après les fêtes pour en discuter ?

— Merci, Molly.

Ouf, pensai-je. Problème réglé. Plus besoin d'y repenser.

Ensuite, j'eus à peine le temps de remarquer que j'avais un appel en absence de Nicky. Il rappela, mais j'avais trop de boulot pour répondre. Je ne répondis pas non plus à ses deux coups de fil suivants. J'avais de plus gros problèmes à gérer : un joueur m'avait fait un chèque sans provision de 250 000 dollars. Et Kenneth prenait son temps pour me payer le demi-million qu'il me devait, même s'il était multimilliardaire.

Puis Noël arriva et je rentrai chez moi. J'en avais besoin. Je n'étais pas retournée dans le Colorado depuis une éternité, et ma famille me manquait.

30

Les paysages du Colorado étaient magnifiques, couverts de neige immaculée. Ça faisait tellement longtemps que je n'étais pas rentrée. Quand je descendis le premier matin, ma mère, ma grand-mère et mes frères étaient en pyjama et regardaient une vidéo YouTube d'un « souhait » que mon frère avait récemment exaucé, par le biais de sa fondation caritative qui aidait des personnes âgées seules ou modestes à réaliser leurs vieux rêves. J'allai me promener avec ma mère, et tous les voisins me saluèrent par mon nom au passage. Au Starbucks local, la serveuse me demanda comment j'allais et ce que j'allais faire du reste de « cette belle journée ». C'était tellement différent de ma vie à New York que j'avais l'impression d'être sur une autre planète.

Ma famille était géniale mais, ces temps-ci, ils étaient devenus des inconnus. Même si je vieillissais et que je réussissais, mon complexe d'infériorité et mon impression de faire tache n'avaient pas disparu. Mes frères accomplissaient tous les deux des choses remarquables. Jordan était en postdoc à Harvard, avait épousé l'amour de sa vie et comptait fonder une famille. Jeremy n'avait pas perdu de temps après avoir fini sa carrière sportive illustre — il avait immédiatement créé une start-up dans les nouvelles technologies et avait été choisi parmi les « trente entrepreneurs en nouvelles technologies de moins de trente ans » du magazine *Forbes*. Non seulement la philanthropie de

Jeremy était touchante, mais il avait récolté des fonds considérables pour son association caritative et ça lui faisait de la bonne com. J'essayai de mettre de côté mon sentiment d'infériorité et de profiter des vacances avec ma famille. Ce n'était pas facile.

Au dîner, je fixai mon assiette en écoutant mes frères parler de leurs vies. Le poker était le seul domaine où j'excellais vraiment. J'avais construit une entreprise avec un capital de plusieurs millions à partir de rien, mais je n'avais quand même pas l'impression d'avoir une place à cette table. Je mangeai en silence, remplissant mon verre de vin trop souvent. Je n'avais rien d'intéressant à ajouter à la conversation. Ma famille était au courant de mes activités. Ils essayaient de les ignorer, comme si le poker était une phase que je traversais. Au bout d'un moment, je n'arrivai plus à contenir ma frustration, me sentant sous-estimée ; j'avais envie de me rebeller. Je commençai à parler — de l'argent, de mes « amis » célèbres ou milliardaires, des jets privés, de mon chauffeur à temps complet, de mes employés, des boîtes. Ce n'était pas parce que ma famille ne trouvait pas ça impressionnant que le reste du monde ne rêvait pas de la vie que je décrivais. Je savais que j'étais odieuse.

Je voyais qu'ils me jugeaient, me désapprouvaient.

— C'est vraiment la vie que tu veux ? me demanda Jordan.

— Eh ouais. Je ne juge pas vos petites vies sages, bien dans les clous et tristes comme la pluie, moi.

J'avais vraiment trop bu et je m'échauffais de plus en plus, haussant le ton.

— Je me fous de ce que vous pensez de ma carrière, continuai-je. Vous n'avez aucune idée de ce que j'ai construit, des obstacles que j'ai surmontés, alors, vos commentaires

Le grand jeu | 317

moralisateurs et vos regards désapprobateurs, vous pouvez vous les garder.

Je courus dans mon ancienne chambre, claquai la porte et sanglotai dans mon oreiller. Furieuse, je m'essuyai les yeux et j'allumai mon ordinateur. Submergée par la honte et les regrets, je n'avais qu'une envie, partir. Je réservai un vol et appelai un taxi.

Ma mère frappa à ma porte.

— Ma chérie, on est inquiets, c'est tout, commença-t-elle en entrant. On t'aime et on est tous très fiers de toi. C'est juste qu'on ne te reconnaît plus ; tu as l'air malheureuse.

— Il n'y a pas de raisons de s'inquiéter, maman. Je vais bien. Je suis fatiguée, c'est tout. Je vais m'allonger, d'accord ?

— D'accord, ma chérie. Je t'aime très fort.

Elle me serra contre elle.

Je fermai la porte à clé et fis ma valise, laissant un mot :

Désolée, il faut que je rentre à New York.

Quand la voiture arriva, je sortis de la maison avec mes bagages. J'entendais ma famille rire dans le salon. Je m'arrêtai un instant.

Ils regardaient des vieux albums de photos et se moquaient les uns des autres. Je fermai discrètement la porte derrière moi. Je n'avais pas envie de dire au revoir ; je voulais juste rentrer à New York aussi vite que possible.

DANS L'AVION DU RETOUR, je pensai au poker, à mon business. C'était la seule chose qui me faisait me sentir exceptionnelle, la seule qui ne m'avait pas brisé le cœur. Il y avait des défis, mais je réussissais toujours à les relever. Et, plus que les parties elles-mêmes, j'adorais l'univers de possibilités qu'elles m'ouvraient.

Le poker était mon sésame pour pénétrer dans n'importe quel monde. Les fonds spéculatifs. Le milieu artistique.

Je pouvais organiser une partie avec des politiciens, des artistes, des princes. Il y avait des joueurs dans tous les milieux sociaux, et les débusquer était ma spécialité.

Je méditai sur les différentes possibilités dans la voiture entre l'aéroport et chez moi. New York était couvert de neige et de décorations de Noël. J'aimais vraiment cette ville, et je me sentais électrisée d'être de retour. Ma passion et mon énergie se réveillaient.

Je saluai mon portier, Roger, comme un vieil ami et je montai.

Le bâtiment était en travaux, et le hall vide et silencieux. Les quelques locataires étaient partis en vacances. Lucy était chez ma voisine June, qui la promenait toute l'année. J'avais tellement hâte de la voir que je m'arrêtai chez June pour la récupérer. Ma voisine ne répondit pas et je montai.

Roger frappa à la porte avec mes bagages, plus de valises que d'habitude parce que j'avais rapporté des affaires du Colorado.

— Joyeuses fêtes, Roger, dis-je en lui donnant un pourboire particulièrement généreux.

Il était en train de partir quand je pensai au courrier.

— J'ai reçu des colis ?

— Je ne crois pas, répondit-il. S'il y en a, je les monterai.

Je le remerciai.

Je commençais à défaire mes valises quand j'entendis qu'on frappait à la porte. Probablement Roger avec mon courrier, pensai-je. J'ouvris la porte à un inconnu. Il se rua vers moi, me forçant à reculer. Avant que je puisse protester, il me repoussa, entra dans l'appartement et claqua la porte derrière lui.

J'ouvris la bouche pour hurler, mais il sortit un flingue de sa veste et me jeta contre le mur. Je sentis la douleur irradier du centre de mon crâne.

Il fourra le canon dans ma bouche.

— Ferme ta putain de gueule.

Le temps ralentit.

Une arme dans ma bouche, il y avait une arme dans ma bouche. Mes dents claquèrent contre l'acier glacé et impitoyable.

J'eus un frisson d'adrénaline et de terreur. Je hochai la tête pour montrer mon obéissance et il sortit le revolver de ma bouche pour le coller contre mon crâne.

Peut-être que Roger allait venir. Il était mon seul espoir.

— Avance, ordonna l'homme en me poussant vers la chambre, l'arme toujours braquée sur moi.

Il me poussa vers mon lit et je tombai sur le matelas, le pire endroit possible. J'espérais toujours que Roger allait passer, mais... S'il n'y avait pas eu de colis... S'il oubliait ? Ou pire, et si ce cinglé le tuait ?

Il fallait que je me secoue, mais la panique m'empêchait de réfléchir. Je reculai et m'adossai à la tête de lit.

— J'ai de l'argent, parvins-je à lâcher. J'ai beaucoup d'argent.

— Où ?

— J'ai du liquide dans mon coffre.

Il me prit par les cheveux. J'avais toujours mal là où j'avais heurté le mur. J'avais le vertige.

— Où ?

— Dans mon placard.

Je désignai le coin de la chambre.

OK, c'était bon signe. Peut-être qu'il était là pour l'argent. Je retrouvai un fragment de lucidité. Je regardai son visage : des cheveux bruns, de grands yeux sombres, rasé de près. Pourquoi est-ce qu'il n'avait pas de masque ? Pourquoi il n'était pas masqué ? Là, je pourrais l'identifier facilement... La réponse m'assomma comme un coup de brique.

Il va me tuer.

J'avais quitté ma famille sans dire au revoir. J'avais été horrible, cruelle.

Il va me tuer.

Il me prit le bras et me conduisit vers le placard, puis il m'appuya sur l'épaule et me força à m'agenouiller. Mon corps était devenu tout flasque, ma terreur et ma tristesse reléguées au second plan par l'idée que c'étaient mes dernières minutes sur cette terre.

Il désigna le coffre avec l'arme.

Les doigts engourdis, je composai le code sur le clavier. Le canon me rentrait dans le crâne.

La porte en métal s'ouvrit pour révéler les liasses bien organisées de billets de dix mille dollars et les boîtes à bijoux, ainsi que les documents importants comme mon certificat de naissance et mon passeport.

— Donne-moi le liquide et les bijoux, ordonna-t-il d'une voix où je perçus de l'excitation.

Je lui tendis les liasses.

Je lui passai les bijoux que ma grand-mère m'avait légués.

— Donne-moi un sac.

Il en aurait besoin pour transporter tout le cash. Je me levai prudemment et lui tendis un Balmain choisi au hasard parmi mes nombreux sacs de marque.

Il fourra les liasses, un pendentif en or avec une photo de l'arrière-grand-mère dont je portais le nom, l'alliance de ma mère et une paire de boucles d'oreilles en diamants héritée de ma grand-mère à l'intérieur. Il referma le sac, l'air très content de lui.

Puis il se baissa vers moi et me prit la tête entre ses mains rudes et calleuses, approchant son visage du mien. Il sentait le tabac et les dents pourries.

Il colla sa bouche à mon oreille et chuchota :

— Tu penses toujours que c'est toi qui décides, petite salope ?

— Qu'est-ce que vous voulez dire ? demandai-je faiblement.

— C'est ta faute. Si tu t'étais pas comportée comme une connasse avec mes amis, j'aurais pas besoin de faire ça.

Et c'est à ce moment que je compris : c'étaient les types que j'avais rencontrés au Four Seasons qui l'avaient envoyé.

Il caressa ma joue du dos de la main.

— C'est dommage, tu as un joli visage.

Il me releva en me tirant par les cheveux.

Il me cogna la tête contre le mur. Tout tournait autour de moi. Je pleurais. Dès que je rouvris les yeux, je me pris son poing sur la joue. Il me frappa sur le nez.

J'avais l'impression que tous mes nerfs explosaient, puis je me sentis engourdie. Je me touchai le visage : du sang jaillissait de mon nez et me coulait dans la bouche. Je n'arrivais pas à respirer. Je m'étouffais dans mon propre sang. Il me frappa à nouveau. Son poing s'écrasa sur l'ossature délicate de mon visage comme une barre de fer. J'imaginai tous les os se brisant en mille morceaux. J'avais le visage gonflé comme un ballon. Je criai et essayai de m'éloigner, mais il n'y avait nulle part où aller, je reculai autant que je pus, collée contre les robes et les manteaux, saignant sur la soie bruissante et la douce fourrure lisse.

J'avais mal partout. Je souffrais tellement que je ne le sentais presque plus, comme si c'était une sensation globale, une autre façon de vivre. Je haletais, coincée comme un animal.

Il me sortit du placard et tira son arme de sa veste.

Je vis défiler les visages de mes parents, de mes frères, Lucy, Eugene.

— Je vous en supplie, j'ai une famille, je vous en supplie, ne me tuez pas, implorai-je en m'étranglant.

Peu importait ce qu'il voulait, je ferais n'importe quoi. Mais je ne voulais pas mourir.

— Molly, répondit-il d'une voix triste aussi douce que sa main sur mon dos. Je t'ai dit. On voulait pas faire ça…

Il braqua son arme sur mon visage. Je frissonnai et fermai les yeux. Une éternité s'écoula.

— Ouvre les yeux. On pourrait très bien s'entendre, juste, recommence pas à nous manquer de respect.

Je parvins à hocher la tête.

— Et ne pense même pas à appeler les flics. On sait où ta mère habite — une jolie maison dans le Colorado.

Oh, mon Dieu, oh, mon Dieu, qu'ai-je fait ?

— Je ne dirai rien… promis, sanglotai-je.

— Tu n'auras pas d'autre avertissement.

Je vis son poing s'approcher, puis tout devint noir.

Quand je me réveillai, j'étais seule. Je me sentais complètement flasque. Je rampai jusqu'à la porte d'entrée, m'accrochai à la poignée et fermai le verrou. Puis je m'adossai à la porte et attendis en tendant l'oreille.

Je ne pouvais appeler personne, ni la police, ni la sécurité de l'immeuble, ni un petit ami ou des amis. Peut-être que je pouvais appeler Eugene.

Je fis son numéro.

— Qu'est-ce qu'il y a ? demanda-t-il.

Il avait été froid et distant depuis que j'avais commencé à sortir avec Glen.

— Eugene, tu peux venir ? J'ai besoin de toi.

Ma voix était faible et pleine de larmes.

— Oh ! maintenant que tu n'es plus avec Glen, tu as besoin de moi ? Désolé, Zil, tu as fait ton choix. Je suis occupé.

— S'il te plaît, Euge, suppliai-je.

— Je ne peux pas, désolé.

Et il raccrocha.

J'étais complètement seule.

Je ne sais pas combien de temps je restai adossée à la

porte. Je me sentais faible et glacée. Quand je me relevai enfin, les jambes tremblantes, et que j'allai dans la salle de bains, le miroir me renvoya un reflet effrayant. Mes yeux étaient noirs et gonflés, ma lèvre fendue et ensanglantée, et il y avait du sang séché partout sur mon visage, mon cou et ma poitrine. Mes vêtements étaient couverts de sang. Je ne me reconnaissais pas. J'entrai dans la douche et je restai sous l'eau chaude, une torture pour ma peau meurtrie et entaillée. Je m'en fichais. Je me laissai tomber à genoux et je sanglotai sous l'eau, pleurant tout ce que j'avais perdu, hurlant ma solitude et mes espoirs morts.

Surtout, je pleurai parce que je savais que je n'abandonnerais pas — même maintenant, même après ça.

31

Je passai le Nouvel An seule, attendant que mes bleus s'estompent. Je mentis à mes amis, je mentis à mes parents. Je regardais par la fenêtre, hébétée, quand les douze coups de minuit sonnèrent et que 2011 commença. Je ne quittai pas mon appartement pendant une semaine. Je passai le plus clair de mon temps au lit, blottie contre Lucy, qui me fixait de son regard profond, aimant et inquiet. Quand je sortis enfin, je crus voir le visage de mon agresseur partout. J'étais sûre que mon chauffeur était dans le coup, quasiment certaine qu'un des portiers avait accepté un pot-de-vin pour le laisser entrer. Je ne faisais confiance à personne.

Je reçus un autre coup de téléphone de Vinny. Cette fois-ci, je le rappelai.

— Molly, comment ça va ?

— Ça va.

— On va se revoir. Je pense que tu comprends mieux la situation, maintenant.

— D'accord.

Je n'avais pas le choix et je le savais.

— La semaine prochaine, négociai-je. Je suis en déplacement cette semaine.

Je ne voulais pas le voir avec des bleus. Je refusais de lui donner cette satisfaction.

La veille de mon rendez-vous avec les hommes qui m'avaient fait tabasser et dévaliser, les hommes avec qui je serais forcée de trouver un accord, je regardai le *New York Times*. En couverture, je lus :

ENVIRON 125 MAFIEUX ARRÊTÉS
DANS UNE DESCENTE DU FBI

Je parcourus l'article. C'était l'opération anti-mafia la plus importante de l'histoire de New York.

Je n'eus plus jamais de nouvelles de Vinny... ni des autres. Je n'arrivais pas à croire à ma chance.

MA BONNE FORTUNE NE DURA PAS LONGTEMPS : une assignation à comparaître arriva par lettre recommandée. Brad Ruderman, un joueur de mon ancien poker de L.A., avait été mis en examen par le gouvernement fédéral. Il était accusé d'avoir monté une pyramide de Ponzi pour son fonds. « Bad Brad » Ruderman était connu dans mes pokers de Los Angeles comme « une machine à sous ». Je ne m'étonnais plus, après avoir envoyé les invitations pour la partie de la semaine, que les joueurs me répondent tous : « Brad sera là ? » Il était tellement mauvais qu'il donnait souvent l'impression d'essayer de perdre. Personne ne pouvait jouer les cartes aussi mal après deux ans d'entraînement régulier. Sauf Brad.

Je le connaissais bien, donc au bout de quelques mois je l'avais pris à part.

— Ce n'est peut-être pas fait pour toi, avais-je suggéré avec douceur.

Je lui avais proposé des leçons de poker. Je voulais que Brad joue, mais en ayant une chance de gagner.

Même Tobey avait essayé de lui apprendre à jouer, ce qui m'avait éberluée jusqu'à ce que je comprenne ses motivations : Tobey adorait les parties avec Brad parce qu'il attirait les joueurs « d'élite ». Il fallait que Brad s'améliore pour qu'il continue à jouer. S'il perdait trop, il arrêterait.

Je l'aimais bien, mais il y avait toujours eu quelque chose de bizarre chez Brad, quelque chose qui clochait. Il me paraissait un peu perdu. Nous étions devenus suffisamment proches pour que j'aille à l'enterrement de sa mère. Il avait l'air un peu torturé, mais en général il était très sympa. Maintenant, je comprenais pourquoi il m'avait fait une impression aussi étrange : il dissimulait un lourd secret. La plupart des investisseurs de son fonds étaient des amis ou des membres de sa famille. Il ne s'était même pas enregistré auprès de l'autorité américaine des marchés financiers américaine et, au moment de son arrestation, son fonds n'avait que 60 000 dollars en banque — très loin des 45 millions qu'il annonçait à ses investisseurs. C'est pour ça qu'il continuait à jouer, même s'il ne gagnait jamais. Soudain, je comprenais tout. Il avait peut-être perdu 5,3 millions de dollars dans mes parties, mais il s'en était servi pour lever des millions, convainquant les autres de lui confier leurs investissements pendant qu'ils prenaient son argent.

Maintenant, le procureur voulait ma déposition. Brad avait déjà révélé des informations sur mes parties, les joueurs, les sommes qu'il avait perdues, les gagnants qui avaient encaissé ses chèques, et m'avait désignée comme l'organisatrice. Je continuai à lire l'assignation à comparaître. Brad affirmait que je l'avais attiré par la ruse et que, dans ces salles clandestines, il avait développé une addiction au jeu qui l'avait mené à oublier ses principes, ce qui avait abouti à la pyramide de Ponzi.

J'allai donc à Los Angeles.

Mon ancien avocat de L.A. vint me chercher à l'aéroport. La déposition fut aussi désagréable que je l'avais prévu. Après des heures à esquiver les questions et à ne confirmer que des détails anodins, j'étais épuisée.

Les questions avaient réveillé des souvenirs de ma vie à L.A. que j'avais refoulés dans un coin de mon esprit où je refusais de m'aventurer.

Ça faisait tellement longtemps que je n'étais pas revenue en Californie. J'avais choisi le Four Seasons ; l'hôtel me rappelait tant de souvenirs que j'avais l'impression que ses couloirs étaient peuplés de fantômes, mais rien n'était plus pareil. Je n'étais plus la même. Et le poker de L.A. avait changé aussi. Rick Salomon avait accusé Arthur Grossman de tricher et, même s'il avait retiré son accusation, il n'était plus le bienvenu. Surtout, Tobey était désormais rarement invité.

Arthur était devenu le plus gros gagnant du jeu, autorisant un des pros locaux à jouer en échange de leçons. Les croupiers étaient salariés, et les filles qui allaient et venaient étaient ses copines du moment.

Je m'assis dans mon patio et je contemplai la ville sur laquelle j'avais régné un jour. Les monuments familiers, la vue qui me faisait me sentir tellement sûre de moi et triomphale, semblaient désormais me rejeter.

Je me demandai si, au bout du compte, Tobey avait trouvé que la victoire avait un goût amer.

32

On était début mars et, une fois de plus, l'hiver glacial laissait la place à une météo plus clémente qui me rendait ma bonne humeur. Je ne savais plus où donner de la tête : j'enchaînais les rendez-vous, je négociais des accords, et je dénichais de nouveaux joueurs à New York. Ma visite à Los Angeles m'avait rappelé que j'avais tout perdu et reconquis une fois et que je pouvais recommencer. C'était mon plan du moment : reconstruire mon empire new-yorkais — mais pas pour toujours. Quand je serais prête, je partirais la tête haute et referais ma vie aussi loin du poker que possible.

J'étais désormais seule, trop méfiante pour me rapprocher de quiconque, mais j'étais en sécurité. Et je découvrais le charme d'un nouveau genre de clients : les Russes fortunés. J'étais intriguée par cette catégorie de joueurs, durs mais dotés d'une certaine générosité, qui me respectaient, me révéraient même.

Ils adoraient le luxe, avaient le sens du détail, et semblaient très peu tenir à l'argent — ils avaient l'air d'en acquérir sans effort et de s'en séparer tout aussi facilement. C'était l'une des caractéristiques de cette communauté que je trouvais fascinante. Par ailleurs, ils ne demandaient jamais dans quoi quelqu'un travaillait. Une telle curiosité aurait paru déplacée. La question la plus banale chez mes joueurs américains — « Alors, qu'est-ce que tu fais, mec ? » — aurait suscité le mépris insolent de mes nouveaux amis.

Je me rapprochai particulièrement d'un dénommé Alex, qui semblait être une sorte de leader. Il était incroyablement intelligent, sophistiqué et mystérieux, avec des manières tranquilles mais majestueuses.

On aurait dit qu'il y avait à New York une réserve inépuisable de Russes possédant de belles voitures, chaussures et montres désireux de jouer. Ils paraissaient tous avoir des ressources illimitées. Ils ne se plaignaient pas, payaient vite, n'essayaient pas de négocier, et voulaient jouer tous les jours.

J'étais en train de me refaire, et l'aspect international me plaisait.

J'AVAIS AUSSI RECONSTRUIT MON GROS POKER, qui marchait mieux que jamais. En plus des Russes, les traders de Wall Street, les sportifs et les célébrités étaient de retour. J'avais une partie énorme prévue pour ce soir-là — l'un de mes gros clients londoniens était en ville, et les Russes avaient promis d'amener des gens de Moscou qui comptaient parmi les joueurs les plus importants du monde. Si la soirée se passait comme prévu, ça serait la preuve irréfutable que je pouvais toujours remonter, plus haut, plus fort — peu importait qui essayait de me démolir.

J'étais devant mon miroir, en train de me préparer pour la partie. Il était 22 heures et je venais de rentrer d'une opération de recouvrement qui avait pris beaucoup plus de temps que prévu.

Je me maquillai rapidement, puis mon téléphone sonna. C'était un numéro masqué.

— Allô ? répondis-je en me regardant dans le miroir.

— N'allez pas à votre poker ce soir, m'avertit une voix étouffée.

— Qui est-ce ?

On raccrocha.

Depuis mon agression, je m'étais mise à changer régulièrement le lieu des parties et j'avais engagé des agents de sécurité.

J'étais à nouveau en haut de l'échelle sociale. Je me convainquis que c'était un compétiteur qui essayait de me faire peur.

Je finis de m'habiller en essayant d'ignorer l'appel mystérieux. J'enfilai une robe de soie blanche, des talons aiguilles à lanières *nude*, mon manteau de renard argenté, et un bracelet en diamants Dior vintage. Avec les Russes, ça redevenait un plaisir de me faire belle ; ils appréciaient le glamour et les tenues soignées. Après un dernier coup d'œil dans le miroir, je me dirigeai vers la sortie et appelai l'ascenseur, quand mon portable se mit soudain à vibrer. Je le sortis de mon sac et regardai le message.

C'était Peter, un joueur qui était déjà sur place. L'ascenseur arriva, les portes s'ouvrirent et je les laissai se refermer, paralysée par le choc.

Le FBI est là ! ! Une vingtaine de flics. Ils te cherchent.

Je relus les mots encore et encore, essayant de leur donner un sens.

Je restai immobile. Tout le reste continuait à bouger, l'univers tout entier tournait et j'étais pétrifiée dans ce couloir. Au bout d'un moment, je sortis de ma transe. L'ascenseur arriva et repartit, les portes s'ouvrirent et se refermèrent, et je réagis. Je me précipitai dans mon appartement.

J'avais très peu de temps. Les agents devaient avoir compris que je n'étais pas à la partie. Mon appartement serait leur prochaine étape, s'ils n'étaient pas déjà à l'entrée, en position, attendant que je sorte. *Le FBI. Le FBI !*

C'était beaucoup plus grave que tout ce que j'avais jamais imaginé. J'étais terrifiée ; je voulais ma mère. Je pris mon sac, une valise faite à la va-vite et Lucy, et je sortis en courant.

En descendant les vingt et un étages, je fermai les yeux, espérant que le FBI ne m'attendrait pas dans le hall. La porte s'ouvrit, je me préparai.

Personne.

Je traversai le hall et sortis dans la nuit froide en entraînant Lucy. Je retins mon souffle en arrivant sur le trottoir, m'attendant à des gyrophares, des cris et du chaos. Il n'y avait rien d'inhabituel, juste des passants en chemise et la puanteur des chevaux de Central Park, de l'autre côté de la rue.

Ma Cadillac noire attendait.

Je jetai un dernier coup d'œil à mon appartement de rêve. Le mot EMPIRE clignotait en lettres rouges sur le côté de l'immeuble. Je me sentis triste. Je me doutais que je ne reviendrais jamais.

— OÙ ON VA ? DEMANDA MON NOUVEAU CHAUFFEUR, Joe, jovial et détendu.

Je réalisai soudain que ce n'était pas la fin du monde pour tout le monde. Juste pour moi.

— Joe, répondis-je. Il faut qu'on parte d'ici. S'il vous plaît. Vite.

— Où est-ce qu'on va, Miss Bloom ?

— Conduisez, c'est tout. S'il vous plaît.

J'appelai mon avocat chez lui.

— Je suis désolée de vous déranger. Le FBI a fait une descente dans mon poker ce soir. Ils ont cassé la porte et ils me cherchent.

— Où êtes-vous ? me demanda-t-il, son air ensommeillé immédiatement remplacé par un ton vif et alerte.

— Dans une voiture, je vais à l'aéroport. Je veux rentrer à la maison, au Colorado.

Ma voix se brisa.

— C'est... c'est un crime de changer d'État ?

— Non, mais ils peuvent très bien vous attendre à l'aéroport. Restez à New York ce soir. Trouvez un hôtel ou allez chez un ami, je m'en occupe demain matin à la première heure.

— Mais je veux vraiment rentrer à la maison. Je vous appellerai du Colorado.

— S'ils vous arrêtent, ne dites rien. Appelez-moi et je viendrai. *N'oubliez pas, pas un mot.*

— OK.

Je réservai un vol au départ de Newark avec ma carte de crédit.

Puis je demandai à mon chauffeur de me déposer à JFK.

Si le FBI me suivait à la trace, j'espérais que ça les mettrait sur une fausse piste. Chaque seconde durait une éternité. J'allai au comptoir. Je surveillai nerveusement le visage de l'employée de la compagnie aérienne qui entrait mes données dans le système.

Mon vol ne partant que dans quelques heures, je récupérai Lucy et ma valise, et j'allai m'enfermer dans les toilettes. On attendit des heures.

L'embarquement arriva enfin. Je m'approchai de la porte. Tout se jouait maintenant : si je passais, je rentrerais chez moi, au moins quelques heures, au moins le temps de voir mes parents et de leur dire au revoir.

Le soleil se levait sur New York. Je regardai l'île s'estomper pendant qu'un nouveau jour commençait et que l'avion montait dans les nuages. J'avais envie de pleurer, mais je me sentais vide et engourdie. Après l'atterrissage, je récupérai ma valise et trouvai un chauffeur.

Il emprunta le chemin familier vers la maison dans les montagnes, réveillant des souvenirs de ski en famille tous les week-ends quand j'étais petite.

On arriva enfin dans l'allée devant chez ma mère. Je sonnai à la porte et elle vint ouvrir, en peignoir. Elle écarquilla les yeux en me voyant. Je lui tombai dessus, toute flasque.

— Qu'est-ce qui ne va pas, ma chérie ? Dis-moi, ma chérie, tu peux tout me dire, ça va ?

J'éclatai en sanglots. Ma mère me serra contre elle ; je n'arrivais plus à arrêter de pleurer.

APRÈS AVOIR TOUT RACONTÉ À MA MÈRE, je me glissai dans son lit et elle resta avec moi, me caressant la tête jusqu'à ce que je sombre dans un sommeil sans rêves. Je me réveillai au coucher du soleil. Cachée dans les bois, je me sentais à des années-lumière de ma vie dans le poker. J'avais l'impression que je pourrais rester dissimulée dans cette maison pour l'éternité. Mais je savais que ce n'était pas possible et qu'il fallait que j'affronte la situation.

J'appelai mon avocat ; il m'apprit que je faisais l'objet d'une enquête et me demanda de lui verser des honoraires supplémentaires pour qu'il me défende. Je me connectai à mon compte en banque.

Il affichait - 9 999 999,00. Je vérifiai mes autres comptes : pareil.

J'appelai ma banque.

— Pourquoi est-ce que tous mes comptes affichent un solde négatif ?

— Je suis désolé, Miss Bloom, répondit l'employé, l'air gêné. Il y a une note disant de contacter le bureau du procureur fédéral.

J'appelai immédiatement mon avocat, qui m'informa que mes actifs avaient été saisis par le gouvernement. Il me dit que le gouvernement voulait « m'interroger » au sujet d'une affaire de crime organisé.

Je pensai au regard sans âme de mon agresseur à New York, et surtout à sa menace contre ma mère.

— Non, pas question, répondis-je d'un ton sans appel.

— Je leur transmettrai.

— Comment ça va se passer, maintenant ?

— Eh bien, si vous ne coopérez pas, je ne peux pas récupérer votre argent et vous pourriez être inculpée.

— Mais on a étudié les lois, protestai-je.

Je lui avais demandé de faire des recherches sur la législation fédérale sur le poker. Il était du même avis que mon avocat de Los Angeles et m'avait dit que je ne violais aucune loi fédérale — je trouvais donc ahurissant de pouvoir être inculpée.

— Le gouvernement fait ça parfois, ils essayent de faire pression sur les gens pour leur soutirer des informations, m'annonça mon avocat.

Je n'avais pas d'argent, pas de réponses, et aucune envie de devenir un témoin protégé.

J'étais arrivée à New York quelques années plus tôt sous le feu des projecteurs, remontée à bloc, et je repartis seule et en silence.

Mon téléphone cessa de sonner, les filles s'éloignèrent. Je vendis ma table de poker et mon Shuffle Master, je rendis mon appartement. Je payai des déménageurs pour emballer ma vie dans des cartons et l'entreposer quelque part dans le Queens.

JE RETOURNAI VIVRE CHEZ MES PARENTS. J'essayai d'apprendre à mener une vie tranquille, dans la nature, mais, taraudée par les questions sans réponse, je vivais dans une angoisse constante qui colorait toute mon existence. J'avais des bons et des mauvais jours. Parfois j'étais incroyablement soulagée, d'autres fois tellement déprimée que je n'arrivais pas à sortir du lit.

Je me souvins d'un vieux pro que j'avais rencontré dans la salle de poker du Bellagio. À l'époque, j'essayais de ferrer un énorme *fish*, que j'observais en faisant semblant de regarder Eugene jouer.

Il était assis à ma gauche ; il venait d'essuyer une mauvaise main. Il s'était tourné vers moi et m'avait dit, avec un regard sagace :

— Le poker vous brisera le cœur, mademoiselle.

— Oh ! je ne joue pas, avais-je répondu en souriant.

— Nous jouons tous. La vie n'est qu'un immense poker.

Il avait raison sur toute la ligne.

Mais j'appris à survivre. Je faisais des randonnées, je lisais et j'écrivais.

Je partis avec mon frère pour un trek d'une semaine au Pérou jusqu'au Machu Picchu. Assise au sommet d'une colline, j'admirai la merveille qui m'entourait, l'héritage d'une grande civilisation. Je pensai à mon poker. Quand je régnais sur ma cour dans ces *penthouses* décadents, j'avais l'impression de dominer le monde, mais c'était un univers matériel. Les coups de théâtre se succédaient dans une atmosphère survoltée : les rois du monde étaient assis autour d'une table et jouaient leur empire. Quand la dernière carte avait été révélée, quand la table avait été rangée, après le passage des femmes de ménage, il ne restait aucune trace des rivalités, aucun vestige de gloire, aucun monument aux vainqueurs. Le silence régnait, comme s'il ne s'était rien passé.

Épilogue

Je passai deux ans à recoller les morceaux de ma vie. Six mois après la descente sur ma partie, le gouvernement arrêta Alex et quelques autres Russes. Ils étaient accusés d'escroqueries à l'assurance à hauteur de 600 millions de dollars. D'après mon avocat, c'était sûrement pour cette raison que le gouvernement était intervenu. Je savais que le réseau puissant que j'avais passé des années à construire et les relations que j'avais entretenues n'étaient plus viables. Non seulement les rumeurs s'étaient répandues au sein de la communauté du poker, mais les journaux s'en étaient donné à cœur joie après l'affaire Bradley Ruderman et le procès qui avait suivi, au cours duquel tous les joueurs qui avaient reçu un chèque de Brad dans le cadre de mon poker étaient poursuivis. Un grand nombre de ces joueurs étaient des célébrités et, en creusant un peu, les journalistes révélèrent les détails sur les parties, les noms des participants, et l'identité de la fille responsable de toute l'opération. Ils m'appelaient « la princesse du poker », « la maquerelle du poker », et pire encore. Des paparazzis vinrent chez ma mère, chez mon père, dans mon lycée. Ils appelèrent mes amis et mes ex, me bombardèrent de mails. Je ne parlai à personne, et ils finirent par s'en aller.

Je retournai à L.A. juste avant mon anniversaire, presque deux ans jour pour jour après le soir où mon monde s'était écroulé. Je trouvai un appartement sympa, rien à voir avec les demeures luxueuses que j'avais habitées autrefois, mais j'étais chez moi. La plupart de mes « amis » avaient fui le navire quand l'argent s'était tari, mais il me restait les quelques bons amis que je m'étais faits en cours de route, et j'étais reconnaissante de les avoir.

Un matin tôt, je promenais Lucy quand je tombai sur Eugene. Ses yeux sombres me souriaient comme si on venait de se quitter. Il avait déménagé à Los Angeles et, par le plus grand des hasards, louait un appartement à quelques pâtés de maisons du mien.

— Zilla ! dit-il de sa voix douce en me serrant fort contre lui.

J'étais tellement heureuse qu'il ait quitté New York. Aux dernières nouvelles, il s'était associé à Eddie Ting, qui — surprise ! — l'avait roulé dans la farine. On parla longtemps, du bon vieux temps, de nos folies. Je m'excusai pour la façon dont je l'avais traité.

— Je t'aimerai toujours, Zil, répondit-il, et je t'ai pardonné il y a longtemps. Tu es la fille la plus jolie et la plus forte que je connaisse, avec de tout petits pieds et de grandes ailes.

J'éclatai de rire. Il me manquait tellement, et notre bulle aussi. C'était la seule personne qui me connaissait vraiment, me voyait telle que j'étais, et vice versa. Eugene était mon âme sœur, et je l'avais dans la peau, mais je savais que nous ne pourrions jamais être un couple. Accro au jeu, il vivrait toujours la nuit, pour la prochaine main, la prochaine partie, le prochain coup. On se regarda, étourdis par notre passion, notre amour, notre histoire.

— Je ferais mieux d'y aller, déclarai-je à contrecœur.

— D'accord.

On s'étreignit pour se dire au revoir.

Je rentrai chez moi en me disant que c'était vraiment ironique qu'il ait emménagé aussi près. Je pensai à mes folles années de poker, qui me manquaient parfois. Le danger, l'argent, l'excitation — mais ça ne pouvait pas durer. Depuis, j'avais appris à vivre autrement. Je dormais beaucoup, je passais du temps dehors au soleil, je mangeais équilibré, je menais une vie frugale. C'était paisible.

CE SOIR-LÀ, EN ME PRÉPARANT POUR LA NUIT, j'enfilai la nuisette en soie blanche La Perla qu'Eugene m'avait offerte pour mon anniversaire, bien des années auparavant.

Je souris. Il allait bien et c'était tout ce que je lui souhaitais. J'écrivis un peu avant de m'endormir, blottie contre Lucy, la seule vraie constante dans ma vie.

Je me réveillai en entendant mon téléphone sonner sans arrêt. Je regardai l'heure, désorientée. 5 heures du matin ? Je ne recevais plus d'appels de numéros inconnus à des horaires bizarres. Je répondis.

— Molly Bloom ?

— Oui ?

— Jeremy Wesson, FBI. Nous sommes devant chez vous. Si vous ne sortez pas immédiatement, nous enfoncerons la porte. Vous avez vingt secondes.

Je me levai, le cœur affolé, les mains tremblantes. C'était une blague ? Quelqu'un me voulait du mal ? Je ne comprenais pas.

— Vous avez quinze secondes, Miss Bloom.

Je courus ouvrir la porte.

J'avais l'impression d'être dans un film : une vingtaine d'agents du FBI, peut-être plus, des fusils d'assaut, des menottes, des voix qui me hurlaient dessus comme si j'étais une criminelle violente. Ils ne m'enlevèrent mes menottes que pour me laisser me changer. Je dus me déshabiller devant les femmes. « Pas de soutien-gorge à armatures », ordonnèrent-elles. Comme elles ne voulaient me laisser toucher à rien, elles m'habillèrent. Après m'avoir remis les menottes, ils me conduisirent dans une grosse voiture noire.

— Où va-t-on ? demandai-je d'une petite voix.

— Dans le centre-ville, répondirent-ils, refusant de m'en dire davantage.

On s'arrêta dans un parking souterrain sombre.

— Vous êtes prêts à recevoir la prisonnière ? demanda un homme dans une radio.

— Oui, leur répondit-on.

Ils m'emmenèrent à l'étage et annoncèrent que la prisonnière était arrivée.

Ils relevèrent mes empreintes digitales, me prirent en photo et me demandèrent de me mettre debout face à un mur. Une femme me mit des fers aux pieds.

— Retourne-toi, ordonna-t-elle.

Elle accrocha une grosse chaîne autour de ma taille, puis menotta mes mains à la ceinture et me conduisit dans une cellule avec l'aide d'un autre agent. J'avais du mal à marcher avec les pieds entravés et les chaînes me rentraient dans les chevilles, mais je n'osais pas me plaindre. Ils ouvrirent la porte d'une cellule sale. Je les regardai, terrifiée. Ils me firent entrer et m'enfermèrent avec une grosse clé.

— Combien de temps est-ce que je vais rester là ? demandai-je poliment.

— À ta place, je m'installerais confortablement, petite, répondit la femme.

J'entendis les autres crier : « Les prisonniers sont là ! » Je levai la tête. J'attendis que les pas traînants arrivent à l'angle. Je croisai un regard noir en amande familier… *Eugene !* Je scrutai son visage et il me jeta un coup d'œil avant de se détourner froidement. Derrière lui, je vis son frère, Illya ; Helly, le riche mondain ; Noah, le mathématicien surnommé « l'Oracle », qui gérait les paris sportifs du groupe ; et Bryan Zuriff, un riche héritier. Quand mon avocat arriva enfin, il me tendit l'épais acte d'accusation, qui détaillait l'inculpation pour association de malfaiteurs.

On aurait dit un scénario de film. La liste des accusés comprenait un certain « Vor », un parrain de la mafia russe qui était l'un des dix fugitifs les plus recherchés au monde ; Helly, le richissime play-boy qui était sorti avec d'innombrables top models ; John Hanson, le champion d'échecs ; Noah, le génie des maths ; Pete le Plombier, qui avait tant perdu au jeu qu'il avait vendu une partie de son entreprise de plomberie, désormais utilisée comme façade pour du blanchiment d'argent, d'après le texte. Et puis il y avait Eugene, son frère et leur père, accusés de diriger une opération de paris sportifs d'une valeur de 100 millions de dollars depuis l'appartement de la Trump Tower où j'avais passé tant de nuits.

La liste comprenait trente-quatre accusés, et je n'avais jamais entendu parler de la plupart d'entre eux.

J'étais la seule femme.

Je fus libérée contre une caution de 100 000 dollars et convoquée devant le juge fédéral de la circonscription sud de New York.

LE TRIBUNAL FUT L'UNE DES EXPÉRIENCES les plus étranges de ma vie. Sur les bancs de gauche s'entassaient les amis, la famille et les journalistes. Je regardai ma mère qui, sans le savoir, était assise à côté de celle d'Eugene, une femme au visage hagard. Je la plaignais : toute sa famille était inculpée. Les bancs de droite étaient réservés aux accusés, et ceux qui étaient toujours incarcérés étaient derrière une vitre au bout du tribunal. J'étais assise entre mes avocats, qui me rassuraient, m'expliquaient le déroulement des événements et vérifiaient que j'allais bien. Je regardai mes prétendus associés. Certains étaient vêtus de beaux costumes, d'autres de joggings en velours, d'autres encore d'uniformes de prisonnier. J'avais lu le communiqué de presse sur le site du FBI. Je risquais cinq à dix ans.

Le juge entra et tout le monde se leva. Il parla surtout de procédure. Je cherchai Eugene des yeux ; il était au premier rang, en tenue décontractée. J'attendis pendant que chaque accusé plaidait non coupable, une bonne partie avec l'aide d'un interprète. Enfin, tout à la fin de la liste, le juge appela mon nom. Je me levai, même si je sentais à peine mes jambes. Tout le tribunal se retourna vers moi et je sentis la pièce commencer à tourner.

— Comment plaidez-vous, Miss Bloom ?

— Non coupable, Votre Honneur, bredouillai-je.

— Je suis désolé. Je ne vous ai pas entendue, tout au fond. Comment plaidez-vous par rapport à ces chefs d'accusation ?

On aurait entendu une mouche voler. Je puisai dans une réserve de force que je ne me connaissais pas, et je répondis d'une voix forte :

— Je plaide non coupable, Votre Honneur.

L'année qui suivit mon arrestation et mon inculpation fut terrifiante et déchirante, mais je mûris aussi beaucoup. Je décidai de ne pas m'engager dans une longue bataille judiciaire. Malheureusement, ce n'est pas toujours une question de culpabilité ou d'innocence. Si j'avais décidé de me battre, ça m'aurait coûté des millions de dollars (j'avais à peine de quoi me rendre aux convocations du tribunal), ainsi que des années de ma vie — sans aucune garantie de justice. Et je refusai une fois de plus de coopérer avec le gouvernement. Si bien que, le jour le plus froid de l'année, le 12 décembre 2013, je capitulai et plaidai coupable. Ce jour-là, je devins officiellement une criminelle, et j'attends de connaître ma peine[1].

Je ne sais pas à quoi va me condamner l'honorable juge

---

1. Molly Bloom a été condamnée en avril 2014 à un an de liberté surveillée et deux cents heures de travaux d'intérêt général, en plus d'une amende de 1 000 dollars. (N.D.T.)

fédéral mais, quel que soit son verdict, je sais que ce n'est pas lui qui décide de mon sort.

C'est moi.

On m'a souvent demandé : si je devais tout recommencer, est-ce que j'emprunterais la même voie ? Ma réponse est oui, mille fois oui. J'ai vécu une aventure extraordinaire. J'ai appris à croire en moi. J'ai fait preuve de courage et j'ai réussi. J'ai aussi été imprudente et égoïste ; je me suis perdue en chemin ; j'ai négligé le principal en échange d'argent et de prestige, convoité le pouvoir et brisé des cœurs. Mais j'ai été forcée à me regarder en face, à tout perdre, à échouer lamentablement devant le monde entier, et les enseignements que j'ai tirés de mon succès ont autant de valeur que ceux que j'ai tirés de mon échec. Je sais que cette fois j'utiliserai tout ce que j'ai appris pour une bonne cause. Et je réussirai.

REMERCIEMENTS

Écrire ce livre n'a pas été de tout repos. Je veux remercier ceux qui ont eu foi en moi, m'ont soutenue et encouragée.

Carrie, merci d'avoir cru en mon histoire et d'avoir travaillé sans relâche pour faire de ce livre ce qu'il est. Tu as été une collaboratrice et une amie extraordinaire.

Lisa Gallagher, j'ai l'impression de t'avoir rencontrée il y a mille vies. Nous avons traversé tant de choses ensemble. Tu as tout donné, comme amie et comme agent. Je n'aurais pas pu rêver associée plus brillante, compétente et compatissante pour ce voyage.

Susan, tu es géniale. Ton travail acharné et ta gentillesse ont été une partie intégrante de ce processus.

Lynn, mon éditrice, merci pour ton soutien.

Joseph, merci pour ta créativité et ta clairvoyance.

Matthew, je suis tellement heureuse de t'avoir rencontré par hasard il y a des années. Tu es devenu l'un de mes amis et conseillers les plus proches. J'adore le clan Hiltzik. Merci pour ton aide, tes suggestions et toutes les fois où tu m'as fait rire.

Jim Walden, comment est-ce que je pourrais te remercier ? Tu es un vrai gladiateur. Ton intégrité, ta compassion et ta foi inébranlable en la justice m'ont redonné espoir pendant mes heures les plus sombres.

Sarah Vacchiano, ta gentillesse et ton expertise ont plus compté pour moi que tu ne le sauras jamais. Je suis honorée de te compter parmi mes amis.

Leopoldo, je ne sais pas quoi dire : tu as eu un rôle tellement central, à la fois pour le livre et dans toute ma vie. Ta bonté radieuse illumine le monde. Je t'aime tellement.

Jordan et Jeremy, merci pour votre amour inconditionnel. Je suis plus émerveillée de jour en jour par ce que vous êtes devenus. En plus d'être mes frères, vous êtes mes meilleurs amis.

Mamie, j'ai tellement de chance d'avoir passé autant de temps avec toi, enfant puis adulte. Je t'aime.

Ali, rien que d'écrire ton nom, je déborde d'amour. Tu m'as soutenue sans hésiter, sans juger. Ta gentillesse et tes conseils délicats m'ont remise sur pied quand j'étais détruite. Ton exemple m'a appris la valeur de la gratitude, de la compassion et de la générosité. Tu es ma meilleure amie, ma sœur et ma boussole. Les mots sont impuissants à exprimer toute ma reconnaissance — il faudra toute une vie à essayer d'être aussi bonne que tu l'as été avec moi et le reste du monde. Tu es vraiment mon héroïne.

Steph, tu es un exemple pour moi. Merci pour ton amitié inconditionnelle, ton soutien indéfectible et les réunions stratégiques.

L.L., tu es l'un des premiers amis que je me sois faits à L.A. Merci d'être revenu dans ma vie quand j'avais le plus besoin de toi.

Et enfin, papa, tu as toujours été mon héros. Tu m'as appris à être intrépide et à croire en mes rêves, et tu m'as encouragée et coachée pour que je les réalise.

Je t'aime, papa.

Composé et édité par HarperCollins France.

Achevé d'imprimer en janvier 2018.

MARQUIS

Québec, Canada

Dépôt légal : février 2018.

Imprimé au Canada